W9-BPR-341

131

«Ni está el mañana —ni el ayer— escrito.»

ANTONIO MACHADO
El dios Ibero

1. La colección ESPEJO DE ESPAÑA, bajo el signo de Editorial Planeta, pretende aportar su colaboración, no por modesta menos decidida, al cumplimiento de una tarea que, pese a contar con tantos precedentes ilustres, día tras día se evidencia como más urgente y necesaria: el esclarecimiento de las complejas realidades peninsulares de toda índole —humanas, históricas, políticas, sociológicas, económicas...— que nos conforman individual y colectivamente, y, con preferencia, de aquellas de ayer que gravitan sobre hoy condicionando el mañana.

2. Esta aportación, a la que de manera muy especial invitamos a colaborar a los escritores de las diversas lenguas hispánicas, se articula inicialmente en siete series:

I los españoles
II biografías y memorias
III movimientos políticos, sociales y económicos
IV la historia viva
V la guerra civil
VI la España de la posguerra
VII testigos del futuro

Cón ellas, y con las que en lo sucesivo se crea oportuno incorporar, aspiramos a traducir en realidades el propósito que nos anima.

3. Bueno será, sin embargo, advertir —puesto que no se pretende engañar a nadie— que somos conscientes de cuantas circunstancias nos limitan. Así, por ejemplo, en su deseo de suplir una bibliografía inexistente muchas veces, que cabe confiar estudios posteriores completen y enriquezcan, ESPEJO DE ESPAÑA en algunos casos sólo podrá intentar, *aquí* y *ahora*, una aproximación —sin falseamiento, por descontado, de cuanto se explique o interprete— a los temas propuestos, pero permítasenos pensar, a fuer de posibilistas, que tal vez los logros futuros se fundamentan ya en las tentativas presentes sin solución de continuidad.

4. Al texto de los autores que en cada caso se eligen por su idoneidad manifiesta para el tratamiento de los temas seleccionados, la colección incorpora un muy abundante material gráfico, no, obviamente, por razones estéticas, sino en función de su interés documental, y, cuando la obra lo requiere, tablas cronológicas, cuadros sinópticos y todos aquellos elementos que pueden complementarlo eficazmente. Se trata, en definitiva, de que cada uno de los títulos, en su unidad texto-imagen, responda a la voluntad de testimonio que preside las diversas series.

5. Sería ingenuo desconocer, empero, que este ESPEJO que, acogido a la definición que Stendhal aplicara a la novela, pretendemos pasear a lo largo del camino, según se proyecte a su izquierda o a su derecha recogerá, sin duda, sobre los mismos hombres, sobre los mismos hechos y sobre las mismas ideas, imágenes diversas y hasta contrapuestas. Nada más natural y deseable. La colección integra, sin que ello presuponga identificación con una u otra tendencia, obras y autores de plural ideología, consecuente con el principio de que ser liberal presupone estar siempre dispuesto a admitir que *el otro* puede tener razón. Aspiramos a crear un ágora de libre acceso, cerrada, única excepción, para quienes frente a la dialéctica de la palabra preconicen, aunque sólo sea por escrito, la dialéctica de la pistola.

6. Y si en algunas ocasiones la estampa que ESPEJO DE ESPAÑA nos ofrezca hiere nuestra sensibilidad o conturba nuestra visión convencional, unamos nuestra voluntad de reforma a la voluntad de testimonio antes aludida y recordemos la vigencia de lo dicho por Quevedo: «Arrojar la cara importa, que el espejo no hay de qué.»

RAFAEL BORRÀS BETRIU
Director

Diciembre de 1973.

RELEASE

Las mujeres de PICASSO

Antonio D. Olano

Las mujeres de PICASSO

Finalista Premio Espejo de España 1987

EDITORIAL PLANETA BARCELONA

ESPEJO DE ESPAÑA
Dirección: Rafael Borràs Betriu
Serie: Biografías y memorias

Editorial Planeta, S. A., Córcega, 273-277, 08008 Barcelona (España)
Ilustración al cuidado de Ester Berenguer
Cubierta de Hans Romberg (foto Gamma/Flash Press y realización de Jordi Royo)

Procedencia de las ilustraciones: Archivo Editorial Planeta, Camera Press, Dominguín, Europa Press, Francisco X. Ráfols, H. Roger-Viollet, Magnum, Zardoya y Autor

Maquetas de ilustración interior: Eduardo Asensio
Producción: equipo técnico de Editorial Planeta
Primera edición: marzo de 1987
Depósito legal: B. 7.274-1987
ISBN 84-320-7540-X
Printed in Spain/Impreso en España
Talleres Gráficos «Duplex, S. A.», Ciudad de la Asunción, 26-D, 08030 Barcelona

ÍNDICE

Soliloquios a tres voces [1]

Los nombres de Picasso: Diego, José, Francisco de Paula, Juan Nepomuceno, María de los Remedios, Crispiniano de la Santísima Trinidad. La geografía de Picasso: Málaga, La Coruña, Barcelona, París, Madrid, Horta de San Juan, Aviñón, Braque de Sorgues, Roma, Nápoles, Pompeya, Florencia, Biarritz, Fontainebleau, Finard, Antibes, Montecarlo, Jean-les-Pins, San Sebastián, Toledo, El Escorial, Londres, Varsovia, Vallauris, Vauvenargues, Mougins... Las épocas de Picasso: infantil, realismo social, premodernismo, modernismo, azul, rosa, negro, cubista, *collage*, cristal, surrealista (?), neoclásico, expresionista... Las facetas de Picasso: dibujante, pintor, escultor, ceramista, grabador, poeta, autor teatral, taurófilo, gastrónomo... Los amigos de Picasso: palomas, colombos, peces, afganos, toros. Y algunos seres humanos. Pocos. Las casas de Picasso. Las cosas de Picasso. Las quisicosas de Picasso. Las enfermedades de Picasso. Los paisajes de Picasso. Los «centenarios» de Picasso. Las exposiciones de Picasso. Las patrias de Picasso.

¡Las mujeres de Picasso!

No se puede escribir tu nombre, no se pueden decir tus nombres, Pablo, sin anteponerles la preposición que lleva implícita la posesión de todo. Antes de tu apellido, ya nombre, Picasso, un posesivo que lo comprenda todo.

Hay un mundo, Pablo Picasso, que se conforma en torno a ti y contigo. Y gira alrededor de ti. De ti, que lo has recreado. No hay nada que se escape a tu enorme poder de percepción, Pablo. Por lo tanto, de una manera o de la otra, o de la otra, o de la otra, o de la otra, o de la otra o de la otra, o de mil maneras más, todo te pertenece. Has dicho, como avergonzado de tu monstruosa capacidad de abarcarlo todo, que tú no buscas, que tú encuentras. Tus ojos todo lo abarcan. Luego, nada se les escapa. Luego, todo lo encuentran. Por lo tanto, de una manera o de otra, todo te pertenece. Absolutamente todo está en Picasso y es de Picasso. Como la prehistoria está marcada por la era de la piedra, del metal, del fuego, tú lo marcas todo. Piedra, metal, fuego, impusieron sus dictados. Nos tiranizaron. Significan tanto para el hombre, incapaz durante décadas de encontrar algo diferente, o algo más, algo más, algo más,

1. Las voces, los pensamientos y algún que otro diálogo de Pablo Picasso, Lucía Bosé y Jacqueline Roque.

algo más, que el hombre se sometió gustosamente, para no alterar su propia comodidad, a la piedra, al metal, al fuego. Que han sido, todo hay que decirlo, los resultados de la terca búsqueda hecha por el hombre. El hombre, sin embargo, no hizo a Picasso. La raza humana se encontró hecho a Picasso. Picasso le fue dado al hombre. Como al hombre le fueron dados, cuentan que los encontró cuando apareció en la Tierra, el Sol, el agua... Y hoy, con nuestra o contra nuestra voluntad, ese Sol que nos quema es picassiano. Respiramos un oxígeno que está en la atmósfera Picasso. Bebemos en las fuentes, en los manantiales multiformes, de sabores distintos, de Picasso.

Existen períodos marcados por descubrimientos, por acontecimientos. Y, paralelamente a ellos, hombres que cubren largas épocas. Es real la era atómica. Es ficticia la era espacial. Y, paralelo al átomo, Picasso. Destruye para construir. Lo dice: «Mis obras son sumas de destrucción.» La energía atómica puede ser destructiva. La pintura no. «¡La pintura sí! —replica Picasso—. Hay que tener mucho cuidado con esto. Está bien, es muy bonito, hacer un retrato con todos los botones del abrigo e, incluso, con los ojales y el reflejito sobre el botón. Pero, ¡cuidado!, llega un momento en que los botones saltan a la cara.»

Dejo de leer para volver a las aguas, calmas, de ese mar de Cannes, de ese mar de toda la Costa Azul, que parece inofensivo, que da la sensación de un viejo caballo sometido a la voluntad de sus dueños para que no asuste a los niños. Pablo se rasca la nariz con el puño; con los dedos de su potente mano izquierda cerrados. Me observa atentamente. Ríe. Nos conocemos perfectamente. Sabe que no podemos engañarnos. ¿Qué maquinas, Pablo? No temas. Sí, ya sé que sabes que lo que me gusta hacer es cabronadas. No me preguntes por qué. ¡Me gusta y basta! ¿Sabes que hay aquí cerca campos de nudistas en los que las mujeres no precisáis de esos horribles trapos que os cubren y que, además, os dejan blanquecina una buena parte, la mejor parte de vuestra piel? Aquí dice, Pablo, aquí han escrito: «Las treinta mujeres de Picasso.» ¡Qué ingenuos! ¿Qué saben ellos? A lo mejor fueron más, más, más... muchas más... Una vez pasé por una de esas playas de nudistas... Eres un obseso, Pablo. Puede que sí. Yo amo a la mujer por la mujer. No se ama a una Venus, sino a una mujer. ¿Sabes que «ella» está celosa? Le ha dado por decirme que yo me entiendo con una lechera. ¡Absurdo! Bueno, te advierto que está muy bien. Es una mujer rozagante... Sí, como la lechera de Goya... ¿O era de Velázquez? Bueno, no importa. Te juro que no hay nada... Bien, no te lo juro, pero no hay nada... Debe de ser cosa de los pintores. A Goya también le gustaban mucho las mujeres. Antonio Trueba recogió las palabras de Isidro, un criado de Goya. «En dos cosas era mi amo incorregible. En su afición a los toros y en su afición a las hijas de Eva. ¿Querrán ustedes creer que a los ochenta años todavía se creía capaz de estoquear un toro mejor que sus amigos Romero y Costillares, y a la misma edad todavía se le encandilaban los ojos cuando iba por La Florida y veía los ángeles que pintó en la media naranja de San Antonio, retratando en ellos a sus amigas, las damas más hermosas de la Corte de Carlos IV? Desde que aquel diablejo de la duquesa de Alba le envició en la galantería, era el pobre de mi amo muy tentado a la risa...» Goya. No me gustó nunca Goya. Me da la sensación de un caricaturista. Buen tipo sí que era Goya. Oye, ¿quién era antes: Goya o Velázquez? Mira, mira a ésas... ¡Con las tetas al aire! Si se quitan la otra parte del traje, ya estamos en una playa nudista. Eres incorregible, Pablo. ¿Para qué me voy a corregir? No te creas lo de la lechera. Ya no me acordaba de «lo de la lechera». Eres tú el que provocas esa conversación. Y a ella, comprenderás, ya no le hace gracia. Está muy preocupada. Cree que te puedes divorciar. Y casarte otra vez. ¿Casarme otra vez? Oye, no está malmirado. Tú te acabas de separar. Al fin y al cabo te he conocido en Italia, antes que a ella. ¡Déjate de tonterías!

Voy a serte sincero. No sé si me hubiese desplazado por primera vez a Italia de no haber conocido a Olga. Siempre he creído que era yo el que disponía de mí mismo. Pero, de alguna manera, las que me llevaban y traían eran las mujeres. Fue Jean Cocteau el responsable. Me presentó a Diaghilev. Entre los dos me convencieron. Tenía que hacer los trajes y el decorado del ballet *Parade*. ¡Qué tremendo desastre el estreno en el Théâtre du Châtelet de París! ¡Qué horribles insultos nos dirigía el público a todos! Aquello pudo terminar en catástrofe si nuestro amigo Apollinaire, herido en la guerra, condecorado por su valor, no se pone en pie e increpa a los espectadores. El público fue aplacándose porque les merecía un gran respeto el soldado-poeta, el poeta-héroe nacional. Olga, Olga Khoklova me retuvo en Italia. ¿Tú y yo nos conocimos en Italia? Muchos años más tarde, naturalmente. ¡Seré tonto no haberme fijado en ti! Créeme, nunca te deseé, aunque estás más buena que el pan. Bueno, si a ti eso te parece una grosería. Una vez, siendo muy niño, en Málaga, le levanté las faldas a la mujer de un maestro. ¡Quería ver lo que había dentro! No te rías. Ya sabes que a los niños les gusta destripar los caballitos de cartón. Los niños son crueles, pero lógicos. No conciben que aquel juguete no tenga entrañas. ¡Cómo se puso mi maestro! ¡Eso no se hace, chico! Era un hombre muy singular. Andaluz cerrado. Nos corregía los ejercicios delante de los demás. Una mañana se dirigió a mí y me recriminó: «¡Chiquiyo, que sordao se escribe con ele!» Me acuerdo de su mujer, implacablemente gorda, cada vez que cuento la anécdota de mi ejercicio a alguien. Sí, ¿qué quieres que le haga? Me gusta contarla. Bien, nos vamos de la playa. Déjame guardar en el pañuelo estas piedrecitas que he encontrado. No sé que haré con ellas. Quizá dejarlas en su estado natural sería lo mejor. Voy a darme un chapuzón. Lo molesto de la playa es salir de ella. Todo te sobra. Principalmente la arena, claro. Espera que ahora voy. ¿Quieres que nos metamos en la ducha juntos? Ya viene ésa. Nos hemos retrasado. ¿Celos? Ya sé que dice que el celoso soy yo. Espera. Hola. No os olvidéis de mis piedras.

¿Qué te decía Pablo? Las cosas de siempre. Estoy preocupada. ¿Lo de la lechera? ¿A que te ha vuelto a hablar de ella? Sí, riéndose. Si hasta creo que no existe. Sí, existe. La conozco. Venía a casa. Sí, con la leche. Pablo es capaz de todo. Creo que hasta se han visto a solas. Una tarde, delante de mí, le tocó el pompis... No te rías, le dio un toque en las nalgas. Ya sé que preocuparse por eso es una tontería. Pero ¿qué quieres que le haga? Bueno, ella es más joven que yo. A un hombre normal no le gustaría. A Pablo sí, Pablo es muy distinto a la generalidad. No, ella no habla español, y eso a Pablo le revienta. ¿Comes en casa? Antonio vendrá después de comer. Ha dejado parte de su equipaje en casa. Estoy preocupada. La curiosidad. En una bolsa, en la misma en la que le trajo los toros de Cuenca a Pablo, lleva un magnetófono. Dile que no se le ocurra utilizarlo, porque a Pablo le horroriza la idea de que graben sus palabras.

Pablo está arriba. Nos observa. Hasta utiliza los prismáticos. Le he dicho que estáis aquí. No se ha dado por enterado. Ya sé que no es serio lo de la lechera. Incluso hacemos bromas cuando hablamos de ella. Lo malo es que se obsesione. Es capaz de hacer cualquier cosa. No, casarse otra vez no, ¡qué tontería! Pablo no es partidario del matrimonio. Ni de los hijos. Sí, aunque le gusten tanto los niños... Los niños de los demás. Tus hijos. Mi hija. Los suyos no. Paulo, cada vez que se acerca, una vez al mes exactamente, es para pedirle dinero. No le llega el dinero. Si vosotros pudieseis abrirle los ojos a Pablo sobre su hijo. Yo no. Yo, al fin y al cabo, soy su mujer. Parecería interesada. Después dicen que lo tengo encerrado, secuestrado. No te preocupes, que no baja. Si un día faltase... que no ocurra nunca, toquemos madera, tú y yo nos dedicaríamos a viajar por todo el mundo. Ya sé que te apasiona la India. ¡Qué divertida historia la de tu padre indio! Sí, un día apareció en Madrid, en Somosaguas. Hasta se hizo amigo de mi marido. Insistió en que él era mi verdadero padre. Y en que el que figuraba como padre mío me había adoptado. ¡Menudo coñazo, jo, que estúpido! ¿Publicidad? ¿Para qué la necesitaba yo, retirada ya de la farándula? Los españoles hacen lo que quieren. No les puedes decir nada. Claro que si tú te pasas... ¡Moros, moros, eso es lo que son! Todas las mujeres me envidian. ¡Vivir con un genio! A veces lloro sola, sin que él se dé cuenta. ¿Dónde has estado? ¿Se puede tardar tanto en hacer la compra? Y, te lo juro, en menos de media hora volví del mercado. Los pescaderos, los carniceros, todos me conocen. Me despachan antes que a nadie. Y los demás clientes lo comprenden. Adivinan que he de regresar, inmediatamente, al lado del maestro. Pablo empieza a gritar si desaparezco, en la misma casa, durante diez minutos. De situación envidiable, nada. No, no me pesa, porque es una gran vivencia estar a su lado. Por eso, si un día... toquemos madera, que no suceda nunca... a partir de no estar él aquí... ¡que Dios no lo quiera!... viajaremos... Primero a la India. De acuerdo. A lo mejor nos encontramos con tu padre. De no haber insistido, casi obligado, tu marido y tú, Pablo no se hubiese casado conmigo. Lo hizo para no discutir con vosotros. Palabra.

¿Vosotros aquí? Pero ¿cómo no me avisaste de que estaban aquí nuestros amigos? Dime ¿por qué no me lo dijiste? Así que erais vosotros los que veía desde la ventana. Yo me preguntaba ¿quiénes pueden haber llegado a casa? Sí, yo di orden de que dijesen que no estaba... Para nadie. Vosotros aquí y yo sin enterarme. ¿Cómo has podido hacer eso? Perdonadme.

Vamos, no llores. ¡Déjala que llore, se lo merece! Menos mal que son amigos que nos quieren y te conocen. De lo contrario, me harías quedar como una embustera. Sí, Pablo, sí, voy a decirlo. ¡Siempre así! Cuando te dije que habían venido contestaste que muy bien, que no pensabas bajar, que los atendiese yo, que fuésemos al jardín. Fíjate, los afganos son cabezotas, yo creo que locos. Quizá tontos. Por eso me gusta tener afganos. Para observarlos. Si a ellos se les ocurre salir por una pared, se destrozan cabeza, se dejan los sesos contra el muro, pero insisten, insisten, insisten una y otra vez. De pronto dan unos saltitos. O se escapan. No sé si me conocen o no me conocen. Los que sí me conocen son los peces de la alberca.

Me tocó una pareja en una tómbola. Los eché al agua y comenzaron a reproducirse. Si aparezco yo salen a la superficie, juegan, me saludan. Quizá porque soy el que les echa las migas, la comida. El colombo no sé. ¿Qué pensará el colombo ahí, siempre en su jaula? A veces me ve pintar. Siempre está con las visitas. Me trajisteis percebes. Gracias. Los tomaré con el té. No me dejan beber alcohol. Comemos. Hago la siesta y, después ¡té con percebes! Por lo menos resulta original. ¿No os parece?

Sí, son inesperadas las reacciones de Pablo. Trabaja, trabaja todo el día. Se encierra aquí. Antes salíamos más. Ahora no. Ahora teme a la gente que lo asedia, que quiere una firma suya, estrechar su mano. Algunos amigos son recibidos aquí. Cada vez menos. Soy francesa y conozco el mal estilo de los periodistas franceses. Publican páginas diciendo que lo tengo raptado. Todo porque no pueden acceder a él. Es él, es Pablo, quien dispone que no se reciba a periodistas. Incluso ha dejado a amigos íntimos a la puerta de la casa. Reacciona según su estado de ánimo. ¿De verdad tengo yo pinta de secuestradora? Mañana nos vamos de excursión, ¿os apetece? Que Pablo se quede en su estudio. Por la noche nos reunimos con él. Si me voy con vosotros no chilla, no me reclamará cada cinco minutos. Ya no sé si soy su mujer, su madre, su enfermera. A tu marido no quiso recibirlo desde que os separasteis. Sí, un hombre de tantas mujeres, que ha cambiado constantemente, resulta que es un puritano cuando se trata de sus amigos. ¡No hay derecho a que deje a esa mujer sola! ¿Y los niños? ¿Es que no se ha dado cuenta de que tienen hijos y hay que estar pendiente de ellos? Volvió una sola vez desde vuestra separación. Venía con unos del cine que estaban haciendo una película. *Buscando a Picasso*... Puede ser... pretendían que Pablo apareciese en la playa, que hiciese su firma en la arena. Eso era todo. Pablo se negó. No quiso recibir a tu marido. Lamentó tu larga ausencia. Por lo menos que mande a los niños con la tata. ¿Por qué no la llamas y le dices que venga a vernos? Se alegró mucho de que Antonio te haya traído otra vez. ¿Y aquel enano? ¿Qué ha sido de él? Si se pasase una temporada con nosotros, que nosotros lo invitamos, lo pintaría. Me cayó muy bien ese hombrecillo. Sabe mucho de toros. Y yo, ya lo sabes, lo que quería ser era torero. No, la verdad es que no tuve muchas oportunidades. Me impresionó que un picador, amigo de mi padre, me sentase sobre sus rodillas y me pusiese el castoreño, que se me coló por la cabeza y me la cubrió toda. Toreé de salón. En público. En la plaza de María Pita, en muchos lugares de La Coruña. ¡Quería enseñar a torear a los gallegos! La verdad es que lo que les enseñaba era a ser toros y no toreros. Yo era el que daba los pases y ellos eran los encargados de la embestida. Un día os contaré lo que aquella muchacha coruñesa. Íbamos dando largos paseos hasta la torre de Hércules. Creo que me enamoré de ella. Un día quise levantarle la falda, como a la mujer de mi maestro. No se dejaba, se la ajustaba con las manos cuando nos sentábamos. Hice mil trucos para verle las pantorrillas. La dibujaba. Es necesario que levantes un poco la falda. No, si quieres así, bien. Si no quieres, lo dejamos. Busca a otra. ¿Busco a otra? Sí. Decía sí, pero le caían las lágrimas. Si ella faltaba algún día a nuestra cita, yo me preocupaba mu cho. Sí, serían cosas de niños. Le hice un retrato. A mi peluquero es el que más le gusta. La verdad es que no le gusta nada de lo que hago ahora. Cuando viene a casa, a recortarme el pelo que me queda y a jugar al toro conmigo, lo paso al estudio y le enseño lo que estoy haciendo. Se lamenta. «¡Ay, don Pablo, vamos de mal a peor!» ¿Es la niña de los pies descalzos, pintada en La Coruña, la muchacha pobre que está contra el muro tu primer amor? La verdad es que llamó mi atención. Y el niño no encuentra mejor manera de aprehensión que retratarla. Así será mía para siempre. Ninguna modelo se me escapó, porque se quedó presa en la telaraña de mis lienzos. ¿Qué habrá sido de aquella muchacha? Ella, como las mujeres gallegas del campo, llevaba en perfecto equilibrio la sella sobre la cabeza. Así, así, acércame otro papel... no... así... La he recordado muchas veces. Aprendí en La Coruña muchas canciones gallegas. Casi todas son pícaras. Todas hablan de amores. Cuando vuelva por aquí, Juan, le diré que me acompañe otra vez a la guitarra. ¿Conoces esa que dice...? ¿Cómo dice esa canción de los amores primeros? «A raíz do toxo verde, e difícil de arrincare. E os amoriños primeiros, non son fácil de olvidare.»

Té con percebes. Desde que me operé tomo el té, a una hora determinada, como los ingleses. Casi siempre con alguna pasta. Con percebes, es la primera vez que me sucede. Vamos, vamos a hacer fotografías con los percebes. Así, así. Ahora, chica, déjame que te coja por la cintura. Dispara el flash, gallego, dispara. Muy bien. Ahora ya puedes irte desnudando. No os riáis. Pero ¡qué cosas se te ocurren, Pablo! Pues, ya ves, a ella la he conocido antes que a ti, en Italia. No sé qué me distraería. Quizá que estabas muy acompañada. No entiendo cómo pudiste escapárteme. De todas maneras, nunca es tarde. Tú ya eres una mujer libre. Pero tú no, Pablo. Ya, te tengo a ti. No, tienes a la lechera. Reíros, reíros, pero la cosa no tiene ninguna gracia y ya me está jodiendo.

(Pablo es capaz de todo. ¿De despedirme? ¡Cómo pueden pasarme por la cabeza esas ideas! Me necesita. Además, estamos casados. Sí, le ha dicho a ella, en broma, que se fuese sacando la ropa. La verdad es que, en estas últimas visitas, lo veo más preocupado, más interesado por ella que en otras ocasiones. Debería desterrar estas inquietudes, por estúpidas, si yo no conociese mejor que nadie a Pablo. ¿Conozco mejor que nadie a Pablo? No sé si ella me habrá notado mi preocupación. Ella y yo necesitamos hablar para comprendernos. ¿No es, al fin y al cabo, ya una mujer libre? No, no sería capaz de encerrarse aquí, de sufrir lo que yo sufro. Sufro con gusto porque vivo al lado del genio. Y lo quiero. A veces lo echaría todo a rodar y escaparía de aquí, a vivir mi vida. Mi vida. Su vida. No es mi vida desde que estamos juntos. ¡Desde que estamos juntos! Debo desechar estos pensamientos. Siempre atormentándome. Si estoy sola, los pocos minutos en que él me deja estar sola, soy yo la que se atormenta. Felizmente no me queda mucho tiempo para estas reflexiones. Es él quien me atormenta. Ayer mismo me preguntó, porque había llegado media hora más tarde, si tenía alguien, que con quién me entendía, que si lo estaba engañando. Desde hace un año estas discusiones se acentúan más y más. Quizá porque estamos presos en la jaula que nosotros mismos nos construimos al querer aislarnos de los demás. A Pablo no le interesan más que los seriales de televisión, que ve por la noche. A la noche siguiente, está preocupado por lo que les pudo suceder a los personajes. La ermita está arriba, a pocos metros de nuestra finca. Me hubiese gustado ir a ella, como todos los de Mougins. Pablo se negó. ¡Y tuvimos que ver la romería por televisión! Pablo es imprevisible. Y eso me da miedo. La cogió por el talle para que Antonio hiciese la fotografía. ¡Ya puedes irte desnudando! Ella no se merecía esa grosería, porque sí, es una grosería por mucha confianza que se tenga, no se la merecía, ni de broma. Se lo dije a Pablo cuando ella y Antonio se fueron. ¡Se puso hecho una furia! ¿Tienes celos, verdad? Celos, porque ella es más joven... porque ella es más guapa... Pues no me hables mucho de este asunto, porque puedes darme una idea... Al fin y al cabo la conozco antes que a ti... Acababan de hacerla miss Italia. ¡Miss Italia! ¿Te hicieron a ti alguna vez miss Francia? Bueno, pues eso: la hicieron miss... Creo que era novia de uno muy rico, de unos laboratorios. ¿Tu marido era muy rico? Si vuelves a tocar ese tema... A lo mejor, cuando venga a comer hoy, se lo digo... No, no te preocupes... ¡Es que se te ocurren unas cosas!... Me besó en la frente. Me daba la sensación del niño travieso que busca que su madre le perdone dándole un beso. Me inspiró ternura. Creo que Pablo es así, brusco, violento, porque lucha contra su propia sensibilidad, no quiere que la sensibilidad lo devore. Pablo es débil, pero se resiste a serlo. Porque se daría a todos, no se da a nadie. Debería pedirle perdón a ella. Perdón ¿por qué? No lo entendería. ¿Y esa obsesión por la lechera? Seguro que cuando me fui a dar un largo paseo por la playa, fue él quien le habló de la lechera. No debí dejarlos solos. Apenas bajamos a la playa y quiero disfrutar de ella. Cuando llegan los del cine, mientras dura el Festival de Cannes, tenemos que encerrarnos en nuestra casa. Pablo no desea convertirse en una *starlette* a la que fotografíen en la cornisa. Todas las «estrellas» desearían retratarse a su lado, hacerse publicidad, decir que son el nuevo amor del genio. Cada día podemos disfrutar menos de las cosas que nos apetecen. El genio ha devorado al hombre. Y nos ha devorado también a los que nos rodean. ¿Qué tenía de particular que yo le comentase que aquél era un guapo mozo? Rápidamente se imaginó escenas de adulterio, de infidelidad. Quizá yo sea culpable de haberle... ¡Han dicho que secuestrado!... de haberle aislado. Es por su bien. Por la grandeza de su obra. ¿Que lo hice por mí misma? Ya, ya sé que sus dos hijos creen que fui yo la que no les permite volver a visitar a Pablo. ¡Si ha sido decisión de Pablo! Cierto, yo le he abierto los ojos. Es mi obligación. Si me cruzo de brazos, lo devoran. Es fuerte, pero está en un momento en el que el sentimentalismo se apodera de los hombres. Lo que deseo evitar aislándolo... ¡han dicho que lo he secuestrado!... es que lo destruyan los que lo rodean, que influyan en él. ¡Si Pablo goza trabajando! Vete desnudándote. Vete quitándote la ropa. Sus bromas. ¡Sus pesadas bromas! Algo debo hacer. De momento ha dicho que se van mañana. ¿Mañana? Debo comportarme como siempre. Ella no me ha dado el menor motivo. Claro que conozco a las mujeres. Yo nunca pude pensar que me uniese a un hombre tan mayor. Cuando me lo presentaron en la cerámica, me interesó. Y a medida que lo iba tratando creo que me... ¿enamoré?... Bueno, creo que me interesó más, más, más. ¿No puede ocurrirle a ella lo mismo? Pablo es dueño de una fortuna. Ella lo sabe. ¿No lo sabía yo cuando me lo presentaron? ¿No me trajo mi prima a la Costa Azul para que lo conociese? Ella sabía muy bien de qué pie cojeaba Pablo. Intuía que no es hombre para estar solo. Vivía una separación. Una crisis sentimental. Y así no podía permanecer demasiado tiempo. Yo era la candidata. No, nunca me habló de separación. Si lo hizo, si lo hace, es en sus momentos de mal genio. ¿Es que tiene otros momentos desde hace varios meses? Soy tremendamente suspicaz. ¿Ya te has levantado, Pablo? ¿Que son las doce? Apenas dormí esta noche. ¿Que dónde estuve? A tu lado. ¡¿Vamos a empezar otra vez, Pablo?!)

¿Me has visto con ella en los periódicos? ¡Cogidos del talle! Tú estabas delante cuando Antonio nos hizo la fotografía. Sí, de acuerdo, pero ¡hay que ver lo que dice *Oggi*! ¿Es ella el nuevo amor del genio? ¿Y te va a extrañar ahora lo que inventen los periodistas? Cuando te conviene dices que son unos embusteros. Acuérdate de aquel reportaje en el que se decía que me tenías secuestrado. Y, si te viene bien, les das crédito. Trae, trae aquí, *Oggi*. ¿Nuevo amor de...? ¡No caerá esa breva! Nada, mujer, un dicho español. Es que ahora los periodistas tienen una base. Sí, esta fotografía. Ayer mismo me decías que era una magnífica fotografía. Hoy ya no te gusta. Es que esa mujer... me cuesta trabajo decírtelo, Pablo, pero esa mujer desde que se separó va por ti... ¿Va por mí, y si no la traen nuestros amigos ni siquiera hubiese vuelto a esta casa? Estás loca, completamente trastornada. Claro que, bien mirado, podemos darles la razón a los de *Oggi*. Voy a llamarla. ¡Tú me has abierto los ojos! No la llames. ¿Me lo vas a impedir tú? Ahora mismo, comunícame con el secretario. Oiga, marque el número de... ¡Déjame en paz, no me interrumpas! ¿Adónde vas? Ven, ven, ven... Le he dicho que no marque ese número. Y si me da la gana... Entonces, quédate con ella. Me marcho... Para siempre... ¡Vamos, márchate, vamos! ¿Me echas? Te vas... ¿no dices que te vas? Ésta es mi casa. Y quieres que me marche. No, lo has dicho tú. No te lo decía en serio. Estoy irritada. Eso es todo. Me maltratas, me desprecias... me... ¡Vaya con la víctima! Si estás aquí será por algo... Es por ti, Pablo... Eres un egoísta y no comprendes que alguien pueda hacer las cosas por nada... por algo, sí, por otra persona... ¿Yo un egoísta? Cuando te vayas de mi lado, escribes unas *Memorias*, como las demás, y dices que soy un diablo, la persona más mala del mundo. ¡Tendría razón! De acuerdo, todo terminado y en paz. ¡Eso sí que no! ¿No dices que estoy enamorado de ella? Mirándolo bien... fíjate en la fotografía... No hacemos mala pareja. Además, todos están acostumbrados a verme con mujeres más jóvenes que yo. Tú eras muy joven cuando te conocí. ¿Es que te vas a comparar a ella? Claro que es más joven. ¿Más guapa? ¿Te has mirado al espejo o no has tenido tiempo de arreglarte? ¡Siempre despreciándome! Eres una víctima y yo soy un monstruo. ¡Esto es el infierno! ¡Quiero que salgas de él inmediatamente! Mañana. Ahora mismo. Ésta es mi casa, no lo olvides, Pablo. ¡Ésta es mi casa, mi casa, mi casa! No se te ocurra romper esa fotografía. ¡Te lo has ganado! No, Pablo, no, no, no... Te prometo... ¡Te quiero, Pablo! No me vengas con el cuento de las lágrimas de cocodrilo. ¡Éste es el infierno! ¡Tú hiciste el infierno convirtiéndome en un prisionero al que sólo van a ver las personas que tú quieres, que crees que no te pueden hacer daño! Una cárcel a la que no se permite entrar ni a mi propia familia. ¡Esto es lo que me faltaba por oír! ¿No eres tú el que se niega a recibir a la gente? ¿No eres tú el que da órdenes de que les digan que no estás, que has salido de viaje? Porque tú sólo quieres que trabaje, que trabaje, que trabaje sin parar...

No te he visto en todo el día. Estoy recogiendo mis cosas para irme. ¿Irte? ¿No es eso lo que me has dicho? ¿No me dijiste que me fuese al infierno? Al infierno, sí, pero no es necesario que salgas de esta casa. ¿Te ríes? Pues, te advierto que me río porque estoy nerviosa. Pero no es cosa para reírse. Todo es para reírse. ¿De verdad no quieres que me marche? ¡Nunca! Debiste pensarlo antes. Ya es tarde. Te ordeno... te ruego... te suplico... por caridad... por caridad... Sí, pero es necesario que no la recibamos más aquí... Lo que tú quieras... Marque el número de... ¿Anto-

Quizás Jacqueline intuyó la frase de Séneca: «No importa morir más pronto o más tarde, lo que importa es morir bien o mal. Morir bien es huir del peligro de vivir mal.»

Jacqueline es su mujer, su amante, su modelo, su secretaria y hasta su administradora, y no sólo del dinero sino del tiempo al convertirse en guardián que va tamizando las visitas.

Aquella fotografía iba a ser la manzana de la discordia, la que haría que a ella (Lucía Bosé) se le prohibiese la entrada allí y la que decidió, por voluntad propia, que yo no volvería a ver jamás a los Picasso.

nio? Tengo que decirte algo desagradable. Está Pablo a mi lado y, si quieres, te lo confirma. Ven cuando quieras. Trae a esos amigos. Quisiéramos ser padrinos de la boda de Juan... Lo que sucede es que, para que la boda civil sea legal, tienen que vivir unos meses en Cannes. Por la casa no hay problema, tenemos una cerrada... Sí, desagradable... que Pablo no quiere que ella vuelva por aquí. ¡Está indignado! ¿Que no es para tanto? ¿Has leído las declaraciones que hizo? Y, claro, publican que es el nuevo amor de Pablo. Sí, ya sé que los periodistas inventan muchas cosas. De acuerdo. ¿Y las declaraciones de ella? ¿Que se las han inventado también, que nunca las hizo? No creas que la prohibición es cosa mía. Es cosa de Pablo. No, no quiere ponerse al teléfono, dice que ya te hablará en otra ocasión. No pienses que te estoy mintiendo. Yo estoy indignada contra esa mujer... Sí, por mucho que la defiendas sé que lo haces por amistad, pero... Sin embargo, por mí la recibiría, como hice siempre. Es Pablo, es Pablo quien no quiere oír hablar más de ella... Explícales lo de la boda. Y si quieren venir, encantados con ser los padrinos... Bueno, estas bodas civiles son distintas... No insistas... Llámame más tarde y te explicaré más cosas... Pablo quiere decirte hola... Espera... se ha ido... ya hablaréis más tarde... No, no la recibiremos jamás, jamás, jamás...

No puedo explicarme la actitud de esa mujer. He vuelto a la Costa Azul y la llamé desde Saint-Tropez. No quiso ponerse. «Don Pablo no está en casa.» Al llegar a Cannes llamaré de nuevo. Ésta es la dirección del hotel en el que estamos hospedados. Que me llame. No ha llamado nadie. ¡Se ha terminado y en paz!

Si llama ella, que no estamos. Don Pablo se irritaría si sabe que insiste en vernos. ¿Y la actitud de Antonio? ¡Qué terrible carta le escribió a Pablo! Menos mal que, para evitarle disgustos, leo antes la correspondencia. Esta carta no la leerá nunca. Estuvo a punto de hacerlo. Dice que soy injusta. ¿Cómo se pueden decir esas cosas? Le diré a Pablo que es tan culpable como ella. ¿No salieron de su cámara, al fin y al cabo, esas fotografías? Cierto, cierto que le autorizamos a publicarlas. Pero no podíamos pensar que apareciesen con esos comentarios. Antonio la utilizó bien en su crónica. No obstante, debió controlar... Será mejor que él tampoco vuelva por aquí. ¿Ha llamado? No estamos. No quiero ponerme. ¿Y este ramo de flores? ¡De él! Vamos, póngame con la floristería... Soy la señora... de... No, no voy a hacer ningún encargo... Se trata de un ramo de flores de una persona... ¡Y yo no quiero esas flores! ¿Quiénes son ustedes para mandarlas sin consultarme? Sí, ya sé que lo hicieron otras veces... Sí, ya sé que los enviaba el mismo señor y que es... era amigo nuestro... Ahora todo es distinto. Manden inmediatamente por el ramo... Lo tiran... se lo devuelven si es que lo ven aparecer por ahí... Por mi parte, he dejado de ser clienta de ustedes para siempre... Sepan lo que hacen... ¡Basta!

¡Menos mal que lo vamos! Tome, el resguardo del Diners. Ella nos ha devuelto el ramo... Bien, antes me insultó, me dijo cosas terribles... Está loca, señor... Sí, más bien tiene miedo... Se celó hasta de mí. Cree que todas somos como ella. Que todas las mujeres le vamos a quitar a su marido, como ella se lo robó a... Lo sentimos mucho, señor. Espero que no perdamos al amigo, al cliente... No se preocupe. ¡Está loca!

Lamenté una ruptura, que yo no había provocado en absoluto, por mis hijos, por el propio Pablo. Ella no podía ignorar, porque la hicieron víctima en muchas ocasiones, el comportamiento de los *paparaccis* italianos, de los reporteros sensacionalistas de todo el mundo. Desde mis últimas visitas, buscaba un pretexto para alejarme de aquella casa. Era consciente, aunque se resistía a creerlo, que el tiempo vital de Pablo estaba contado. Día a día lo iba aislando más. Los amigos que lo visitaban sin anunciarse siquiera fueron limitándose. El poeta, el pobre poeta, jamás había estado seguro que lo iba a recibir Pablo. Le había dedicado varios libros, pero le tenía miedo. Pablo estaba harto del poeta y de su familia. Un día llevó a su mujer, a su hija, a su yerno. Su yerno, un hispanoamericano, no cesaba de hacerle fotografías. Con acento candengue le preguntó: «¿Le estoy molestando mucho, verdad maestro?» Pablo, imperturbable, le respondió: «Sí, mucho... pero no se preocupe... para eso estamos.» Marchó la familia del poeta y Pablo comenzó a despotricar. Sobre todo contra ella. ¡No para de hablar, es insoportable! «Pero debió de ser una mujer muy guapa», le respondió Antonio. ¿Guapa esa mujer? Lo decís porque no la conocisteis de joven. Siempre fue igual. ¡Una pelucona! Me recuerda a la figura acuñada en aquellas monedas a las que llamábamos peluconas. Si un día me quedo sola... Siempre buscaba una madera a la que tocar ante la idea de la desaparición de Pablo... Pablo está bien... ¡Toquemos madera! Pablo, terriblemente, arrolladoramente vital, no creía en su muerte. Sabía, eso sí, de todas esas muertes. Había decidido que todos nos «plantásemos» en una edad, que es la que en realidad debíamos sentir dentro de nosotros. «Yo me he quedado en los treinta y cinco años... A ti te van los veintitantos. Por favor, no te muevas de ahí. No cumplas años ni permitas que los demás te recuerden que los has cumplido.» Si se hablaba de la muerte, ¡la muerte prohibida!, todos nos abalanzábamos a tocar madera, Pablo era el primero en hacerlo. Aquello, lejos de preocuparle, lo divertía. Se había convertido para él en un juego de niños. Y él era en aquellos momentos un niño más. ¿A qué jugamos? ¡A tocar madera! ¿Cómo te encuentras? Muy bien, a pesar del dentista... ¡Toquemos madera! Yo he llegado antes. Por si acaso, tengo un clavo, que dicen que es más eficaz que la madera. No volví a llamar a su casa. ¡Adiós al viaje, juntas, a la India! Ella se debió de sentir vencedora de una gran batalla que a mí no se me ocurrió plantear jamás. Pero ahora lo recuerdo más. Tengo la sensación de que está más próximo. Sí, ahora que está lejano, definitivamente lejano, para todos. Parece que vas a nadar, Pablo. No sé nadar. ¿Para qué, mujer, dime para qué quiere un hombre saber nadar? En la playa me voy metiendo lentamente en el agua. Cuando el agua me llega a los hombros, miro hacia donde están los que han venido conmigo y me observan. Sigo de pie y finjo unas brazadas. Y me vuelvo muy satisfecho, como si hubiese hecho una de esas proezas que dicen que hacen los nadadores olímpicos... Oye, chica, que ya llevas muchos años separada de tu marido. ¿Y cómo te las arreglas, cómo te las apañas? Y reía, reía de su propia picardía, como un niño descarado. Me observaba. Deseaba saber el efecto que había producido en mí su pregunta. Jamás esperaba respuesta. Si la necesitaba, él mismo se la daba. Sí, es precisamente ahora, cuando le recuerdo, cuando deseo poner en orden mis ideas, cuando le tengo más cerca. Estaba, hace unos años, demasiado próximo a mí como para observarlo con la perspectiva necesaria. Nuestra separación, nuestros desencuentros, no han sido más que una anécdota. Una triste anécdota. Pero nada más que una anécdota que debería olvidar. Dicen que las anécdotas no hacen la historia. Posiblemente sea así. Quisiera, de todo corazón, que no «hiciesen» mi pequeña historia con Pablo. Vamos, quítate la ropa. Vete desnudando.

¡Adiós, Jacqueline!

JACQUELINE (I)

> ... ya sabes cómo terminan los fusilamientos: con un pistoletazo en la cabeza.
>
> PICASSO a Hélène Parmelin.

Dirigió su última mirada al retrato de su marido, al de su hija y al dios chino de la felicidad y de la vida eterna.

Jacqueline acercó, decidida, la pistola a la sien, apretó el gatillo y sonó un disparo. Cayó, sin vida, sobre la cama que desde la muerte de Pablo había sido su lecho de soledad, cuando, el domingo 8 de abril de 1973, murió, allí mismo, Pablo Picasso.

Nadie escuchó ningún ruido porque la casa, «Notre-Dame-de-Vie», es muy grande. Y, además, la doncella todavía no se había levantado para preparar el desayuno y despertar a la dueña y señora de la mansión.

La muerte debió de ocurrir sobre las siete de la mañana y hasta las nueve y media la chica no descubriría a Jacqueline tendida sobre la cama y rodeada de un charco de sangre. A su lado la pistola, del 7,65, pequeño calibre, a la que únicamente le faltaba una de sus seis o siete balas.

El lunes, día 13 de octubre de 1986, Jacqueline confesó a un familiar: «Prefiero acabar con mi vida antes de seguir como estoy.» Y en la madrugada del miércoles, 15 de octubre de 1986, escribiría en sangre un dato más que sumar a la biografía de Picasso y sus Picassos: el impreciso horario de su muerte.

Besó la fotografía de Pablo y la de su hija. Contempló, quizá con una de esas sonrisas irónicas que te clavaba en el alma, por última vez un collage hecho con fragmentos microscópicos de sellos de correos, regalo en el noventa aniversario de Picasso, que le envió Hsueh Chao T'ang. Era el dios chino de la felicidad y de la vida eterna.

Llamó a la muerte aquella madrugada, tras una noche de duermevela interminable, la mujer que más temía a la muerte. La aterrorizaba hasta que, destrozada físicamente y a los sesenta años de edad, descubrió que había otra cosa peor que esa muerte por ella tan temida: la soledad.

El «fusilamiento» comenzó el mismo día —¿alguien descubrirá por fin la fecha y hora?— en la que Miguel, el fiel secretario del genio, respondía a los amigos que le preguntaban si era verdad que había muerto Picasso: «Verdaderamente es la verdad.»

Ahí comenzó el vía crucis, las constantes estaciones y caídas, de Jacqueline Roque. ¿Un calvario que ella misma se había fabricado en los últimos años de su marido?

Después, como Picasso decía del final de los fusilados, llegó el pistoletazo en la cabeza.

Un amigo francés, Michel Pérez, se levantó de la mesa en la que varios amigos comíamos en Versalles. Volvió demudado, me miró sin atreverse a articular palabra. Al fin me dijo: «Acaba de morir Picasso.» Años después, mientras estaba escribiendo sobre las mujeres de Picasso, me llamó por teléfono: «Jacqueline se ha suicidado.»

Dejé mi trabajo y me dispuse a ordenarlo de nuevo. Jacqueline Roque se había ganado la prelación dentro de un relato que respondía a la cronología de todas las mujeres que figuraron y configuraron la vida de Pablo Ruiz Picasso. Precisamente con él, en la desordenada sala de estar y recibir, comenté una frase de Juan Belmonte, que dijo cuando le preguntaron: «Maestro, ahora que está usted retirado y él ya no existe, ¿cuál era el mejor torero de los dos que se hacían la competencia?»

Juan Belmonte, Séneca redivivo, hizo que lo pensaba un momento. Después, tartamudeando al principio para tomar carrerilla inmediatamente, respondió:

«A... a... amigo... *Joselito*, al morir cogido por un toro en Talavera, nos ganó la partida a todos.»

Volverá, pues, al lugar cronológico que le corresponde Jacqueline, *Madame Z*. Pero ha de ocupar estas primeras páginas porque la tarde del 27 de octubre de 1986, al ser enterrada junto a su marido, en el castillo de Vauvernagues, cercano a Aix-en-Provence, les ganó la partida a todas. Se habían terminado para ella trece años de soledad.

Quizá ella intuyó la frase de Séneca: «*No importa morir más pronto o más tarde, lo que importa es morir bien o mal. Morir bien es huir del peligro de vivir mal.*»

Todo concluyó con su enterramiento. «*Un golpe de ataúd dado en tierra es algo perfectamente serio.*»

Jacqueline, que en numerosas ocasiones se había refugiado en el alcohol para espantar el fantasma de su soledad, estaba preparando su viaje a España para asistir a la inauguración, en el Museo de Arte Contemporáneo de Madrid, de una exposición de obras de Picasso, propiedad de Jacqueline y que ella estaba dispuesta a ceder a los españoles. Setenta y una piezas: cuarenta y ocho óleos, ocho esculturas y cinco dibujos. Se había enamorado de España y desde hacía unos años esperaba que se le concediese la nacionalidad española, cosa que no ocurrió, quizá por desamor de esos interminables trámites legales. Pasa sus últimos años hablando del españolismo de Picasso y llega a decir que si iban en Francia constantemente a los toros no era tanto por ver torear como por impregnarse del ambiente español de toreros y cuadrillas y hasta para beber en el botijo que los hombres de luces llevaban en sus viajes. Así podían dar un trago al agua española. «Bebiendo aquella agua Pablo se bebía a España», dijo en una ocasión Jacqueline.

En el momento en que escribo estas páginas ya se ha disipado una duda: las obras exhibidas en el citado museo no se quedan en España. ¿Había pensado ella donarlas? Fueron reclamadas y ya están en Francia.

El valor es incalculable, aunque el seguro que le hicieron ha sido de tres mil doscientos millones de pesetas. Representaban una parte de la herencia que convirtió a Jacqueline en una de las mujeres más ricas del mundo y que, una vez hechos los trámites de sucesión, recaerá en su hija Catherine, que se encontraba en París cuando Jacqueline puso fin a su vida.

Jacqueline y el Estado francés fueron los herederos más beneficiados de la inmensa fortuna que dejó Picasso, la cual fue repartida así: trescientos millones de francos para Jacqueline. Los nietos legítimos, hijos del desaparecido, Paulo, Pablo y Marina recibieron doscientos millones de francos cada uno. La hija habida de Marie Thérèse Walters, Maya y los dos hijos que tuvo con Françoise Gilot, Paloma y Claude, ochenta y cinco millones. El resto pasó al Estado francés en pago a los derechos de sucesión, merced a los cuales fue posible el Museo Picasso de París.

Los «picassos de Picasso», propiedad del pintor y que conservaba Jacqueline, arrojan este balance: 1 876 cuadros, 7 089 dibujos, 5 000 dibujos, aproximadamente, en cuadernos; 18 095 grabados, 1 355 esculturas y 2 880 cerámicas, con un valor total de veintidós mil millones de pesetas.

«Historia de una maldición» llamó alguien a la de la familia y herederos de Picasso. La madre de Maya, Maria Thérèse Walter, se suicidó a los sesenta y ocho años de edad, ahorcándose en su casa de Jean-les-Pins. Paulo, el primer hijo y el único legalizado por el pintor, ya que era fruto de su primer matrimonio, muere víctima del alcoholismo en 1975. El nieto, Pablo, se suicida ingiriendo lejía, en 1973. Sufrió una fuerte depresión porque, además de no ser recibido en casa de su abuelo, no se le abrió la puerta cuando éste había muerto. Y, hasta el momento, una tragedia culmina la pirámide.

¡Adiós, Jacqueline!

—¿Puedes venir a vernos? ¡Es urgente! A los periodistas franceses les ha dado por decir que yo tengo secuestrado a Pablo...

—Voy mañana, Jacqueline. Y le reservo dos sorpresas al maestro...

—¿Sí? ¿Qué es?

—Percebes de Galicia. Y unas butifarras que me dieron para vosotros en Barcelona. En El Canario de la Garriga.

—Ven, ven pronto. No tardes...

¡Adiós, Jacqueline!

—Ya has visto al maestro. Prométeme que vas a escribir la verdad, que no está secuestrado...

Quizás el secuestrador pueda convertirse en raptado. A mí me dio la sensación de que ella, aun en el supuesto de que hubiese puesto rejas a esa cárcel de magia y oro, había caído en su propia trampa. Jacqueline era la prisionera de «Notre-Dame-de-Vie».

¡Adiós, Jacqueline!

—¿Cuándo venís, Juan Pardo, su novia y tú? Ya estamos haciendo todas las gestiones para que puedan casarse aquí y nosotros seamos los padrinos. De todas maneras que no se le ocurra venir con vosotros Lucía. Oye, que no es cosa mía. Si no me crees ahora te lo dirá Pablo... Vamos, Pablo, háblale a Antonio...

—Hola...

—¡Hola, Pablo!...

—¿Qué es eso de que no puede ir ahí Lucía?

—No, ya te ha dicho Miguel... y luego Jacqueline...

—¿Por qué?

—Verás, pues... bueno, que hemos decidido que no vuelva. Eso es todo...

Una nueva pausa. De nuevo la voz de Jacqueline:

—¿Has comprobado que lo que te digo es cierto?

—Jacqueline, no he comprobado nada...

—Ya hablaremos...

—Le escribo a Pablo...

—Espera, otra cosa... Para casarse aquí, en Francia, es necesario que Juan y la chica vivan dos meses en este país. Que no se preocupen, que nosotros les cederemos una casa que tenemos en Cannes, en el puerto...

Siempre su preocupación por los posibles problemas económicos de los demás. En más de una ocasión me había preguntado:

—¿Cómo estás de dinero?

Cuando Catherine y yo salíamos por la noche, a una sala de fiestas, a los recitales de los famosos en el Midem, nos enviaba a un taxista del que eran viejos clientes. La recogía a ella y la reintegraba a su domicilio. Si yo pretendía pagar, la respuesta era siempre la misma:

—No, éstas son cuentas mías con los señores Picasso.

Conocí a ese hombre hace muchos años. Iba yo, cargado de cerámicas de Cuenca, a «Notre-Dame-de-Vie». Cuando escuchó la dirección, me dijo:

—Ésa es la casa de los señores Picasso. ¿Va usted allí?

—Sí.

—Nadie puede verlos. No reciben a nadie...

—No se preocupe.

—¿Le esperan?

—Supongo que sí...

Se paró delante de las verjas y esperó a que yo pulsase el botón del telefonillo.

—Puede usted irse...

—No se preocupe, señor, lo espero... No se extrañe. Yo conozco muy bien a esa familia, son muy raros... A lo mejor tiene que volver a Cannes y aquí le será difícil encontrar taxi...

Se abrieron las rejas:

—Hasta otra vez. Deles saludo de mi parte a los señores Picasso. ¡Ha tenido usted suerte!

¡Adiós, Jacqueline!

Recuerdo el día en que nos conocimos. Volábamos hacia Niza Luis Miguel Dominguín y Eddy Novarro, arquitecto y fotógrafo rumano, nacionalizado brasileño, retratista de las más grandes personalidades del universo mundo. Había fotografiado en el palacio de El Pardo a Francisco Franco, al que convenció dejarse maquillar, cosa que en principio no hizo gracia al jefe del Estado español, pero luego terminó por reírse con las genialidades de Eddy. La fotografía fue solicitada por Presidencia del Gobierno como retrato oficial. Eddy era un ser pintoresco, divertido y con salidas geniales. Había conquistado a Luis Miguel para que lo llevase a presencia de Pablo Picasso. A medida que nos acercábamos, cuando sobrevolábamos la Costa Azul, el nerviosismo de ambos iba en aumento. Teníamos la tremenda duda de si seríamos recibidos por el genio. Luis Miguel nos había advertido que sus reacciones eran muy raras y que, aunque le avisó de nuestra visita, de pronto podía marcharse de viaje, ponerse enfermo o buscar alguna disculpa para no abrir sus puertas. Era una costumbre extraña, aun tratándose de grandes amigos o de figuras admiradas por Pablo, como indudablemente lo era el «toreador» madrileño.

Desde el aeropuerto de Niza, donde reconocieron al torero y le pidieron autógrafos policías y aduaneros, Luis Miguel Dominguín marcó el número de teléfono de la casa de Pablo.

Luis Miguel, uno de los hombres con más confianza en sí mismo que he conocido, la perdía ante la aventura que significaba siempre el acercamiento a su amigo el genio.

La primera decepción fue comprobar que ni Pablo, ni Jacqueline ni su chófer nos esperaban en el aeropuerto. Llamó por teléfono y volvió un tanto preocupado.

«Pablo no se pudo poner porque se encuentra con fiebre. Está griposo y por eso le fue imposible venir al aeropuerto. Me ha dicho Jacqueline que mañana nos recibe, yo no os lo puedo prometer. Nunca se sabe si ves a Picasso hasta que estás delante de él.»

Al día siguiente entrábamos en «La Californie», un caserón de Vallauris, mirador sobre la Costa Azul y muy cercano a Cannes. Nos esperaban en la puerta de entrada a la casa Jacqueline Roque y Pablo Picasso. Nos abrazaron y besaron como si nos conociesen de toda la vida.

Casi no fueron necesarias las presentaciones porque nos «conocían» a todos, y Eddy Novarro se abalanzó sobre el pintor y, después de besarle en una mejilla y recibir un beso de Pablo en la frente, le dijo:

—¿Me permite que le bese?

Y comenzó a llorar como un desconsolado, mientras exclamaba:

—¡Ay, si estuviese aquí mi mamaiña y me viese con el mayor genio de todos los siglos! ¡No se lo creerá cuando se lo diga, no se lo creerá! ¡Qué emoción! ¡Me desmayo!...

Dicho y hecho. Cayó espectacularmente, pero con el mismo cuidado que lo hace doña Inés en *Don Juan Tenorio* para no darse un fuerte golpe. Se desplomó sobre un canapé. Pablo estaba divertidísimo, como un niño que presencia el resbalón de una persona mayor en la calle y lo ve caer:

—Vamos, vamos, Jacqueline: busca las sales, busca las sales, que este hombre se privó.

Jacqueline no sabía cómo reaccionar. Ya había aprendido perfectamente el papel de guarda cuidadosa del que hasta hacía poco tiempo no era su marido. Recelaba de los visitantes, sobre todo de los desconocidos. La verdad es que incluso los amigos iban desapareciendo del entorno de los Picasso porque siempre tenía en boca una disculpa para no recibirlos. Solamente acogía a un reducido número de amigos. Entre ellos se encontraban, con más fuerza que nadie, Luis Miguel y Lucía, su mujer. Antes de que ella se convirtiese en la dueña y señora de aquella casa, había vivido allí su antecesora en el amor y compañía de Pablo: Françoise Gilot, que aún seguía acudiendo a la casa, pero ya en calidad de visitante, para llevarle a Pablo los dos hijos de ambos: Claude, nacido en París en 1947, y Paloma, nacida en 1949. Cuando se instalaron en Vallauris, lo hicieron en «La Galloise». Entonces no sería Jacqueline la que lo apartase definitivamente de un Picasso eterno Casanova, sino la que aprovecharía sus deterioradas relaciones con Françoise para sustituirla. Sylvette Jellinek, modelo del artista, contribuye grandemente al deterioro de unas relaciones que estarían llenas de discusiones y graves disgustos durante un angustioso año. Había muerto el amor y solamente quedaba de él un cadáver putrefacto, un muerto sin sepultura que hedía. Madame Ramiè, colaboradora de Picasso en la venta de cerámicas, sería decisiva en la unión entre él y Jacqueline. Se la metió materialmente por los ojos y hasta en su propia casa. Sabía que su sobrina llegaba, recientemente divorciada, y con una hija, en el momento más oportuno para conquistar el corazón, ya solitario y proclive a todos los amores y amoríos del genio español.

El amor entre una pareja, que más tarde se convertiría en matrimonio gracias a la intersección de los Dominguín, no sería casualidad.

¡Adiós, Jacqueline!

Con Jacqueline se desvanecieron todos los fantasmas. Como el ser vivo que dirige a la ciega «Santa Compaña» gallega, de la que tantas veces habíamos hablado los tres, Jacqueline tomó el testigo luminoso y ya vaga por la Costa Azul. Ya está con sus temidos, con sus queridos, con sus fantasmas, como un fantasma más.

Pero esas sombras misteriosas también afectan a Françoise Gilot. Ella presiente la definitiva separación, de la que hablaremos más adelante. Françoise culpa a madame Ramiè de no propiciar la reconciliación entre los dos. Entre sus sombras y fantasmas aparece Dominique, mujer de Paul Éluard. Ella dice:

—Como yo conocía a Paul Éluard y comprendía perfectamente su naturaleza masoquista que años antes le había conducido a consentir que su anterior esposa, Musch, y Pablo se «entendieran», supuse que la cosa no tendría nada de extraño si se repetía con su actual mujer.

Pero ya conoce a Jacqueline Roque. Hace amistad con ella y pronto la convertirá en su modelo, que en Picasso es la antesala del amor carnal. Así entroniza Pablo a sus mujeres, como lo ha hecho con todas las modelos que desea tener a su lado «para siempre», un «siempre» que, como todo lo definitivo, tiene un límite en tiempo. Jacqueline es la reina de su corazón ardiente.

«*Madame Z* sentada con su vestido a rayas.» «*Madame Z.*» El sobrenombre se debía a que Jacqueline era propietaria de una casa, entre Golfe-Jean y Jean-les-Pins, llamada «La ziquet». El significado de ese nombre en el mediodía francés es «Cabra pequeña». Y el apelativo le hacía gracia a Picasso.

Jacqueline, divorciada y madre de una niña —«sería incapaz de unirme a una mujer que tuviese un hijo que no fuese mío», había asegurado Picasso en numerosas ocasiones—, no tardaría en convertirse en compañera del artista. Lo acompaña a todas partes, y en 1963 «La Californie» se convierte en el hogar de ambos. En 1962 Jacqueline es ya la mujer legítima de Picasso, su segunda mujer ante la ley. Picasso pudo contraer matrimonio, sin obtener el divorcio que siempre le había negado su primera mujer, cuando ésta, Olga Koklova muere.

Jacqueline lo acompaña a todos los lugares. Le llama: «Mi dios, mi sol, mi niño...»

Jacqueline sigue el diabólico y difícil juego del artista en el que no quisieron o no supieron entrar otras mujeres anteriormente. La vemos con él en las barreras de las plazas de toros francesas. Habla perfectamente castellano, el idioma de su marido y la lengua oficial de aquella casa. Picasso habla francés, con acento catalán, e inglés. Pero le incomoda todo lo que no sea expresarse en castellano o recordar el gallego o el catalán que aprendió durante su estancia en las dos regiones españolas por él más recordadas y queridas.

Se trasladan a vivir a Notre-Dame-de-Vie, en Mougins, porque el caserón de Vallauris está ya lleno de cuadros, dibujos y esculturas y es prácticamente inhabitable. Picasso lo va llenando todo con su presencia y con su ingente obra. Y es más fácil trasladarse la familia a otro lugar que mudar todo lo que atesora en cada uno de sus castillos y casas.

Jacqueline en gris, en negro, en blanco... Es algo más que uno de los cotizados lienzos de Picasso. Significa su vuelta a la pintura, dado que todo el verano anterior lo dedicó, con el entusiasmo de un joven actor, al rodaje de una película dirigida por Clouzot y titulada *El misterio de Picasso.*[1]

Después aparecen los cuadros *Jacqueline en traje turco, Mujer en el estudio.* Jacqueline representa para Picasso el equilibrio que había perdido desde que vivió burguesamente con Olga, su primera mujer y al comienzo del matrimonio de ambos. Es su mujer, su amante, su modelo, su secretaria y hasta su administradora, y no sólo del dinero sino del tiempo al convertirse en guardián que va tamizando las visitas. Muchos amigos se marchan de la casa para no volver jamás. Jacqueline, sutil y enfermizamente, va extendiendo la tela de araña en la que el moscón preso, Picasso, se siente libre, es libre. Pero ya no podrá hacer más fugas que las que se pueden realizar dentro de una jaula. Jacqueline siente deseos de apartar a su marido, de encerrarlo dentro de una torre de marfil. Consigue que la dependencia de Pablo de ella sea grande, hasta el punto de que cuando falta cinco minutos a su lado pregunta: «¿Estás ahí?» Le hace la

1. Picasso y Clouzot se encontraron en «las arenas de Nimes», presenciando una corrida de Luis Miguel, en 1952. El cineasta acababa de rodar *El salario del miedo.* Picasso escuchó su proposición y le dijo: «Es una buena idea. Si la ocasión se presenta, me gustaría hacer algo con usted. ¿Por qué no?» En 1955 la coproducirían los dos. Fue secretaria de rodaje Jacqueline Roque y fotógrafo Claude Renoir. La música de Georges Auric. De julio a setiembre trabajaron en la película, que no arrojó resultados económicos satisfactorios. Rodando conoció a Brigitte Bardot, que más tarde lo visitaría en su casa. «Ya nos conocíamos —dijo Picasso— en los estudios en que usted rodaba *La lumière d'en face.* Pero usted allí era una estrella y yo nada más que un aficionado», le dijo Picasso. A ella fue a la que explicó su facilidad para el trabajo: «Pintar para mí es como para otros morderse las uñas.»

El filme, del que no hubo copias definitivas hasta febrero del 56, costó cuarenta y seis millones de francos antiguos. Se estrenó en el mismo año en el Festival Internacional de Cannes. El filme es juzgado con entusiasmo. Clouzot dice: «No he pretendido explicar a Picasso, sino mostrar cómo trabaja este pintor genial para extraer el jugo de la realidad. Una realidad que no tiene relación con lo real. Si se quiere un cántaro basta con ir a un bazar, pero un cántaro visto por Picasso es otra cosa y mucho más cara.»

Picasso se sintió muy satisfecho «porque creo que puedo tener porvenir como actor» y, además, porque Jacqueline se sentía contenta con su «empleo» de secretaria de rodaje. El cine, cuya experiencia repetirían, fue un hermoso «juguete» para la pareja.

pregunta, en su presencia o en su ausencia tantas veces, que un periquito también enjaulado se aprende la frase y repite: «¿Estás ahí?»

Consigue, aprovechando la publicidad de un libro de *Memorias* de Françoise Gilot [2] que no solamente no la reciba a ella sino que le cierre las puertas a sus dos hijos. Ocurrido este rocambolesco incidente, Jacqueline nos pide a Lucía Bosé y a mí: «A vosotros os hace caso Pablo. Sé que el tema es muy delicado e imposible que se lo plantee yo. ¿Por qué no lo convencéis de que no reciba a Paul? Ese hombre no viene más que a pedirle dinero para cambiar de coche o de mujer. Le quita la tranquilidad a su padre, que la precisa para vivir y seguir trabajando. Si vosotros quisieseis...»

Naturalmente «no quisimos» jamás. Comprendimos el nerviosismo y la intranquilidad de aquella mujer, pero no podíamos, ni debíamos, ni estábamos convencidos de que, en justicia, debíamos intervenir.

Jacqueline sabía que con dulzura podía conseguir todo lo que se había propuesto. Daba la sensación de que temía que Picasso se le fuese de sus redes, de su vida. Se hace imprescindible; y cuando sale a comprar a las tiendas de Cannes, Pablo mira el reloj una y otra vez, estalla en ira si tarda más de media hora en regresar. La casa se convierte en un curioso infernal paraíso.

¡Adiós, Jacqueline!

—¡Hola, Jacqueline!

Acudí a otra de las llamadas de Jacqueline. Se mostraba preocupada, más que de costumbre. Me enseñó algunos periódicos en los que se afirmaba que ella lo tenía secuestrado. Creo que me llamaron para que yo «comprobase» que aquellas afirmaciones no eran ciertas.

—¿Te has dado cuenta de lo que se inventan los periodistas franceses? Todo esto es por despecho, una represalia a que aquí no los recibimos. En esta casa sólo entras tú, que no eres para nosotros un periodista, sino nuestro amigo.

(«¡Qué buenos amigos tenemos en vosotros! Y cuánto os queremos...», me había escrito, días antes, en una tarjeta que me envió, sin sobre, con un dibujo impreso de Picasso en el anverso y la firma de los dos en el reverso.)

—Tienes que escribir —añadió— un artículo con fotografías que harás hoy mismo y publicarlo en España diciendo la verdad, que Pablo no está secuestrado por mí ni por nadie. Procuro que salga de casa, pero él apenas quiere moverse. Trabaja constantemente y está muy a gusto aquí. Si alguien está secuestrado, seré yo, que no me deja mover de su lado. Te juro que a veces es insoportable, me dice cosas terribles que me hacen llorar. Hay que admirarlo y quererlo mucho cuando se está a su lado para no reventar. Tú lo conoces en visita. ¡Pero no sabes las cosas que dice, que se inventa! Su mundo es muy grande, pero el mundo de los dos muy pequeño, se reduce a estas paredes...

En varias ocasiones la encontré llorosa y desesperada. Pablo acababa

2. *Life with Picasso* (Vida con Picasso), publicada en 1964 y con la colaboración literaria de Carlton Lake e ilustraciones de Robert Capa, de Magnum Photos. Aparecido el libro, Picasso me anuncia: «Voy a ponerle un pleito a Françoise por lo que dice de mí.» «¿Qué dice de ti? ¿Has leído el libro?», le pregunto. Responde: «No, nunca leo nada de mí... Pero me han dicho que me difama...; así es que...»

de organizarle algún «expolio» por el más nimio motivo. Le hacía incluso escenas de celos. ¡Celos del aire!

—¿Dónde están mis pinceles? —le preguntaba gritando.

Los dos comenzaban a buscar los pinceles desesperadamente. Picasso, después de utilizarlos y como con miedo a que se los sustrajesen, los escondía en los rincones más insólitos. Verdaderamente no era fácil la convivencia con él.

Recuerdo que, ya separada Lucía Bosé de Luis Miguel, fui con ella a visitar al matrimonio. Nos acompañaba la abogada italiana Essa de Simone, representante de Visconti, de Passolini, de Lucía y de las más grandes celebridades del cine de su país. Era, asimismo, íntima amiga y promotora de las primeras películas de Lilianna Cavanni.

Nos pasamos la mañana en el jardín con Jacqueline. «Pablo ya sabe que estáis aquí. Me lo ha dicho. Pero ya sabéis que, de pronto, le da por no aparecer. Voy a subir otra vez a advertírselo...»

Pocos minutos después bajó Picasso. Nos abrazó y besó lleno de entusiasmo:

—¿Lleváis mucho tiempo aquí? —nos preguntó.

—Varias horas...

—Así es que erais esas gentes que yo veía por el jardín... ¿Por qué no me has dicho que Lucía y Antonio estaban aquí, Jacqueline? —la increpó.

Ella rompió a llorar:

—¡No hay derecho, no hay derecho! No hay derecho a que me haga estas cosas a mí. Si vosotros no me conocieseis y no conocieseis las cosas de Pablo, le creeríais y no me volveríais a mirar a la cara...

Tratamos de pacificar la situación, que, por otra parte, se repetía constantemente. Nos fuimos de compras con Jacqueline y cenamos todos en un restaurante de Cannes. Jacqueline y Pablo me agradecieron mucho que hubiese llevado allí a Lucía Bosé, que no se había atrevido a volver a aquella casa de Mougins desde su separación matrimonial. Hecho este que exasperó a Pablo. Poco tiempo después de acaecer la ruptura con Luis Miguel, se sintió moralista.

—¿De verdad se han separado? —me preguntó.

Le brillaba la mirada. Los ojos de Picasso, de los que tanto se ha escrito y hablado, parecían tener vida propia, independiente del resto de su cuerpo. Te preguntaba o te fulminaba o te alentaba con la mirada. Conocías sus preguntas y hasta sus respuestas nada más que manteniendo su mirada, si era posible sostenérsela.

«¿Cómo puedes hablar de una puesta de sol cuando Picasso está en casa?», había preguntado, indignada, Jacqueline a un amigo. No le faltaba razón. Aun cerradas las contraventanas, bastaba con la mirada de Picasso para que el día o la noche se iluminasen.

Unos segundos de silencio que me parecían angustiosamente interminables. Hubiese contado aquel tiempo por horas.

—Sí, ya sabes que es verdad. Se separaron —le respondí.

—¿Cómo es posible? Esas cosas se piensan antes. Casarse es una cosa muy seria y no se puede frivolizar, sobre todo cuando se tienen niños, como ellos. ¡No se han atrevido a llamarme para comunicármelo oficialmente! Bueno, pues me parece que yo no voy a recibir más en esta casa a Luis Miguel. ¡Se acabó!

No ironizaba. Cuando Picasso hablaba estaba convencido de cuanto estaba diciendo. No era un hombre de segundas intenciones, y si empleaba un doble sentido era para aclararlo inmediatamente. «¡Hay que ver el doble sentido que tienen las palabras y las frases españolas!», solía admirarse. Inmediatamente, ponía los verbigracias: «Dices cornudo, y aunque te refieras a los toros, inmediatamente se ofende alguien... Y de la pronunciación, ¿qué me dices de las pronunciaciones? Recuerdo a aquel maestro malagueño que nos corregía los ejercicios y nos reprendía: ¡Chiquiyos, que sordao se escribe con ele!»

Una vez que llevé hasta allí a Lucía, la cogió por la cintura y me pidió que le hiciese una fotografía. Jacqueline la repitió con su máquina. Lucía y yo estábamos muy lejos de saber que aquella fotografía iba a ser la manzana de la discordia, la que provocaría que a ella se le prohibiese la entrada allí y la que decidió, por voluntad propia, que yo no volvería a ver jamás a los Picasso.

¡Adiós, Jacqueline!

Jacqueline Roque era para nosotros, como lo sería para los demás amigos y visitantes en los últimos veinte años del genio, la puerta de Picasso. Tras ella, que había aprendido de Pablo la fuerza y el fuego de la mirada, los ojos de Picasso, su abrazo, su amistad. «¡Hola, Jacqueline!» «¿Te das cuenta de lo guapo que está nuestro Pablo?», era su respuesta. «¡Es el rey de España!» «Y qué fuerte. Vamos, a ver si eres capaz de levantar esta escultura como él lo hace. Vamos, Pablo, levántala...» «¿Qué, Jacqueline?» «La escultura, no seas verde.» «¿Veis como el castellano es una serie de palabras de doble sentido?» Y levantaba, a pulso, con la fuerza de un levantador de piedras vasco, la escultura de la cabra. A él le gustaba sorprender a los demás para sorprenderse a sí mismo. «Menuda salud de hierro, Pablo.» «Sí, sí», respondían los dos al tiempo. Pero «toquemos madera». Y emprendíamos el ingenuo y divertido juego de buscar todos los objetos hechos con madera que había en la casa. Los tocábamos, a ser posible antes que los demás. «Ya está. Ya no hay peligro...»

¡Adiós, Jacqueline!

Jacqueline nos iba a buscar a Lucía y a mí al aeropuerto. O al hotel para salir de compras o visitar museos en los que, naturalmente, se exhibe alguna obra de su marido. En la Fundación Meath tomamos varias fotografías. Allí está ella: *El pintor y su modelo*, como la encontraremos, repetida, multiplicada en todos los museos. Merendamos en La Colombe d'Or. Miró y Picasso como telón de fondo. En algunos de sus más hermosos lienzos están representados los dos grandes pintores españoles.

Solamente nosotros, Lucía y yo, le llamamos Jacqueline. Todos los demás le llaman «madame Picasso». La miman, la reverencian y le tienen miedo. Nunca se pueden adivinar sus relaciones. Hay momentos en los que la rodean, la creen la representación viva de su marido. Hubo tiempo, sobre todo en sus años de viudez y soledad, en los que Jacqueline asume la personalidad, la vida de Pablo Picasso. Por eso deambula como un muerto sin sepultura. Las resurrecciones no son posibles ni menos esas reencarnaciones que ella pretende para sí. Quizá el ambiente que la rodea, huérfana de amigos y plena de aduladores, le haga sentirse Picasso. «Es muy difícil vivir en esta casa —dice refiriéndose a Notre-Dame-de-Vie. Y añade—: Algunas veces sueño que veo a Pablo.»

Picasso (según el autor): **«... presentía que aquel año de 1895 sería el último que pasase al lado de carmiña... así es que me decidí a pintarla... posó vestida de rojo y con un pañuelo blanco al cuello durante toda una tarde ella se sentía completamente feliz descalza sentada en una silla de enea pegada a un oscuro muro...»**

«De haberme casado con ella (su prima Carmen) **—decía Picasso— quizás no me hubiese movido de Málaga. Me convertiría en un feliz padre de familia y en un distinguido pintor local, profesor de la Escuela de Bellas Artes.»**

Carmen (Blasco) se había convertido en el amor de las vacaciones, de los veranos, pero en un verdadero amor. (En la foto, Pablo Picasso en primer plano, de espaldas, y su prima Carmen —la segunda por la izquierda— en una comida familiar.)

Llegamos casi al anochecer a la casa de los Picasso. «Contadme vuestra excursión», nos pide él, con la ansiedad de un niño chico. «¿Me habéis traído algo?» Pronto interrumpe la charla porque es la hora en la que en la pequeña televisión, su nuevo juguete, se emite el serial *Bonanza,* que a él le apasiona. «No quiero perderme uno. Me gustan estas series.» Antes o después, no importa la hora, té con percebes. Se los llevo en cada uno de mis viajes. Pablo comienza a recordar La Coruña y su primera exposición en la paragüería. Jacqueline acerca la guitarra que, aquella tarde, le ha traído Juan Pardo. El pintor y el músico repasan canciones, principalmente las de cuna, que Pablo recuerda perfectamente y más que cantar grita, en gallego.

¡Adiós, Jacqueline!

Jacqueline sentía pasión por la fotografía. Después de tantos años de convivencia, ha reunido los mejores documentos gráficos de la vida y de la obra de su marido. Permite que los demás lo retratemos todo. Y ella, siempre detrás con su *reflex,* repitiendo las mismas escenas y con parecidos enfoques. Recuerdo que una tarde, cuando me despedía, puso en mis manos dos carretes fotográficos impresos. «Ahí va todo lo que tú pretendiste fotografiar. Te has puesto tan nervioso que disparabas con el objetivo tapado.»

Una de aquellas fotografías trajo «historia». Como yo tenía por costumbre, una vez revelados los documentos gráficos, se los enviaba a Picasso para que los viese. Jacqueline me felicitó por una fotografía en la que Pablo ponía sus manos en la cintura de Lucía. Me pidió varias copias. Aquella tarde, cuando los retraté, Pablo le gastó una broma a Lucía, delante de Jacqueline:

—Vamos a ver, si estás separada, ¿cómo te las arreglas para... eso?

—¡Pablo, no seas verde! —le replicó Lucía.

—No te apures... Puedes irte desnudando.

Jacqueline se lo quedó mirando. E inmediatamente se fue de la conversación. Quizá había aparecido de nuevo otro de sus grandes fantasmas, el del miedo a que alguien le quitase a su marido. Y Lucía se había separado. Debió de pensar que Pablo, que la conocía antes que a ella, le iba a proponer matrimonio.

Mi reportaje, ilustrado con ésta y otras fotografías, apareció en el semanario, ya desaparecido, madrileño *La actualidad española.*

Le envié un ejemplar de la revista, junto con varias copias de las fotografías, y me lo agradecieron por teléfono y con una postal. La firmaban los dos. Pocos días después Jacqueline me envió dos fotografías en color. En una aparecíamos Pablo y yo. En la otra, el matrimonio. «Con paciencia todo llega —escribía—. Ahí te devuelvo las dos fotografías dedicadas.»

Un semanario italiano adquirió las fotografías que yo había cedido a una agencia de prensa internacional, con sede en España: Europa Press. Un texto que no había salido de mí, sino que era pura fantasía de los italianos. En unas declaraciones que Lucía Bosé jamás había concedido insinuaban que era posible su boda con Picasso. Añadían que las relaciones entre Pablo y Jacqueline eran muy tensas.

Jacqueline, que acusaba de embusteros a los periodistas franceses, no supo encajar lo que, de antemano, cualquiera comprendería que era una fantasía periodística. El fantasma de la separación o del abandono volvió a aparecer. Pero esta vez se metió dentro del cuerpo de «la prisionera» de Notre-Dame-de-Vie. Reaccionó indignada:

—¿Cómo puede decir tales cosas esa mujer? —me preguntó por teléfono.

—Lucía no hizo ninguna declaración. Compraron las fotografías y las manipularon como les dio la gana. Ya has visto el reportaje del semanario español...

—Estoy segura que hizo esas declaraciones —insistió.

—No es cierto. Te doy mi palabra de honor —le repliqué.

—Pablo está muy indignado. La decisión de no recibir más a Lucía es de él... Háblale a Antonio, Pablo...

Un silencio:

—Sí, hemos decidido...

Y no dijo una palabra más. Volvió Jacqueline al teléfono:

—El enfado no es contigo, que sabemos que no tienes la culpa. Tú puedes venir cuando quieras. ¿Sabes si vienen Juan Pardo y su novia a casa?

—No disponen de esos meses necesarios para celebrar ahí la boda. Se irán a Londres...

—De verdad que lo sentimos mucho, nos hacía ilusión. ¿Tú vas a venir?

—Jacqueline, primero quiero explicarle las cosas a Pablo. Le escribo hoy mismo.

Mi larga carta no tuvo respuesta. Ignoro si fue a parar a las manos de Pablo Picasso o fue interceptada por Jacqueline, rigurosa policía y aduanera de todo lo que entraba en aquella casa.

¡Adiós, Jacqueline!

Volví a Cannes. Llamé, inútilmente, a casa de los Picasso. El secretario me repetía: «Han salido. No sé cuándo vuelven. Deme su teléfono.»

No recibí ninguna llamada. En Cannes corrían rumores de que estaba seriamente enfermo. Los vi, a los dos, a la entrada de Madoura, la tienda en la que se comercializaban sus cerámicas. «¿No vas a vernos?», me preguntó Pablo. Quise darle explicaciones. Me limité a preguntarle: «¿No recibiste mi carta?» «¿Tu carta? ¿Qué carta?» Me di cuenta de que había sido «censurada». En aquella carta le exponía la injusticia de su actitud. Y que yo me solidarizaba plenamente con Lucía Bosé: «Una de las cosas peores que me pueden pasar en mi vida es no veros —escribí—; pero si condenáis injustamente a Lucía a no veros jamás, yo renuncio a volver. Por muchas razones, entre otras el que ese matrimonio me llevó muchas veces a vuestra casa, me niego a volver. Sé de tu importancia, Pablo; pero, sinceramente, lo mismo que dirías tú si fueses sincero, prefiero a Lucía. Tú tienes la palabra.»

Ya he escrito que unos meses después un amigo francés me comunicó en Versalles que le acababan de dar la noticia de la muerte de Pablo Picasso. Jacqueline no permitió que se les viese. Las noticias resultaron confusas, y el enterramiento se celebró con pocos testigos, o sin testigos y dentro del máximo misterio. ¿Había muerto Picasso en la fecha y día y hora que se comunicó al mundo?

Un nieto suyo se suicidaba ingiriendo lejía tras habérsele impedido ver a su abuelo muerto. El muchacho vivía en la Costa Azul, trabajaba como obrero de la construcción y su situación moral y económica eran insostenibles.

Jacqueline exhibió su dolor por todo el mundo. Fue cambiando su siempre difícil carácter. Al parecer había dicho que no quería seguir viviendo. Salvo los corifeos y oportunistas de turno, nadie se acercaba a ella. Los que habían sido sus amigos, gracias a su amistad con Picasso, habían sido alejados por ella del pintor. Jacqueline se llegó a creer Picasso. Acudió a homenajes, inauguración de museos y exposiciones. Pero no era Picasso. Era, eso sí, una de las mujeres más ricas del mundo, porque a ella fue a parar la mayor parte de una herencia multimillonaria. Al irse de la vida, Picasso también se le había ido de las manos.

Ya no era posible el «secuestro» de una figura que tenía un puesto en la historia y en la mortal inmortalidad del ser humano.

Los que fueron alejados por ella de «Notre-Dame-de-Vie» no se lo perdonarían jamás. Fue creciendo su esquizofrenia. Y buscó su muerte, por ella anunciada, en la misma habitación en la que murió Picasso. Él amaba la vida, la luz. Ella lo misterioso, la penumbra. No fue ella quien apretó el gatillo del arma que terminó con su vida. Sin duda fue la soledad, la insufrible soledad que ella había ido tejiendo, en los últimos años de Picasso, al alejar a los amigos de la casa. Éste fue, aunque no se daba cuenta de ello, el principio de su fin.

Con un pistoletazo en la sien puso fin a su vida. Se cerró con ella la puerta de Picasso.

¡Adiós, Jacqueline!
Descansa en paz.

Primer amor[1]

A raíz do toxo verde, e difícil de arrincare, os amoriños primeiros non se poden olvidare.[2]

CARMIÑA, «LA MUCHACHA DESCALZA»

Solamente para mí fue una fiesta el traslado a galicia para mi padre representó un auténtico destierro y pasó los mismos sudores que debiera de sufrir napoleón cuando lo trasladaron a santa elena sudaba cuando embarcó y más durante el viaje que fue muy duro parecía como la peregrinación sino de la pobreza de solemnidad de la solemne miseria o por lo menos de una digna pobreza que era la que sufría la clase media española de entonces tan accidentado fue aquel viaje que mi padre decidió abreviarlo haciéndonos desembarcar en la primera escala gallega el puerto de vigo a mi padre no le convencieron lo más mínimo esos verdes gallegos que yo no olvidaré jamás ni esas mujeres campesinas con las sellas llenas de agua en difícil equilibrio sobre sus cabezas que aún las recuerdo perfectamente mientras mi padre maldijo añoró andalucía y creo que hasta lloró por el obligado cambio de residencia el mediterráneo es un mar dulce apenas si hace más ruido que el murmullo de una canción de canción de cuna mientras que sabido de todos es que el océano el atlántico es una grandiosa sinfonía y el cielo gallego aparecía ante mi padre el profesor de arte enfurecido como su mar las nieblas lo dominaban todo las lluvias eran abundantes iba a ser imposible la adaptación de mi familia a aquel nuevo ambiente yo en cambio pienso que he tenido una enorme suerte con el traslado estoy en vísperas de cumplir diez años de edad y ya disfruto con las cosas plenamente intuyo el cambio de la acuarela mediterránea por el aguafuerte atlántico que ha de formar mi incipiente personalidad y por otra parte huyo de málaga cuyo ambiente no me ha sido propicio sobre todo en los estudios de nuevo ha comenzado la gran búsqueda de la libertad no de la búsqueda de mi personalidad porque lo que me parece horrible hoy es que se busque la personalidad no se desvive nadie por esa especie de ideal del pintor como siempre fue

1. Impresiones recogidas por el autor del propio Pablo Picasso y escritas a la manera picassiana, que lo fue antes y tiempo después de conocidos escritores. Puntuación y pausa han de ponerlas, si les son necesarias, los amables lectores
2. Canción popular gallega. Dícese «olvidare» cuando lo correcto sería decir *esquecer, esquecemento*: olvidar, olvido.

digo ideal que es lo que más se acerca no se ciscan en eso totalmente sólo se desea hacer el regalo de la propia personalidad darla al mundo es algo horrible sólo se busca la personalidad porque no la hay y si se encuentra a fuerza de buscarla es porque es falsa yo sólo puedo hacer lo que hago yo ávido de sensaciones estéticas me escapaba de casa y pasaba horas enteras ante la torre de hércules para tomar apuntes huía de la vigilancia de mi madre una vigilancia escasa porque apenas llegaba a una parte de la plaza en la que yo jugaba con mis amigos gallegos vivíamos en la calle de payo gómez número doce y mi madre para vigilarme se tenía que subir a la taza del retrete se ponía de puntillas y en tan incómoda postura y desde tan angosto ventanuco contemplaba mis juegos entre otros el de los toros porque en la coruña y no en málaga en donde vi las primeras corridas es en donde nace mi afición a participar en la fiesta allí en la plaza de pontevedra frente al instituto da guarda organizábamos nuestras corridas particulares y además en la coruña leí un texto de silva posada en el que trataba de demostrar que en el siglo diecisiete se celebraron corridas de toros en la muy clerical ciudad de mondoñedo años más tarde escucharía decir a mi amigo luis miguel dominguín que no se entendería que en este siglo un hombre se pusiese medias rosas para salir a un ruedo si no estuviese una mujer en los tendidos lo que resulta equivalente al uno es más si sabe que le miran y a nosotros nos contemplaban y admiraban varias niñas y la que más aplaudía las medias verónicas se llamaba carmiña o quizá no se llamaba carmiña pero a esta distancia geográfica y cronológica tengo la sensación de que en galicia todas las mujeres se llaman carmiña y llevan una sella sobre su cabeza carmiña era hija de pescadores que vendían su mercancía en la lonja y madrugaba mucho para ayudarlos a la preparación de la mercancía me cantaba una canción que puedo repetir de memoria y que años más tarde cantaríamos acompañados de la guitarra con la que me obsequió un cantante gallego juan pardo al que tuvo que recordarle algunos versos a curros enríquez debidos que el poeta había dedicado a mariquiña puga hija del abogado luciano puga y blanco, defensor de curros en el proceso seguido contra él y que fue nombrado gobernador del banco de españa en la habana o sea un emigrante privilegiado pero al fin emigrado que parece ser el sino de los gallegos todos de ahí que el maestro castro chané pusiese música a ese poema que como un adiós a mariquiña se ha convertido en el himno de los emigrantes carmiña lo cantaba mientras iba con las cestas de pescado de un lugar a otro o cuando acompañaba a su madre a reparar las redes heridas en la diaria batalla de los mares me imaginaba que era yo el que tendría que cantarle a ella esa triste copla

cando deixes as costas
de nosa terra
nin lus nin poesía
quedará nela
cando te vaias
vaise contigo o anxel
da miña garda.

a carmiña había que oírla, escucharla como cuando llegaba chapoteando en los charcos calzada con las zuecas de madera calzado habitual de las gentes de clase humilde y también los chicos de mi pandilla que gozábamos acudiendo a las fiestas calzados así yo recuerdo que les pinté una cara de manera que las mías parecían un mascarón de proa y los demás sintieron envidia y tuve que hacerles dibujos de colores en cada una de sus zoquiñas hasta el punto de que los padres de algunos se las hicieron lavar para que no fuesen por la calle con aquellas mamarrachadas me gustaba sí oír y ver chapotear a carmiña sobre esos charcos eternos como lagos que nunca se secan y consecuencia de la constante lluvia de galicia que no cesaba jamás hasta el punto de que llegué a creer que venía otra vez el diluvio universal del que nos hablaban en las escuelas y le dije a carmiña que si tal cosa sucedía no metería dentro del nuevo arca a las palomas porque me fastidiaban las palomas que pintaba mi padre en todos esos cuadros que vendía a los amigos para ayudarse porque su sueldo era muy bajo carmiña me dijo que sí que eran necesarias las palomas mensajeras como se decía en la canción que a fuerza de escuchársela terminé aprendiendo y cantando muy mal porque creo que siempre he carecido de oído

Pombiña mensaxeira
de branca pluma,
fálale ós emigrados
da patria sua.
Dilles, mimosa,
que deles apartada
Galicia chora.

de pronto le levanté las faldas se enfadó mucho y tardé casi dos meses en volver a verla hasta que la encontré de la mano de su madre en un mitin de pablo iglesias que exigía que se terminase la tiranía del capital y se estructurase la futura sociedad por medio de unas leyes hechas por los obreros y la madre de carmiña lo aplaudió mucho dejando suelta la mano de su hija que vino a mi lado y me dijo que lo había olvidado todo y cogió el cuaderno en el que yo había pintado empezando por su barbita al líder socialista y sintió celos mucho porque dijo que nunca la dibujaba a ella hasta el punto de hacerme romper aquel apunte yo le regalé unas flores pintadas en una caja de puros habanos que me había dado mi protector pérez costales para que se las devolviese pintadas a cambio de las cuales me daba la importante cantidad de un peso que es como le llaman los gallegos a los duros además le prometí brindarle mis toros imaginarios de aquella tarde en la que todo me salió perfecto hasta que al entrar a matar al volapié lo hice con tal ímpetu que caí de bruces entre las carcajadas de mis compañeros me sentí enrabietado y rápidamente volví ante el toro que se había refugiado en tablas pero que cayó sin puntilla entre los aplausos de carmiña que dejó arrinconadas sus zuecas y vino a mí descalza, chapoteando sobre los charcos porque aquella tarde y cuando no había llovido torrecialmente te ha ocurrido algo no nada fue sólo un revolcón aunque yo me creía como el espartero al que las chicas vestidas con crespones negros le cantaban

Espartero, Espartero
no te vayas a morir
que las niñas de la Alfalfa
se pondrán luto por ti.

cuando muchos años después bailó una gitana llamada la chunga para mí sentí una gran emoción que no me dejaba hablar y al aplaudirle tras haber danzado con sus pies descalzos me vino el recuerdo de aquella muchacha gallega a la que demos tiempo al tiempo también iba a pintar yo con los pies descalzos
doña maría picasso lópez madre de familia estaba preocupada por ajustar el sueldo mínimo del profesor del instituto a las necesidades de todos los que debíamos comer de él y debido a ello fue tomando nota de los anuncios de entonces en los que se pregonaban gangas y economía por ejemplo aquel que recortó cuidadosamente y que tal vez aún conservo yo en mi cúmulo de cosas archivadas que no reencontraré jamás

«Se dan comidas a peseta el cubierto. Sopa, cocido y principio. Todo bueno, en casa y a domicilio. En esta administración darán razón»

ni la popular zarzaparrilla del doctor aller ni el salino regal para afecciones del aparato digestivo fueron suficientes ni aun unidos al buen cuidado que le prestaron los médicos para salvar a mi hermana concepción ruiz picasso que murió de difteria y con ella se fue el único de los hijos que tenía parecido físico con mi padre la muerte de la niña lo exasperó mucho más y le hizo añorar su andalucía yo por el contrario y más después de conocer a carmiña pensé que había tenido una suerte enorme con el traslado a punto de cumplir mis diez años de edad y ya disfrutando plenamente de las cosas e intuía ya el cambio de la acuarela mediterránea por el aguafuerte atlántico que comenzaba a formar mi personalidad fue un viaje que me permitió huir de un medio ambiente que no me había sido propicio y el pleno descubrimiento de tres cosas que me marcarían para toda mi vida como fueron la pintura, el toreo y la mujer tres cosas esenciales que entonces podía resumir en mis apuntes del instituto en el toreo callejero y en carmiña a la que un día convencí para que me acompañase hasta la torre de hércules desde la cual yo divisaba el paisaje gallego y tomaba apuntes le habían dicho a mi padre que un malagueño en 1550 imprimió su descripción de galicia y hablaba de este faro construido según algunos historiadores por los fenicios y en opinión de otros debida al emperador trajano pero a mí que no podía entrar en discusión alguna se me quedaron grabadas las inscripciones escritas en bronce que llamaron poderosamente mi atención

«Caroli OOO P. Aug. P. P. providentia, collegium mercatorum Gallaeciae, navigantium incolumitati reparationem vetustissimae ad Brigantiam Phari, D. S. incoavit. Caroli III opt. Max. absolvit»

y otra en castellano

«Reinando Carlos III el consulado marítimo de Galicia, para seguridad de los navegantes, concluyó a sus expensas en el año 1791 la reparación del muy antiguo faro de La Coruña, comenzada en el reinado y de orden de Carlos III»

a partir del día en que me acompañó carmiña hasta la torre de hércules no volví a ir solo como solía hacerlo para tomar apuntes y adquirir la enfermedad de moda a la que le llamaban el trancazo y que hacía que nos encamasen para sudarlo lo cual era una verdadera satisfacción para nosotros ya que no teníamos que ir al colegio procurábamos ponernos bien cuando se acercaban los bailes de carnaval que convertían a la coruña en la ciudad más divertida del mundo mi familia era invitada al casino en donde me sería imposible ver a carmiña porque allí únicamente tenían acceso las personas importantes los burgueses y los artistas y a ella no le estaba permitido compartir nuestros juegos disfrazarse con nosotros cosa que he de confesar que aunque la echaba de menos no empañaba mi alegría porque me divertía mucho con mis amigos y también yo solo ya que aprendí a divertirme sin necesidad de nadie cuando me castigaban por mal estudiante en los sótanos del instituto un espacio con paredes blancas encaladas y un banco para sentarse y a mí me divertía que me metiesen allí porque aquél sería mi primer estudio en el que no me molestaba nadie iba solamente acompañado por una libreta y lápices y dibujaba sin parar por lo tanto los castigos constituían un premio una verdadera fiesta y creo que hasta provocaba situaciones que obligaban a los profesores a castigarme para permanecer aislado sin que me molestase nadie y siempre dibujando dibujando dibujando dibujando dibujando dibujando dibujando dibujando dibujando me hubiese gustado que me dejasen allí toda la vida para seguir dibujando y no era necesaria la presencia de carmiña a la que me sabía de memoria y la dibujaba una y otra vez y esa era la manera de tenerla siempre a mi lado porque para mí permanecer encerrado dibujando era un placer especial muy difícil de explicar para quien no comparta mis vocaciones y lejos de mortificarme el encierro me era grato porque me daba la oportunidad de trabajar constantemente que creo que es lo que se debe hacer siempre recuerdo que en la escuela de bellas artes nos hicieron escribir en un cuaderno

«hay que aprender a pintar»

y repetir la frase una y mil veces y yo escribí una y otra vez no hay que aprender a pintar no hay que aprender a pintar no hay que aprender a pintar porque la gente que no es tonta no quiere aprender a hacer nada no hay que saber hacer nada no hay que aprender nada pero hay que trabajar y hacer muchas cosas eso es todo carmiña empezó a notar que nuestras excursiones eran cada día menos frecuentes y que no me era posible verla con frecuencia porque los demás niños de mi clase social salían a los cantones con las chicas de su clase social y yo no comprendía por qué carmiña no estaba allí con nosotros dado que nadie la rechazaba pero ella era la que huía de nosotros quizá temerosa de que las otras niñas la mirasen por encima del hombro que una ya le había llamado pescantina y se liaron a tirarse del pelo ante nuestro regocijo y yo hice un apunte de aquella apurada escena pero yo no precisaba de que estuviese allí para recordarla creo que mi capacidad de recordar a las mujeres que estuvieron a mi lado me exime de esa infidelidad que se me atribuye ellas se han ido de mi lado pero yo tengo la diabólica propiedad de quedarme con todas ellas de poder repetir no sólo sus nombres sino los buenos y malos momentos que pasamos juntos me dicen que eso es el egoísmo de los recuerdos y era carmiña la que mostraba más personalidad que entonces yo no sabía que era eso pero sí aparecía ante mí como una intuición de la personalidad que podría definir muchos años después aquellas niñas de los cantones parecían repetidas, siempre uniformadas mientras que para ver niñas como carmiña era necesario acercarse al puerto a su barrio de pescadores y disfrutar de aquel incomparable ambiente hacia el cual yo me escapaba cuando me aburría de salir con las otras niñas una de las cuales según sus padres y los míos podría ser mi mujer cuando creciésemos yo me escapaba de ella y marchaba a la calle en que vivía carmiña y allí únicamente cruzábamos unas palabras porque ella temía que sus padres la viesen acompañada por un señorito aunque ni ella ni yo sabíamos exactamente lo que quería decir señorito y me hacía gracia escuchar cómo ella me lo llamaba entre reprochándomelo y admirándome por ser yo un señorito pero yo con carmiña o lejos de ella me sentía totalmente independiente de aquel atosigante clima familiar en que vivía en málaga y que en la coruña era totalmente diferente porque aprendí a tomar iniciativas iba aprendiendo la vida por mí mismo y era capaz de copiar perfectamente los academicismos de los dibujos de mi padre pero también campaba por mis respetos retratando a los que me rodeaban y como mis compañeros no se dejaban retratar porque me decían que todo aquello eran mamarrachadas hacía víctima propiciatoria a mi hermana a la que dibujaba al levantarse al lavarse a la hora del desayuno haciendo los recados a los que la enviaba mi madre o en la cocina o jugando con sus amigas muchos de esos dibujos los conservo aunque la mayoría los he perdido y hoy me gustaría recuperarlos sobre todo los retratos de una carmiña hada madrina cenicienta princesa de los cuentos creo que en el instituto da guarda debería haber muchos cuadernos de dibujo míos que eran mis exámenes aunque me temo que al concluir los cursos los destruirían yo también retraté a mi mecenas pérez costales y a otros amigos de la familia un día carmiña se enteró de que me habían atribuido una novia formal y salió a mi encuentro con todos los dibujos de flores que le había regalado y me los devolvió llorando desconsoladamente y fue la primera vez que viví una situación de celos que se iba a repetir constantemente a lo largo de mi vida rompí con rabia aquellos dibujos después de que no aceptó mis disculpas y como siempre me refugié en los pinceles que me había regalado mi padre porque pérez costales preparaba mi primera exposición en una tienda de paraguas pero como también me gustaba escribir y dado que pretendía comunicarme con mi familia de málaga fundé unas revistas de ejemplar único que se llamaban torre de hércules azul y blanco y la coruña en las que dibujaba y les ponía pies y comentarios como si se tratase de las fotografías de los periódicos yo escribía el viento ha comenzado y continuará mientras la coruña exista incluía publicidad como los demás periódicos que llegaban a mi casa y en uno de ellos decía que se compran palomas de genealogía garantizada en la coruña descubrí mi verdadera vocación que es la de escritor y sé que pasaré a la historia como un escritor que pintaba y hacía esculturas y otros inventos bastante discretamente cuando le dijeron a mi madre que escribía ya transcurridos muchos años desde nuestra estancia en galicia ella respondió

«Me dicen que escribes. De ti lo creo todo. Si un día me dijeran que has cantado misa también lo creería»

mi padre tenía la vista cansada y no podía pintar las patas de las palomas y así me condenó a mí a la misión de terminarlas y por eso hastiado de esa tarea jamás pinté palomas con patas porque verdaderamente me aburren las palomas y hasta me molesta que la gente las asocie a mí como si yo fuese el creador de esos molestos animalitos que se cagan sobre las estatuas cosa que me hizo pensar seriamente en que nunca me gustaría ser estatua pero la verdad es que las ventas en la exposición a pesar de los bajos precios que puse a mis cuadros no fueron muy grandes y creo que no hubiese vendido nada sin la protección de aquel hombre al que regalé gran parte de mi obra y ahora me gustaría tener retratos suyos aunque perteneciesen a otros pintores yo le recuerdo perfectamente hombre de noble figura cordial con un bigote que él mismo se rizaba y que para mí resultaba impresionante por lo que lo recuerdo bastante más que a mis compañeros de juego porque con él dialogaba y cambiaba impresiones y lo que es más importante para un niño era que se trataba de mi máximo comprador que me pagaba con un duro que yo empleaba en divertirme con los amigos con los que en verano íbamos a las playas cercanas a bastiagueiro a riazor aunque yo nunca supe nadar y me pregunto que para qué quiere un hombre saber nadar cuando es posible entrar lentamente en el agua como yo lo hacía cogido de la mano por carmiña y después al sentir que el agua me cubría el hombro echo una mirada a los que me están observando y comienzo a mover los brazos y regreso muy satisfecho como si hubiese realizado una de esas proezas que hacen los buenos nadadores y no he aprendido a nadar jamás presentía eso sí que aquel año de 1895 sería el último que pasase al lado de carmiña porque mi padre repetía incesantemente que en cuanto le fuese posible pediría el traslado así es que me decidí a pintarla en un lienzo de setenta y cinco por cincuenta centímetros[3] posó vestida de rojo y con un pañuelo blanco al cuello durante toda una tarde ella se sentía completamente feliz descalza sentada en una silla de enea pegada a un oscuro muro de aquel cuadro se llegaría a escribir que tenía la categoría de un zurbarán aunque para mí significaría el recuerdo de aquella niña perdida para siempre cuando un profesor de la escuela de bellas artes de barcelona llamado ramón navarro deseaba que lo trasladasen a la coruña para lo cual hizo permuta con mi padre el 17 de marzo de 1895 así es que el verano de ese año nos marchamos para pasar las vacaciones en málaga con toda la familia deteniéndonos en madrid en donde me llevaron por primera vez al museo del prado en el que volví a recordar a aquella chica dulce que me llenó de amor en todos sus detalles hasta el punto en que el día en que enterró a su padre cogió un ramo de flores y lo llevó al lugar en el que reposaba mi pobre hermana para siempre y yo no podría decir ahora si ella fue mi verdadero amor pero sí que fue el primero quizá siendo poco conscientes los dos de lo que significaba la palabra amor a la que yo iba a consagrar el resto de mi vida dicen que como un don juan tenorio al que nunca he negado su capacidad amatoria porque se puede amar a una persona durante un momento como si fuese para toda la vida hasta el punto de que cada vez que me unía a una mujer mis propósitos eran de que fuese para siempre la afirmación más frívola que he escuchado y he dicho en numerosas ocasiones porque sabido es que el siempre tiene un límite que no ponemos nosotros sino las circunstancias no podría explicar mis sentimientos por carmiña que de vez en cuando se reverdecen dentro de mí tal vez por la nostalgia de lo no alcanzado de lo que tuvimos en nuestras manos y no hemos podido apreciar y tal vez por eso pasados los años quise desempolvarla de mi memoria y volver a pintarla tal y como era e incluso utilizar el reverso del mismo lienzo en el que la había retratado con su cara dulce y su melena trigueña pero desistí porque me di cuenta de que en pintura puede intentarse todo y tenemos derecho a ello a condición de no volver a empezar jamás cuando me instalé en barcelona sentí de nuevo deseos de ir a buscar a carmiña

3. Se trata de *La muchacha descalza*, que puede verse en el Museo Picasso de París. *La fillette aux pieds nus*, obra que pasó al gobierno francés como pago de los derechos de sucesión de la herencia.

en la coruña pero también en mi vida tuve como lema no mirar atrás y sabía que aunque sintiese morriña aquella etapa se había quemado y carmiña con ella y tal vez el tiempo más feliz de toda mi vida se había concluido para siempre y no sé insisto si lo que sentía por aquella chiquilla de los pies descalzos era lo que después me enseñaron que se llamaba amor pero sí sé que la recordaré muchas veces y al enfrentarme a su retrato o a su memoria dentro de mi memoria me pregunté qué sería de ella tal vez no exista ya, quizá sea una mujer paridora alrededor de la cual se reúnen en navidades todos sus hijos y sus nietos siempre recordaré un poema del adiós de rosalía de castro que un amigo me trajo en uno de mis aniversarios a los que yo gusto llamar centenarios porque se llega a un punto en la vida en el que los años son lo que menos importa yo conocía aquellos poemas que el cura de la parroquia de santiago a la que yo iba con mi familia y del que recordaré siempre la puerta principal de piedra con dos ángeles de tamaño natural y el arco que la corona hecho con un cerco de pequeñas estatuas enlazadas y en cuya torre aparecen los escudos de armas de castilla y de león soñé que allí podía casarme con carmiña aunque mis padres me tenían destinado como ya he dicho a la hija de unos amigos cuyo nombre no he recordado jamás el párroco después de oficiar la misa nos invitaba a desayunar con él y a mí me repetía esos versos que me servirían de despedida

Adiós ríos, adiós fontes,
adiós, regatos pequenos,
adiós, vista dos meus ollos,
non sei cando nos veremos.
Asmoriñas das silveiras
que eu lle daba a meu amor,
camiñiños entre o millo.
Adiós para sempre, adiós.

versos que parecían hechos para carmiña en una despedida que no hicimos jamás porque no pude verla aquellos días cercanos a nuestra marcha definitiva

¡Adiós tamém, queridiña!
¡Adiós por sempre quizaís...!
Digoche este adiós chorando
dende a veiriña do mar.
Non me olvides, queridiña,
si morro de soidás...
Tantas légoas mar adentro
¡Miña casiña, meu lar! [4]

4. En una de las visitas del autor de este libro a Pablo Picasso le llevó como regalo de aniversario las obras completas de Rosalía de Castro. Las repasó ligeramente y, como un niño al que le toma la lección su padre, me dijo: «Abre el libro por donde quieras y pregúntame.» Casi sin dificultades recordaba estrofas de los principales poemas. Este hecho volvió a repetirse años después con motivo de una visita que le hizo el cantoautor gallego Juan Pardo. Fue Pablo Picasso el que le recordó canciones gallegas, en su mayor parte nanas, para que las tocase el músico a la guitarra. Las cantaron juntos y pasamos una de las más gratas veladas en las que el pintor malagueño se sintió completamente feliz.

Carmen, el amor de las vacaciones[1]

CARMEN BLASCO

De su prima enamorado,
la corteja y la pretende,
pero se ve desdeñado
porque Carmen no comprende
su aspecto tan desastrado.

MANUEL BLASCO,
Picasso insólito

No se puede entender la historia de Picasso, de antepasados con abolengo, sin conocer sus rincones malagueños. Y, más concretamente, la plaza de la Merced, en la que, cuando nació Pablo Ruiz Picasso, se encontraba la iglesia que daba nombre a este cuadrilátero irregular en una de cuyas casas se recuerda el nacimiento del malagueño universal. Pablo siempre puso en duda si la placa conmemorativa se la habían colocado en su auténtica casa o en la de al lado. Dato muy importante porque entonces los niños nacían en sus hogares. Hoy habría que colocar las placas-recordatorio de los nuevos ingenios en los sanatorios en los que han venido al mundo. Puede conservarse la casa en la que nació el prócer ilustre. Difícilmente se reconocerá la incubadora a la que fue conducido después de su llegada a este pícaro mundo.

No le llevemos la contraria a la leyenda que está escrita en la lápida que recuerda al viandante que allí, entre las nueve y las diez de la noche, un 25 de octubre del año de gracia de 1881, en la casa número 36 de aquella plaza, nació una criatura que años después asombraría al universo mundo con su genio.

Desde el primer momento de su venida a la faz de la tierra le acompañarían las mujeres y las palomas. Su familia era pródiga en féminas y la plaza arbolada lo era en palomas.

Persiguió de niño a las chiquillas, a las que gustaba levantar la faldita, y a las palomas. O, por el contrario, depositaba un beso en la mejilla de alguna de sus compañeras de juego o extendía sus manos llenas de migas para que en ellas comiesen las palomas.

Pablo Ruiz Picasso estaba abocado a la fama desde antes de su nacimiento, por su ilustre *pedigree* y, además, por los acontecimientos que

1. Su primera «boda» ante el «altar».

siempre acompañaron a su familia. La casa de los Picasso era conocidísima porque, durante uno de los frecuentes motines que se organizaban en Málaga, el general Caballero de Rodas comisionó al capitán de artillería don José Lachambre y Domínguez, malagueño él, para que cañonease a sus levantiscos paisanos. Y así ordenó que desde Gibralfaro se hiciese fuego de artillería. Ese infausto día de Año Nuevo de 1869 hubo alrededor de los cien muertos y numerosos heridos. Sobre la casa de los Picasso cayó una pieza de artillería que dañó única y felizmente sólo al tejado. Se cantaba esta copla:

El general Rompetejas
que disparó un cañonazo.
Apuntó «pa» la farola
y dio en casa de Picasso.

Pablito acompañaba a sus primas y, camino de la Alameda de los Tristes, a la que los llevaba su tío Antonio, encandilaba a las niñas diciéndoles que debajo de su blusa marinera llevaba oculto un gorrión. El pájaro, que estaba marcado por el triste sino de la muerte o la cautividad dentro de una de las jaulas del tío Antonio *el pajarero*, logró escaparse saliéndose por el cuello de la camisa de Pablito. Los niños, desolados por la pérdida, siguieron su vuelo y contemplaron cómo se posaba en uno de los árboles de la alameda, quedando a salvo de sus pequeños captores:

—Parece que se está riendo de nosotros —dijo Pablito.

—Los pájaros no se ríen —le respondió una de sus primitas.

—¿Quién te ha dicho que los pájaros no se ríen? —replicó el niño, mientras pedía un papel y un lápiz a su tío.

Comenzó a dibujar, con maestría propia de un mayor, varios pájaros que, efectivamente, se reían a carcajadas. Trazó los rasgos del gorrión que había huido. Después se lo dio a su prima:

—Toma. Éste no necesita jaula ni que le des de comer.

Pablito aún no había cumplido los seis años. Trataba de seducir a sus primas luciendo sus numerosas habilidades. Una de ellas era ofrecerles «finitas de bordar», figuras hechas sobre el papel recortándolo con unas tijeras de tía Eloísa. Rebaños de ovejas y corderos, caballos, loros, burros y hasta guirnaldas de flores salían de sus ya prodigiosas manos en unos minutos. Y dibujos prodigiosos que le solicitaban Conchita y María, de las que Pablito decía en casa que eran sus novias. (Obsérvese el pluralismo que jalonaría su vida en lo que a mujeres se refiere.) Le pedían que les dibujase un perro igual al terranova de doña Tola Calderón, cuyos hijos menores, Pepe y Paco Orueta, organizaban con los otros niños «corridas de toros» en la terraza de la casa conocida como «El Jaulón».

Un gallo esperaba, en la cocina, el momento del sacrificio. María le pide que se lo dibuje.

—¿Por dónde quieres que empiece? —pregunta él.

—Por la cresta —responde la niña.

Y, efectivamente, empieza a dibujar un hermoso gallo por la cresta. Las pequeñas se lo disputan y él consuela a Conchita, dibujándole un burro.

Nace también en Málaga y en sus primeros años la afición a disfrazarse, que le acompañaría el resto de su vida. Los niños presenciaron regocijados el desfile que se organizó con motivo del cuarto centenario de la reconquista de la ciudad por los Reyes Católicos. En la cabalgata los jinetes iban disfrazados de personajes históricos, como los propios monarcas, Isabel y Fernando, y su cortejo real. Desde la casa de los Picasso se presenciaba magníficamente el desfile, y allí se reunieron numerosos niños en el desfile. Figuraba también una máquina de guerra llamada la catapulta. A partir de ese día jugaban «a la catapulta» los niños que presenciaron su espectacular aparición. Conchita y su primo Pablito se encargaron de suplir con imaginación la carencia de disfraces y el juego se repetía todos los días del año. Se les unía a sus juegos la hermana mayor, Lola, a quien todos llamaban *La terremotica*, porque llegó al mundo la noche del gran terremoto en la que los Picasso tuvieron que abandonar su casa para ponerse a salvo de la anunciada catástrofe.

Pablito se pasaba horas contemplando cómo su padre llenaba los lienzos de palomas y pichones. De vez en cuando le preguntaba algo y él, con lápices de colores y en el cuaderno de su padre, le imitaba llenándolo todo de palomas, pero ya con una visión distinta de la de su progenitor. De vez en cuando los ayudan a coger palomas, que les sirven de modelos, del palomar que hay en la terraza de la casa, sus primas Conchita, María y dos hermanas, Carmen y Teresa Blasco, también primas suyas. Pablito les premia su colaboración recortando muñecos sobre papel y cartulinas y jugando con ellas a las sombras chinescas.

Muy pronto Carmen Blasco se convierte en su compañera favorita. Ya no dice en casa que tiene varias novias, sino que su novia es Carmen Blasco y que se va a casar con ella. Cosa que ocurriría cuando los dos eran unos chiquillos, pero en una de las representaciones que en ellos eran tan frecuentes. Unos días juegan a bautizar una muñeca, «hija» de los dos y otros a los matrimonios, bodas incluidas. Para ello ponen la casa patas arriba. Los ayuda el niño Pepito Padrón Ruiz, que manifiesta sus deseos de ir al seminario. Conserva los hábitos sacerdotales que las monjas capuchinas habían hecho para él. Prepara el altar, lo ilumina y es él quien se encarga de administrar los sacramentos del matrimonio o del bautizo. Concha sería la madrina de la boda y el papel de padrino correspondería a Antonio «el niño gordo», del que todos temían y a la vez esperaban alguna travesura importante. Utilizaban las joyas, los adornos, las mantillas y hasta los vestidos de las tías, que pacientemente accedían a cederles sus prendas. Sólo había una excepción: la tía Pepa, que era la refunfuñona de la familia. Pablito vivió en su primera «boda», vestido «a la andaluza», como lo había hecho en el bautizo de una muñeca. Era el trajecito que sus padres le encargaron para que asistiese a las verbenas y romerías malagueñas. Chaquetilla corta, pantalón largo y muy ceñido, faja de seda rodeándole su cintura y sombrero de ala ancha, ese sombrero que al paso de los años añoraría y volvería a recuperar en Francia, para presidir las corridas de toros. Era muy parecido al que llevaba de niño y él nos lo hacía notar contándonos esas historietas infantiles que explicaba casi gráficamente, nos hacía ver las ceremonias de esos juegos con bodas y bautizos incluidos.

«Así es como yo he sido el niño español que se casó antes que ningún otro niño», le gustaba contar para finalizar sus relatos, llenos de fantasía. Después describía cómo era Carmen, la niña de sus sueños y, años más tarde, su segundo amor en serio, dado que Carmen se llamaba también la niña pescadora de La Coruña, con la que comenzó a poner de largo sus sentimientos amorosos.

Desde La Coruña escribe a Carmen esos famosos cuadernos en los que, a la manera de los periódicos de la época, ofrece noticias, anuncios y hace crónica de los acontecimientos. Carmen le responde epistolarmente de vez en cuando y la correspondencia se espacia más. Pablito se justifica alegando la dureza de sus estudios, la ayuda que presta a su padre rematando sus cuadros de palomas. Pero la realidad es otra. Pablito se había enamorado, antes de cumplir los once años de edad, de Carmiña. Es a ella a la que dedica todas sus atenciones y para la que pinta, sobre cartulinas y tablas de las cajas de puros que le regalaba Pérez Costales, ramos de flores que le entrega cuando la ve.

«¿Adónde habrán ido a parar aquellos dibujos coloreados, aquellas pinturas mías?», se preguntaba el viejo pintor en más de una ocasión. A mí me daban los coruñeses fotografías de cuadros que pretendían fuesen de Picasso o de su padre. Pablo me había pedido que buscase entre las presuntas obras de su autoría, porque estaba dispuesto a comprarlas o a cambiarlas por obra actual. La verdad es que, salvo en una ocasión en la que dudó, no se reconocía en aquellas pinturas. En el fondo estaba deseando reencontrar, tal vez marchitas por el tiempo, aquellas flores que le regaló a Carmiña. De la que traté también de buscar rastro en La Coruña, entre los pescadores. Me hablaban de una abuela, que había muerto ya, que decía que la había pretendido, cuando era niña, un pintor que más tarde se había hecho muy famoso. Nunca pronunció su nombre. Fue inútil mi búsqueda de los herederos. Al parecer uno de sus nietos se había trasladado a San Sebastián y se incorporó a la flota pesquera de Trincherpe. Es posible que Carmiña, al desaparecer para siempre Pablo, llena de rabia y de tristeza, hubiese destruido aquellas ofrendas florales que le hacía su amado. Aparecieron, eso sí, panderetas por Pablo pintadas y algunas tapas de las cajas de cigarros, que fueron sus primeros «lienzos».

—Te traigo un ramo de flores —le dice a Carmen, en cuyas manos pone el fruto de su trabajo de la noche anterior, un ramo impresionante en el que se mezclan flores de todas las estaciones del año.

Carmen había conservado todos los «periódicos» que él le envió desde La Coruña. Se los muestra y se los ofrece, aunque Pablo los rechaza.

Tienen tiempo para pasearse por el parque, como solían hacer las parejas de tórtolos y la familia de ella, que ya sospechaba sus incipientes relaciones, les envía a una hermana como «carabina». Del parque de sus encuentros, Pablo decía que era «el verdadero orgullo de los malagueños». Y es fácil comprender que tenía mucha razón al sentirse orgulloso de él.

Los chicos, cogidos de la mano, caminan por este paseo en el que el sol se las ve y se las desea para atravesar las tupidas ramas de los árboles centenarios. Teresa Blasco, «la carabina», se hace la distraída y se pierde por el parque mientras su hermana y su primo continúan caminando. De vez en cuando llueve sobre los chicos, que se refugian en la arboleda. Allí es donde Pablo la besa en la mejilla, quiere acercar sus labios a los de Carmen y ella huye despavorida. Hasta el día siguiente no volverían a verse.

La familia Ruiz Picasso, los Blasco, pertenecen a la burguesía malagueña del siglo XIX, que es la que hace posible los grandes avances de la ciudad. Málaga es la primera localidad española que cuenta con un alto horno y que mantiene relaciones comerciales, cada mes, con Nueva York. Es a esta burguesía a la que se le debe la formación definitiva del parque. Así seguían una tradición jardinera malagueña, que inició Isabel de Levermoore y Salas, hija del cónsul inglés y de una sevillana. Doña Isabel se había casado con un Heredia, poseedor de la mayor flota velera de España. Como la buena señora era una gran aficionada a las plantas, cuando los barcos de su marido regresaban de las Indias Occidentales, le traían un precioso cargamento de raras plantas, macetas y semillas. Todas estas joyas vegetales las iba colocando en el jardín de su finca, «La Concepción», situada en la carretera de salida de Málaga, hacia los montes. Igual pasión por las plantas hereda una de sus hijas, Amalia. Estaba casada con el marqués de Casa Lorín.

Así es como construyó, frente a la casa de sus padres, otra preciosa villa, «San José», que más tarde albergaría un manicomio. En sus jardines siguió plantando palmeras, ficus, magnolios y todas las especies que se adaptaban a las condiciones climatológicas del lugar.

Pablo iba contando, despaciosamente, la historia del parque a su compañera. Recordaba el gran antecedente del jardín malagueño que había sido la finca del «Retiro», conocida por «el Petit Versalles», en la carretera de Málaga a Churriana. Pablo seguía contando en sus años franceses que la riqueza del parque de su tierra era inigualable. Hay quien lo considera como el auténtico «museo del árbol». Pero un museo con vida, no estático. «Me horrorizan los museos que parecen cementerios de los cuadros y de las esculturas —ya había dicho Pablo en aquel entonces—. Aquél es un museo vitalista como lo deberían ser todos los museos del mundo.»

Los jardines del parque, que se aprendieron Carmen y Pablo de memoria hasta el punto de ponerles nombres poéticos a todos los árboles, siguen la tradición malagueña de la irregularidad en su distribución. Dos inmensas hileras de plátanos orientales convierten el paseo central en un túnel verde rodeado de *Fhoenix canadiensis*, *Ficus nitida*, *Pandanos utilis*, la *Strilitzia augusta*, más conocida por «ave del paraíso». Todos los latinajos hacían reír a Carmen y Pablo se los recitaba de un solo tirón. De vez en cuando cambiaba su tono doctrinal y, al señalar los bambúes, los castaños de la India y las magnolias, yucas, dragos, árboles de coral, daba la sensación que le estaba recitando a su amada un poema romántico de Gustavo Adolfo Bécquer. Ya por aquel entonces Pablo comenzaba a ensayar sus poesías, alguna de las cuales más tarde se haría famosa. Nacía el Picasso escritor que él, quizá en una de sus *boutades*, siempre decía que pasaría a la historia, con mucha más fuerza que el pintor, el escultor, el ceramista.

Don José Ruiz, aficionado al flamenco, llevaba a sus hijos y a los primos al café de Chinitas, que se haría famoso en toda España. Allí aprendió Pablo esa canción popular, que repetían todos los malagueños de su tiempo:

Tiene Málaga en su centro
una calle muy bonita,
que fue escuela de flamenco:
el pasaje de Chinitas.

Un rico malagueño, don Antonio María Álvarez, adquirió el ruinoso convento de los Agustinos, que mandó derribar, y así comenzaron las obras del pasaje en 1854. La verdad es que, como decía Picasso con ironía, «toda Málaga está construida sobre un convento derruido». Incluso las «casas de Campos», en mi plaza de la Merced, fueron construidas sobre el solar en el que había estado el monasterio de Nuestra Señora de la Paz, de monjas clarisas. En ese pasaje se instaló el café de Chinitas, y allí cantaban los legendarios Juan Breva, rival en malagueñas con Antonio Chacón, el primer «cantaor» que usó corbata y alfiler de brillantes.

En el «tablao» fueron invitados a bailar los chicos. Pablo se movía torpemente, pese a ir vestido «de dulce», con su nuevo traje corto. Aunque la familia pasase estrecheces, jamás les faltaban los atuendos que se requerían para pasearse por la feria. Carmen bailaba bien y en una ocasión hirió el amor propio de su primo Pablo al reírse cuando él perdió el paso en uno de los bailes.

En ese mismo «tablao» en el que bailaban los dos primos lo habían hecho la Macarena, la Juana, la Trini, el Petróleo y la Paula, que andaban de café en café esperando ser invitadas a «un corto», a ser posible «con algo para mojar». Pablo conocía a todos los flamencos, tomaba apuntes de ellos y después los rompía o se los regalaba.

Carmen y Pablo, al salir de allí, recordaban las coplas que se hicieron célebres, ambas con los lógicos variantes porque ni en historia reciente nadie se pone de acuerdo.

En el café de Chinitas
dijo Paquiro a su hermano:
«Soy más valiente que tú,
más torero y más gitano.»

La variante, por cuya autenticidad se discutía, se cantaba con versos semejantes:

En el café de Chinitas
dijo Paquiro a Frascuelo:
«Soy más valiente que tú,
más gitano y más torero.»

En más de una ocasión le planteé a Pablo Picasso que todas esas coplas populares, recogidas por Federico García Lorca, pueden únicamente ser aceptadas como licencias poéticas, pero que no resisten el análisis de los historiadores de la tauromaquia. Porque Francisco Montes, el Paquiro, murió en Chiclana en 1851. El pasaje de Chinitas no se construyó hasta años después. Y por muy precoz que fuese Frascuelo, sería demasiado suponer que ya se enfrentaba en los ruedos, con el biberón en la boca, a un rival que nunca lo fue suyo.

Pablo recordaba algunas de las canciones de entonces. Con ellas le venía el recuerdo de aquella Carmen, su prima, que posiblemente pudo cambiar la trayectoria biográfica del genio.

«De haberme casado con ella —decía— quizá no me hubiese movido de Málaga. Me convertiría en un feliz padre de familia y en un distinguido pintor local, profesor de la escuela de Bellas Artes. ¿Me imaginas a

En La Lonja Picasso conoce a Manuel Pallarès y Grau cinco años mayor que él. Pronto se establece una amistad familiar y, dado que estaba solo en la ciudad, va a comer frecuentemente a casa de los Picasso, que lo tratan como a un hijo más.

Manuel Pallarès era de un pueblo tarraconense, Horta de San Juan, en los confines de Aragón, a donde llevaría invitado a Pablo para que pasase una temporada de descanso con su familia.

En Horta de San Juan le deslumbró aquella muchachita (Josefa Sebastiá) que ayudaba a sus padres a vender desde un paquete de sal hasta una prenda de vestir, desde sellos de correos al vino de cada una de las mesas del pueblo... aquella muchachita frágil que bajaba los ojos cuando Pablo la miraba, que se resistió a ser retratada por él.

mí hecho un burgués? Pues en eso era en lo que pretendían convertirme mis padres, a los que les agradaba la idea de que un día me casase con Carmen, una muchacha a la que quería con toda mi alma. Ella fue la única culpable de que ese matrimonio no se celebrase porque yo estaba dipuesto a casarme. Una mujer nunca es más importante que otra mujer que la ha sucedido en los sentimientos de un hombre. Todas han sido igualmente importantes en mi vida por cuanto han cubierto un tiempo de ella en el que nos creíamos los hombres más felices del mundo. Yo he procurado ser fiel a la mujer que estaba a mi lado, dentro de un orden. Una tarde recibí a mi pariente Manolo Blasco, un pintor *naif* que vive en Málaga y que era hermano de Carmen. ¿Por qué lo recibí? Quizá inconscientemente, porque quería reencontrar en él a aquella Carmen idealizada por mí, a la que no había visto vieja. Conservo su imagen tal y como era cuando recorríamos el parque. Créeme que eso ayuda mucho. Por el contrario, he visto a mi mujer, Olga, y a otras mujeres que la sucedieron, las he visto envejecer y viejas. Siempre creemos que los que envejecen son los demás y nosotros permanecemos como al principio. A Blasco le pregunté muchas cosas. Creo que no me referí a Carmen jamás. No quería recibir ninguna mala noticia de ella. Verás, es como conservar el recuerdo de las personas bellas, alegres, jóvenes. Por eso, siempre que me fue posible, me negué a ver a esas personas muertas. Yo hice lo posible porque no se suicidase Casagemas. ¿Sabes lo que no le he perdonado jamás? Que se hubiese destruido, su feo cadáver. A veces pienso que cuando suena el teléfono puede estar al otro lado, desde Málaga, aquella Carmen llena de vida a la que he amado tanto.»

Viva Málaga que tiene
la Caleta y el Limonar
y un parque lleno de flores
a la orillita del mar,
donde tengo mis amores.

Pablo tuvo otros «amores» en Málaga, años después, cuando llegó con Casagemas en su último intento por salvar la vida a aquel galán contrariado por la dama de sus sueños. Conoció a las cuatro hijas maravillosas del alcalde, José Alarcón Luján, al que le cantaban:

Señor alcalde mayor,
no prenda usted a los ladrones,
porque usted tiene unas hijas
que roban los corazones.

Dice uno de los biógrafos de la época malagueña de Pablo Picasso:[2]

«Amor juvenil, trivial si se quiere y pasajero enamoramiento de Pablo y Carmen Blasco Alarcón, la encantadora, alegre, expresiva, bullidora y jacarandosa prima de los negros ojos, grandes, rasgados y profundos, únicos quizá capaces de sostener la mirada de Pablo.»

2. Ricardo Huelin y Ruiz-Blasco, *Pablo Ruiz Picasso*, Biblioteca de la Revista de Occidente. En este libro, en el que se recopilan vivencias recogidas en numerosas biografías, se explica la genealogía del pintor y algunas de sus andanzas malagueñas.

Carmen se había convertido en el amor de las vacaciones, de los veranos, pero en un verdadero amor. Aunque el mismo autor precitado quiera convencernos de que doña María Picasso se oponía a que se consolidaran tales escarceos, dado que, al tratarse de primos, si un día se rompían podían ser obstáculo para las magníficas relaciones entre los padres de los chicos. Fue el mismo Pablo Picasso el que me dijo que, por el contrario, las fomentaban de alguna manera. Pretendían «anclar» a Pablo en su ciudad natal, en la que no era más que un visitante desde su marcha a La Coruña. Con ese viaje había comenzado el peregrinaje del muchacho hacia la fama y quizá hacia la infelicidad.

A Málaga y a Carmen no volvería hasta el año 1900. Pero ya no se repetirían aquellas noches en vela en las que Pablo, sus primos y sus amigos rondaban a las chicas de las que se decían enamorados.

Los verdiales eran su canción:

Mi madre me tiene dicho
que no abra los cristales
porque ronda mi ventana
uno de los verdiales.

Pero, para continuar la romántica historia de un amor que no se consolidó, aunque tampoco fue frustrado, para contar la historia de dos desengaños —el de Carmen y el de su ciudad natal—, debemos remontarnos a otra historia, la del amor no correspondido por su dama, de Carlos Casagemas, el mejor amigo de Pablo Picasso en sus tiempos de Barcelona y en sus primeros pasos por París.

En Barcelona decide
de Casagemas cuidarse
para que no se suicide
y en distraerlo esmerarse
por que sus penas olvide.

MANUEL BLASCO,
Picasso insólito

María Teresa Ocaña, conservadora técnica del Museo Picasso de Barcelona recogió en un libro[3] el viaje a París de Picasso. Reproduce los facsímiles de los dibujos que hizo entonces, una breve serie que es una delicia. Amigo de las aleluyas, como su primo Manolo Blasco, describe el viaje de dos personas, una es él, y leemos:

«1) En un bagón de 3.ª marchan hacia la frontera.[4]

»2) A la una ya han llegado y dicen cony qué salado.

»3) y llegan a Montaulvant liados con el gaván.

»4) A las nou del dematí llegan por fin a París.»

Ha desaparecido el dibujo número 5 de la serie y se conserva el sexto, en el que un caballero bien trajeado, pintada su librea en rojo y su pantalón en amarillo, entrega una bolsa con dinero al pintor, ilustrado en azul, que lleva debajo de su brazo un cuadro.

3. *Picasso. Viatge a París,* Editorial Gustavo Gili, S. A., Barcelona.
4. Respetamos la ortografía de los textos.

«6) Lo llama Duran-Rouel y le dá muchos calés.»

Al llegar a Barcelona, tránsito hacia París, Pablo Picasso se incorpora al grupo de escritores y pintores que se reúnen en una especie de café, cervecería y taberna, que asemejaba al Mirlitón del Montmartre parisino. Cuentan sus historiadores que los anarquistas que allí se reunían no pasaban de teorizar, así como los regionalistas o nacionalistas catalanes se limitaban a cantar, de vez en cuando, *Els segadors*. Nació este cenáculo, que da nombre a toda una importante generación, en 1897, fundado por Pere Romeu, profesor de gimnasia, que se dedicó a los negocios de teatro en América. Trabajó en el Chat-Noir de París, y sin duda este establecimiento le inspiró en el suyo, incluso con la nominación gatuna. Tiene una doble lectura la titulación de Els quatre gats. Es frecuente que, para describir una reunión sin éxito, un espectáculo al que no acuden los espectadores, se diga «sólo estábamos cuatro gatos». La verdad es que no respondía el establecimiento a esa soledad, porque era uno de los más concurridos de la ciudad condal, en el que era difícil encontrar asiento. En letra gótica, el propietario había impreso un tarjetón-invitación con largo texto: «A las personas de buen gusto, a los ciudadanos de río a río, a los que necesitan alimentar no sólo el cuerpo sino también el espíritu: Pere Romeu les hace saber que en la calle de Montesión, entrando por la plaza de Santa Ana, segunda casa a mano izquierda, desde el día 12 del mes de junio, estará abierto un establecimiento tan apto para el buen deleite de los ojos como provisto de cosas buenas para complacer el paladar.

»Semejante local es hostal para desganados, cálido rincón para quienes sienten la nostalgia del hogar, museo para los que buscan golosinas para el alma: es taberna y emparrado para quienes gustan de la sombra de los pámpanos y de la esencia exprimida de las uvas; gótica cervecería para los enamorados del Norte y patio de Andalucía para los amantes del mediodía; casa de salud para los enfermos de nuestro siglo, albergue de amistad y armonía para quienes entren a cobijarse bajo los pórticos de la casa.

»No se arrepentirán de haber venido y sí lamentarán no haberlo hecho.»

¿Quiénes eran los asiduos del café literario? Santiago Rusiñol, Ramon Casas y Miguel Utrillo formaban el trío fundamental de aquella casa-cenáculo. Ellos, sobre todo Rusiñol y Utrillo, eran los organizadores de las fiestas modernistas de Sitges, los que transformaron Cau Ferrat y con su constancia lograron que se erigiese un monumento a el Greco, pintor que había quedado oscurecido y al que «descubrieron» los Cossío y reivindicaron ellos.

Allí iba Pablo Picasso, al que acogieron como uno más del grupo y que conoció a Nonell, pintor y dibujante por el que sentía una especial admiración. A Sabartès, que iba a ser su fiel-infiel secretario durante muchos años; Manolo Hugué, Sebastià Junyent, Brossa, Zuloaga, los hermanos Reventós, Eugenio d'Ors. Y tres nombres importantes en la biografía picassiana, por cuanto con ellos se iría a París: Junyer, Andreu y Carles Casagemas, al que se refiere esta historia de amor y desamor que, a su lado, vivió y sufrió Pablo Picasso.

Fue Casagemas el que, antes de su marcha a la capital francesa, pidió a Picasso que expusiese en Els quatre gats, en donde el rey era Casas. ¿No se tomaría como una impertinencia, casi un reto del joven pintor?

Después de pensárselo bien se decidió a preparar la exposición. Hizo retratos de la mayoría de los contertulios habituales y los expuso con gran éxito y celebración por parte de sus nuevos amigos.

En otoño de 1900 viajaron juntos Casagemas y Picasso. No pudo desplazarse con ellos Pallarès, que tiempo después se les uniría en la aventura parisina. ¿De qué iban a mantenerse? Picasso lo cuenta a Sabartès:

«Pallarès, Casagemas y yo íbamos a compartir todos los gastos. Mi padre pagó el billete y junto con mi madre fue a despedirnos a la estación. Habían vaciado sus bolsillos y, ya de regreso a nuestra casa, comprobaron que solamente les quedaban unas pesetas para hacer frente a las pequeñas necesidades del día. Y, como mi padre no cobraba hasta fin de mes, lo pasaron muy mal los días que les faltaban para llegar a esa fecha. Eso lo supe por mi madre, muchos años después de mi marcha.»

Viajaron, como él dibuja y dice en sus alegorías, en tercera y llegaron a París llenos de ilusión y cargados con los caballetes, los utensilios de su profesión y maletas llenas de ropa.

Se dirigieron a Montparnasse, en donde su amigo Sebastià Junyent, que ya vivía allí, les buscó alojamiento en la calle Campagne-Première. Poco tiempo permanecerían allí porque Nonell se marchaba de nuevo a España y les ofreció su estudio de la calle Gabrielle, en la colina de Montmartre, muy cerca del Sacré-Coeur.

Encontraron inmediatamente compañía femenina: Germaine y Odette. Odette debe inscribirse entre los amores de Picasso, entre sus mujeres, aunque su tiempo haya sido más corto que con otras damas. Apuntemos, pues, este nombre en la relación, insospechada por su amplitud y sobre la que volveremos a insistir, de «las mujeres de Picasso».

Pero Casagemas había tomado en serio sus relaciones con Germaine. Cuando Ramon Pitxot los visitó, llevaba consigo a una tercera mujer, Antoinette, hermana de Germaine.

Picasso se dio cuenta de que se agravaba la situación de su enamorado amigo y lo primero que hizo fue ponerle por medio a Pitxot, que más tarde se convertiría en marido de la chica. Lejos de encontrar la solución, la agravó más, pese a su buena voluntad. Casagemas estaba enloquecido por el amor a Germaine, que ya pertenecía a otro de sus amigos.

Volvieron a Barcelona y a Pablo no se le ocurrió mejor idea que llevarlo a un prostíbulo que más tarde él inmortalizaría en uno de sus cuadros. Llevó a Casagemas a la calle de Avinyó [5] y le cedió a una de las chicas, a la que más apreciaba y que fue la primera amante de Picasso en Barcelona: Rosita. Pero aun así, pese a los mimos de la muchacha, aquel hombre languidecía por momentos.

Llevó a Carles Casagemas a su Málaga natal. Él quería reencontrarse con su ciudad, con sus amigos y sus familiares y volver a ver a Carmen, a la que casi había olvidado durante su estancia en París, pero el sentimiento amoroso volvía a renacer cada vez que la recordaba.

En el tren que los condujo a Málaga, Pablo estaba muy ajeno a adivinar lo que los esperaba. Aquél era el principio del fin de sus relaciones con la ciudad que lo vio nacer y, al mismo tiempo, de sus amores con Carmen. Tanto es así que, a partir de ese viaje, incluso hizo desaparecer

5. *Las señoritas de Avinyó* es el cuadro al que hicimos referencia y que los franceses, deseosos de nacionalizar no solamente a su autor sino a su obra, convirtieron en las *Mademoiselles de Avignon.*

su primer apellido, Ruiz, con el que hasta entonces firmaba sus cuadros y sus dibujos.

Quemaría sus naves en aquel viaje, con mucho dolor de su corazón. Pero nadie podía contrariar su voluntad y durante su estancia allí se sentiría humillado. Es por lo que Málaga quedaba como una ciudad ajena a él. Había decidido pasear con Carmen y con su amigo por lo que después sería llamada Costa del Sol. Él no conoció más allá de los límites de la ciudad y, al cabo del tiempo, me preguntaba cómo era esa Costa del Sol de la que tanto le hablaban los españoles.

Como un bohemio vestido
con melena y mala facha
y en un colgante metido
un cuerpo de cucaracha
su amuleto preferido.

MANUEL BLASCO,
Picasso insólito

Su primo el *versolari* malagueño lo describe con «indumentaria barrio latino» en su vuelta a Málaga, las navidades de 1900. «Traje de pana deshilachado, melenas, chambergo, zapatones sucios, poco aseo y colgado del cuello un *portebonheur*, muy de moda entonces; pero él, en vez de escarabajo sagrado, llevaba una cucaracha aplastada.»

Efectivamente, debió de parecer muy desastrado el atuendo y aspecto de los visitantes, incluso a sus propios familiares, que los recibieron de mala gana y no les dieron alojamiento. Los chicos se dirigieron a la fonda Tres Naciones, en la calle de Casas Quemadas. Allí también fueron rechazados dado su pintoresco porte. No los admitía el dueño si no presentaban un garante, que resultó ser la tía Mari Paz, que siempre se había llevado bien con Pablo. Vivía en la última planta del inmueble al que fueron a parar los dos bohemios. Un hijo de la tía, su primo «Antonio *el gordo*», Antonio Padrón Ruiz, bajaría hasta la fonda para garantizar a su pariente y a Casagemas.

Carles Casagemas, cada vez más deprimido, no quiso salir de la fonda y Pablo fue al domicilio de su tío Salvador, que sería el que, mediante un depósito de dinero, le salvaría de cumplir el servicio militar. Don Salvador mandó llamar a su peluquero, que en pocos minutos daría al traste con la espectacular melena de su sobrino. Asimismo ordenó que se tirase a la basura aquel chambergo y dio dinero a Pablo para que se comprase un nuevo sombrero.

La pareja no encajaba en Málaga. Pablo volvió a entrevistarse con su amada, su prima Carmen, que se horrorizó por la facha de su pretendiente: «¡Por Dios, Pablito, no se te ocurra acercarte a mí!»

A Pablo no lo preocupaba ni el rechazo familiar ni el desengaño amoroso, sino el estado psíquico y físico del pobre Carles Casagemas. Se propuso enseñarle la ciudad y divertirle en todos los ambientes. Empezó por el flamenco, precisamente en el café de Chinitas, en el que su amigo se fue animando a fuerza de copas y de la alegría que le proporcionaban los amigos de Pablo.

Lo llevaban a las tabernas en donde le ofrecían, aparte de nobles y finos vinos, las célebres tapas, las coquinas, las canaíllas. Detenían al cenachero, con su carga de pescaíto y mariscos. El biznaguero les vendía su floral mercancía que ellos ofrecían a las chicas que pasaban por la calle y hasta llevaban tal obsequio a las casas de lenocinio que Pablo conocía muy bien. Daban paseos en los milords y en las manuelas y siempre terminaban su excursión en las Siete Revueltas, en el callejón del Gato, callejón del Perro, Pescadores, Salinas, Desengaño, Postas, Espartero, las calles frecuentadas por muchachas de vida alegremente triste y por gentes de mal vivir.

No cesaba Pablo de llevar a su amigo de un lugar a otro: al moro castillo de Gibralfaro, a la Alcazaba, antigua fortaleza y acrópolis, a los baños del Carmen y al Palo. Y aunque no eran devotos, visitaron templos y «la Manquita», que así llamaban los malagueños a su catedral, con una sola torre construida, ya que los dineros destinados a la segunda se gastaron en otros menesteres. Le mostró Pablo a su amigo el barrio de la Trinidad, en donde vivían las Jabeas, que dieron nombre a «las jaberas», un cante malagueño hijo del fandango y muy similar a él:

Barrio de la Triniá,
¡cuántos paseos me debes!
¡Cuántas veces me ha tapao
la sombra de tus paredes!

Y los Percheles bien amados por Pablo Picasso, que aún se mantenían en pie, lejos de ceder sus terrenos a otras edificaciones que los irían borrando del mapa de la ciudad.

«El amigo del primo Pablo tiene porte extravagante y pinta de buena persona», juzga Concha a aquel muchacho de la mirada perdida.

Ya son escasos los intentos de entrevista de Pablo con su prima Carmen Blasco, de la que conservaba un dibujo, fechado en 1899, y que nos muestra un perfil clásico, nariz ligeramente aguileña, un rostro que se deja ver nítidamente en una serie de trazos hechos a lápiz y que nos ofrecen una perfecta idea de cómo era la amada del artista.

Carles Casagemas huyó de la ciudad tomando un tren hacia el Norte. La realidad es que no se encontraba bien en ningún sitio. La sombra de su amor perdido le seguía a todas partes. Pablo Picasso pronto marchó de su ciudad, a la que no volvería jamás. No se despidió apenas de nadie y rechazó a su prima Carmen, de la misma manera que ella le había pedido que se apartase en su primer encuentro.

Una vez más rompió los dibujos de «cantaores» y «bailaores» que había hecho cuando acompañaba a Casagemas por las ventas y los «tablaos».

Casagemas había regresado a París a principios de 1901. Manolo Hugué lo invitó a cenar el 17 de enero de ese año. Escribió varias cartas, que echó al buzón antes de entrar en el restaurante al que se dirigían los dos amigos. Allí se les unieron Pallarès, Alexandre Riera, Odette, el amor pasajero de un Picasso recientemente llegado a París y Germaine, su amor imposible. Germaine vio cómo Casagemas se metía la mano en el bolsillo, sacó una pistola y se dispuso a disparar sobre ella, que se escabulló dejándose caer para evitar ser alcanzada por el impacto. Manolo se abalanzó sobre Casagemas, pero nada pudo hacer para evitar que se suicidase, porque el muchacho acercó la pistola a la sien, disparó y se desplomó. Una hora después moría.

Picasso se enteró de la tragedia durante su nueva estancia en Madrid. Ya de vuelta a París e instalado en una casa del bulevar de Clichy, trabaja incesantemente. Entre sus obras, muchos cuadros con la imagen de Casagemas, en vida y muerto. Resultaba impresionante *Evocación*, también titulado *El entierro de Casagemas*, en el que puede verse al infortunado muchacho dentro del ataúd e iluminado por un cirio.

La presencia de Casagemas le seguiría obsesionando durante mucho tiempo, pese a que se mostró poco sorprendido cuando en Madrid le comunicaron lo que había sucedido. Tal vez lo esperaba ya y sabía que todos sus esfuerzos por evitar el desenlace iban a resultar inútiles.

Vuelve Picasso a Barcelona y ocupa el estudio de Riera de San Juan que habían compartido los dos. Allí se pone a trabajar en *La vida*, otra versión del drama de su amigo, que era el suyo propio. Porque también estaba reflejada la participación que él mismo había tenido en todo este triste asunto.

Confiesa a Antonina Vallentin: «No fui yo quien le dio el título a *La vida*. Y, desde luego, yo no tenía la menor intención de pintar símbolos. Me limité a retratar las imágenes que iban apareciendo ante mi vista. Es a los demás a los que corresponde enfrentarse con el lienzo y descubrir en él ocultos significados. Creo que los cuadros han de expresarse por sí mismos. El pintor solamente posee un idioma y los que lo escuchan deben entenderlo. No se puede tratar de explicar cuanto está hecho y dicho de antemano.»

Quien conociese la tragedia podría adivinar la clave de la misma en los cuatro personajes del escenario pictórico. Junto a un Casagemas desnudo, sólo cubierto por un taparrabo, una chica desnuda que apoya sus brazos en el hombro del chico. Éste señala a una mujer, en el otro extremo del cuadro, descalza, vestida con una túnica clásica, oscura, que sostiene a un niño en la túnica. Mira de perfil a la pareja. Aparecen otros personajes, figurantes en la tragedia: dos mujeres desnudas, abrazadas. La más joven contempla a la mayor. Abajo un cuadro y en él una mujer, sentada en el suelo y con la cabeza inclinada sobre sus rodillas.

En los bocetos Picasso se había autorretratado a sí mismo, desnudo. Luego cambió su efigie por la de Casagemas. Ninguna de las dos mujeres es Germaine, con la que Picasso se trataría durante cuarenta años y la retrató en diversas ocasiones. Un día Pablo llevó a Françoise Gilot hasta Montmartre y allí llamó a la puerta de una humilde casa. En la cama, sin poderse mover, estaba Germaine hecha una auténtica ruina. Picasso le dio dinero y, cuando la pareja salió de la casa, Pablo le dijo a Françoise: «Esta mujer, cuando era joven, hizo sufrir tanto a un amigo mío que terminó suicidándose.»

El sino de tragedia de todos los personajes que rodeaban a Picasso siempre estuvo presente en su historia. Iban a ser varias las personas por él queridas que se quitaron la vida.

Carles Casagemas puede darnos la clave del «misterio de Picasso». Corresponden a otras páginas, que nada tienen que ver con la turbulenta historia amorosa de un genio de la humanidad, los estudios y averiguaciones para descifrar lo que hasta ahora parece indescifrable. Porque cuando Pablo Picasso se desnudó, como en los bocetos de *La vida*, en sus lienzos, ante las cámaras que trataron de descubrir su secreto, no lo hizo verdaderamente. Me había dicho en una de las ocasiones en que hablamos: «Cuando te decidas a mostrarte como los demás quieren verte para descubrir tus secretos, hazlo sólo exteriormente, que es lo que los conformará y lo que salvaguardará tu intimidad.»

Era muy difícil encontrar a un Picasso hacedor de frases, porque la conversación con él podía parecer intrascendente, coloquial de una reunión de amigos que se alegran de encontrarse de nuevo. Quizá en esta falta de solemnidad, en la ausencia de trascendentalismo, estuviese parte de ese tesoro que era y seguirá siendo su insondable e inalcanzable secreto.

Los personajes siguen viviendo en sus cuadros, en sus apuntes. Sólo en ellos volvió a reencontrar Pablo Picasso al infortunado Casagemas. Y a Carmen, su prima malagueña, que de haber accedido a sus deseos amorosos, sin duda alguna hubiese cambiado no solamente la vida del pintor, sino la evolución de la historia del arte. Indudablemente no sería el mismo creador el don Juan que se había rendido ante los encantos de doña Inés.

«¿No es verdad, ángel de amor...?»

Merced a las calabazas de Carmen Blasco se proyectaría el gran Picasso de todas las obras, de todas las vivencias, de todas las mujeres.

La tendera de Horta de San Juan

JOSEFA SEBASTIÁ

> Para amar a algunas mujeres me fue suficiente con unas horas e incluso con unos minutos. ¡Es mucho más largo y trabajoso el desamor!
>
> PABLO PICASSO

«Pobre figura, de rostro triste y mirando temerosa envuelta en un mantoncillo.»

Así aparece, según algún tratadista, la cabeza de Josefa Sebastiá, retratada por Picasso.

Los amores, aunque sean breves, quedan no sólo en la retina de Pablo Picasso, sino en sus lienzos. Son las «memorias» de su vida, que no precisan de letra escrita.

Efectivamente, si toda obra de un artista son sus vivencias, de nadie mejor que de Picasso se puede hacer tal afirmación. No sería necesario conocer los nombres y apellidos de «las mujeres de Picasso» porque, salvo casos excepcionales que coinciden con sus períodos en los que no utiliza el retrato, todas están en sus lienzos. Quizá resultase más poética la adivinación de esas venturas, desventuras y, en ocasiones, nada más que aventuras. Aventuras en la noche, como las que vive en la mayoría de los prostíbulos barceloneses, a los que no siempre va a buscar una relación sexual, sino motivo de inspiración. Pablo es conocido y querido en todos esos lugares, y las pupilas de la calle de Avinyó y de otros muchos rincones, las trotonas del barrio Chino, se prestan sin poner dificultades a que él las retrate. Esas pobres gentes tienen sueños de notoriedad. Jamás se niegan a servir de modelos.

Pablo no necesitaba, como otros adolescentes enamorados, de la punta de una navaja bien afilada para escribir, junto a un corazón, el nombre de Josefa, y el suyo en la corteza de uno de aquellos árboles de la aldea. Pablo dibuja sus efigies y rubrica su amor con una forma. Así quedará constancia para la posteridad, aunque él solamente quiere disfrutar cada momento de su existencia porque es un tremendo vitalista. De ahí que, aunque estuviese seguro de su trascendencia a través del tiempo, se encontrase tan apegado a su tiempo. De ahí que quisiera prolongar lo más posible su vida sobre la faz de esta tierra.

A Horta de San Juan fue a recuperar la salud y encontró el amor. En el fondo, el amor que él llevaba siempre consigo mismo y que lo veía reflejado en el rostro de otra persona que era su único espejo posible.

Hay períodos en la vida amorosa de Picasso en los que el biógrafo o se queda en blanco o recurre a la imaginación. Son historias sin historia que algunos pasarían por alto, como si se tratase de una simple anécdota. En Picasso nada es anécdota, aunque todo parezca anecdótico. Se vuelca en sus sentimientos.

Así es que aquella muchachita frágil, que bajaba los ojos cuando Pablo la miraba, que se resistió a ser retratada por él, no era una sencilla, una fácil anécdota, un episodio más de su vida. Llena ocho meses de su biografía, aunque posiblemente se tratase de un amor romántico, platónico, pese a que el pequeño Pablo no era proclive a ese tipo de amores y amoríos.

Pablo quería a las mujeres con todas sus fuerzas y entre esas fuerzas estaban la torrentera fisiológica que le llevaba a hacer amalgama del amor espiritual y el físico. ¿No eran acaso el uno parte del otro?

En Horta de San Juan le deslumbró aquella muchachita que ayudaba a sus padres a vender desde un paquete de sal hasta una prenda de vestir, desde sellos de correos al vino de cada una de las mesas del pueblo. Su establecimiento era un batiburrillo en el que se ofrecía todo cuanto pudieran necesitar los habitantes de la aldea. Allí llegaba de tarde en tarde algún periódico y allí se celebraban reuniones en las que los vecinos se iban informando, unos a otros, de lo que acontecía en los alrededores y hasta lejos, a muchos kilómetros de distancia. Allí mismo, de vuelta de una de sus excursiones, Manolo Pallarès y Pablo Picasso se enteran de que se perdió Filipinas y el imperio español se había desmoronado.

El joven Pablo deambula por toda Barcelona y entabla nuevas amistades. En La Lonja conoce a Manuel Pallarès y Grau, cinco años mayor que él. Pronto se establece una amistad familiar y, dado que estaba solo en la ciudad, va a comer frecuentemente a casa de los Picasso, que lo tratan como a un hijo más. La amistad no se perdería jamás y, pasados ya muchos años, por lo menos una vez al año Pallarès, aparecía en «Notre-Dame-de-Vie», acompañado de su hijo. Su viejo amigo se emocionaba en cada reencuentro, pero Pablo jamás lo invitó a quedarse en su casa, en la que no quería tener cerca a un hombre de edad. Fue ésa una superstición que mantuvo hasta el final de su vida, aunque, ciertamente, cuando Picasso murió ya no quedaba mucha gente de su generación. No toleraba los viejos porque podían ser su propio reflejo y mucho menos a los que había tratado en su juventud. Tenía, además, miedo a que se le muriesen dentro de casa, lo cual era un signo indudable de mal fario.

Manuel Pallarès era natural de un pueblo tarraconense, Horta de San Juan, en los confines de Aragón, a donde llevaría invitado a Pablo para que pasase una temporada de descanso con su familia.

Pallarès recordaba a Pablo como «un chico de fuerte personalidad, simpático, por encima de los demás alumnos que le llevaban cinco o seis años. Su habilidad y la rapidez de sus trazos nos dejaban atónitos. Todo lo comprendía en seguida. Lo que decían los profesores no le interesaba gran cosa y éstos se daban cuenta de que no les hacía caso. Picasso carecía de educación artística, pero tenía una curiosidad insaciable. Todo lo captaba y aunque hubiesen pasado varios meses desde que había visto a una persona o a una cosa, lo captaba como si los tuviese delante de sí. A veces permanecía muchas horas sin decir una palabra y otras se

Picasso (según el autor): **«Teníamos los dos la misma edad cuando nos conocimos. ¡Veintidós años! ¡Veintidós años! Fernande ya era inquilina del Bateau-Lavoir antes de llegar yo. Sí, repito: el lugar en el que he sido más feliz en mi vida.»**

«La Bella Chelito» es la reina del Paralelo o de aquellos lugares en los que se presenta. Le piden que cante «La pulga» y «llena el teatro de bote en bote y el público se vuelve loco cuando ella se quita la camisa». Entre los que repiten el estribillo del cuplé, figura Picasso, junto con sus amigos.

Fernande Olivier (según el autor): **«Habiendo sido su compañera fiel en los años de miseria no he sabido ser la de sus años de prosperidad.»**

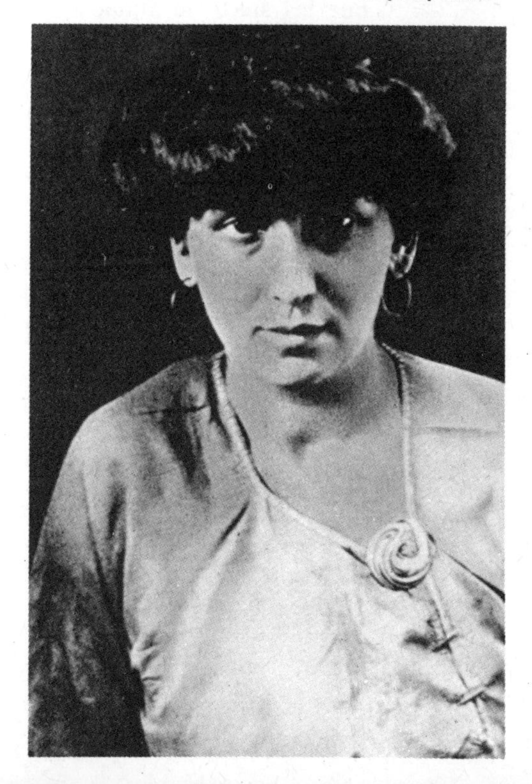

mostraba muy exaltado. Era impulsivo, aunque pronto se calmaba. Era también consciente de que poseía cierta superioridad sobre nosotros, aunque nunca hizo ostentación de ella. De vez en cuando se le oscurecía la expresión y parecía melancólico».

Pablo cayó enfermo de escarlatina, causa por la que abandonó Madrid para reunirse con sus padres en Barcelona. Pallarès le propone que convalezca en su casa de Horta de San Juan, y Pablo y sus padres, a los que su nuevo amigo inspiraba gran confianza por ser mayor que él y formal, acceden. Se trasladan al caserón de piedra, Can Cafetons, en el 11 de la calle de Grau. Allí le esperan los padres de Pallarès y Salvador, José y Carmen. En la estación ferroviaria de Tortosa los esperaba José con un par de mulas, en las que cargaron el equipaje. En una de ellas se montan, turnándose, los chicos.

Se dedican a hacer excursiones a la montaña de Santa Bárbara, farallón a pico sobre el monasterio de San Salvador. Visitan las grutas del roquedal del puerto del Maestrat. Es Salvador, Salvadoret, el que los acompaña en estas excursiones, llevando consigo el mulo en el que transportan el material para pintar. En una de estas excursiones Pablo, cargadísimo con su impedimenta, perdió pie y estuvo a punto de despeñarse. Pallarès lo coge por un brazo y, haciendo un gran esfuerzo, logra rescatarlo. Le quitan importancia a lo sucedido «porque lo importante era salvar el material», bromea Pablo.

Las excursiones duran bastantes días y los dos duermen en el suelo, sobre espliego y paja y al aire libre. Construyen un muro de piedras, que allí abundan, para protegerse del fuerte viento. Pablo vive por primera vez en contacto total con la naturaleza. Tienen tiempo para dibujar, pintar y para divertirse con sus excursiones por los alrededores.

El más joven Pallarès, cada dos o tres días llega al «Mas del Quitet», donde se han instalado, llevándoles víveres. Aquélla es una casa en ruinas, que les sirve de almacén para sus pinturas y ropas y de refugio si el tiempo es desapacible. Les trae los lienzos y los colores que necesitan, así como la correspondencia.

Hacen estudios de los árboles, de las montañas, de las piedras, de todo lo que es su paisaje diario. Boceta su cuadro *Idilio* en el que un pastor corteja a una pastora. Pallarès por su parte aboceta *El leñador,* el retrato de un campesino que carga sobre los lomos de un mulo la leña que acaba de cortar.

Comparte la vida con los campesinos y, según su compañero, «aprendió a cuidar un caballo, a ocuparse de las gallinas, a sacar agua de un pozo, a hacer un nudo sólido, a equilibrar la carga de un asno, a ordeñar una vaca, a cocinar el arroz, a encender el fuego en el lar», habilidades que recogió Jaume Sabartès en sus escritos anecdóticos, que su libro no tenía más pretensiones, sobre el pintor.

«Todo lo que sé lo he aprendido en el pueblo de Pallarès», afirmó tiempo después Picasso.

Y allí conoció a varias muchachas, con las que alternaba y salía a celebrar las fiestas del pueblo y de los pueblos de los alrededores. Una de ellas se llama Josefa Sebastiá, de la que hace una cabeza en noviembre de 1898 y que, según algunos biógrafos «pudiera ser la causa de sus repetidas visitas a la única tienda del lugar para comprar pantalones de pana negra, lo suficientemente elegantes, para vestirse con ellos».

Ocho meses de ausencia y, tras ellos y totalmente repuesto, vuelve a

Barcelona «como nuevo». ¿Deja atrás un breve amor? Ocho meses no es demasiado tiempo, pero sí suficiente para vivir un amor, quizás únicamente platónico. No obstante, Pablo me confesaría que aquella muchacha le llamó poderosamente la atención y estuvo tentado por sus demonios amorosos de volver a Horta para visitarla.

Le envió algunas cartas, con pocas palabras y muchas ilustraciones, como solía hacer con su familia en sus tiempos de La Coruña. ¿Qué ha sido de los «periódicos» escritos e ilustrados únicamente para Josefa? Pudieron desaparecer, consumidos por el fuego. Quizá los haya encontrado algún descendiente de Josefa. De la misma manera que no sería difícil que allí, en el pueblo, se conservasen otros dibujos e incluso lienzos de Pablo, aunque la mayoría de ellos se los llevó con él. El mismo año que hizo el retrato de Josefa, terminó *Costumbres aragonesas*, inspirado en la vida del pueblo, que en 1899 iba a ser premiado con una mención de honor en la Exposición de Bellas Artes de Madrid.

Pablo Picasso no se consuela con recuerdos. Vuelve a Barcelona y busca a las prostitutas. Explica, complacido, que supo de los goces carnales, de sus otros amores, a los catorce años.

«Era un chiquillo, no alzaba mucho... No esperé la edad del juicio para empezar. Si esperásemos a alcanzarla, a lo mejor la razón nos lo impediría.»

Jaume Sabartès, que respetó la intimidad de Picasso, no sólo en sus escritos sino personalmente, se atrevió un día a echar las patas por alto y asegurar que la mayor parte de sus épocas pictóricas podrían llevar el nombre de una mujer en vez de ser designadas por un término estético o simbólico.

Pablo logra deslumbrar a sus amigos por su personalidad, porque, como reconocería Pallarès muchos años después, «nos fascinaba. Y cuando no estaba entre nosotros hablábamos de él como de un héroe de leyenda».

¿Dónde estaba el límite amatorio de Picasso? Se perdía en el horizonte. Cuando él mismo creía que había llegado, todavía le esperaban muchas aventuras más.

Désenos licencia para incluir entre ellas el amor adolescente de Josefa y Pablo. Que, entonces, ya había comenzado su gran escalada. No en vano disfrutaba como un niño al repetir los versos del Tenorio: «Desde la princesa altiva a la que pesca en ruin barca ha recorrido mi amor toda la escala social.»

«La bella Chelito»

CONSUELO PORTELLA

> La gracia está en sus gestos, en las líneas de su cuerpo, en el color de su piel y de su pelo.
>
> JAUME SABARTÈS

«De», en el *Diccionario de la Lengua Española,* está definido como posesión o pertenencia. Al referirnos a «las mujeres de Picasso», indudablemente, damos a entender las mujeres que de alguna manera le pertenecieron, no las mujeres *de* su admiración. Pero sí comprendre este estudio, dificultoso si no queríamos caer en los lugares comunes y en una relación raquítica de las mismas, a las mujeres a las que de alguna manera ha amado el genio.

Picasso vuelve a Barcelona en 1902. Necesita no solamente reposo sino un tiempo de reflexión. Espera una carta de su padre, que al fin recibe y prepara sus maletas, con lo que concluye su segundo viaje a París. Está iniciando la llamada «época azul». Le decidió el efecto causado por su cuadro *La habitación azul* y *Evocación,* más conocido por *El entierro de Casagemas.* Comienza el simbolismo personal y una cierta dualidad que su amigo Maurice Raynal trata de explicar así:

«De su persona se desprendía misterio, por lo menos para quienes no nos habíamos familiarizado todavía con el alma española, y el contraste entre la gravidez dolorosa y dramática de la nueva forma de su obra y la vivacidad sonriente del artista, su ingenio y su buen humor. Es verdad, pero esto lo ignorábamos, que en la intimidad caía de vez en cuando en la famosa melancolía nacional y precisamente cuando era menos de esperar, aunque las dificultades de la vida en aquella época lo justificasen, pero no dándonos cuenta de sus razones nosotros las atribuíamos a las vicisitudes de la vida bohemia de París.»

Una vez en Barcelona se instala en su casa de la calle de la Merced y encuentra un estudio, un cuarto con terraza, en la calle de Conde del Asalto. Tiene que trabajar en precarias condiciones, con un sol que lo invade todo y un calor irresistible, pegajoso, fruto de la humedad de la ciudad, durante el verano. Aprovecha lo positivo del estudio y desde él contempla tejados, terrazas y chimeneas, que serán el motivo principal de su lienzo *Los tejados azules.*

Se acuesta muy tarde porque disfruta de la noche barcelonesa, con todas sus tentaciones, en las que, para evitarlas y como lee en los consejos de Oscar Wilde, no hay mejor manera que caer en ellas. Se levanta tarde, acude a las tertulias de Els quatre gats.

Viste como tiene costumbre, con su pantalón abotinado, sombrero de alas y corbata de lazo. Lleva, en definitiva, el uniforme oficial de los artistas y de los bohemios, que en él no son dos cualidades mezcladas, sino una amalgama. Para conservar su buena apariencia llega a un acuerdo con un sastre, Soler, al que le cambia pinturas por vestimenta. Lo que más destaca en él son los sombreros y los chalecos, de fantasía, que le hace aquel artesano al que los amigos conocían como *Retalls* (Retales). Lleva un bastón, pieza imprescindible en aquellos años. Es el último en levantarse de las sillas del café y juega con las máquinas a *sous* y recoge algunas calderillas cada noche. Al acostarse no se duerme, sino que lee hora tras hora hasta el amanecer.

Por las tardes se encierra en el estudio, se abstrae, olvida las incomodidades y pinta incesantemente.

Hay que aprovechar las calurosas noches de verano y frecuenta, como lo había hecho en París, los cafés-cantantes, *cafè-concert* y los locales donde actúan las cupletistas de moda. Desde la aparición de la Bella Otero, la adjetivación se prodiga en varias muchachas y una que está arrollando en tierras catalanas es la Bella Chelito, que con el paso del tiempo sincopa su nombre y es conocida como la Chelito. Es la reina del Paralelo o de aquellos lugares en los que se presenta. Le piden que cante *La pulga* y «llena el teatro de bote en bote y el público se vuelve loco caundo ella se quita la camisa». Entre los que repiten el estribillo del cuplé, figura Picasso, junto con sus amigos.

La pulga es una polca italiana que importó a España la *divette* alemana Augusta Bergés y que, poco tiempo después, alcanzó la popularidad gracias a que la interpretó la Bella Chelito.

Picasso se sabía de memoria los versos de la copla, y yo se la escuché recitar y hasta canturrear, poniendo en ella entusiasmo y trayendo el recuerdo de su intérprete:

Tengo una pulga dentro de la camisa
que salta y corre y loca se desliza,
por eso quiero poderla yo encontrar
y si la cojo la tengo que matar.
(Refrán.)
Rápida salta y se esconde...
Ya me ha picado yo no sé dónde.
Mas si colérica por fin la encuentro
a la muy pícara yo la reviento.

La sala se convertía en un coro de altas voces, entre las que destacaba la de Picasso, ayudado por sus amigos:

¡Mas si colérica por fin la encuentro
a la muy pícara yo la reviento!...
Estos insectos que tal molestia causan
me encorajinan, colmándome de rabia.
Como a esta pulga llegase yo a encontrar
les aseguro que me las va a pagar.

Ya no se hace necesario que ella cante el «refrán» o estribillo, porque son los pintores, los intelectuales, la gente circunspecta del mediodía, los que se encargan de repetirlo. La Bella Chelito se convierte en directora de orquesta, o mejor de orfeón, y mueve sus gráciles brazos desde el escenario para animarlos:

No hay más remedio, tendré que resignarme.
Muy buenas noches, ahora voy a acostarme.
Yo les suplico volver atrás la cara,
porque no quiero que vayan a ver nada.

Y tras el «refrán», que todos corean, ella se despide:

¡Ya está! La tengo entre mis manos.
¡Al fin la maté!

Los espectadores se hacen la ilusión de que ella irá a sus lechos. Y en eso piensa Pablo Picasso, que confiesa su amor por ella y la espera al salir de los camerinos. Pero tropieza con un hueso de taba, muy duro de roer, que es su madre. A la que le dice que él es pintor y bastante famoso. La madre de Consuelo Portella Audet desea lo mejor para su hija. Y lo mejor, ya se sabe, no es un joven pintor, dedicado a una profesión «de vagos», como sentencia la buena señora. Picasso insiste y los resultados finales han quedado entre sus muchos secretos sin desvelar o desvelados a medias.

—¿Le has ayudado a matar la pulga alguna vez a la Chelito, Pablo? —le pregunto en la tertulia familiar de la hora del té.

—Se hizo lo que se pudo, gallego —responde.

—¿Y se pudo mucho? —insisto.

—Las pulgas son muy juguetonas y difíciles de matar.

Él también escuchó aquella leyenda, que no pudo comprobar personalmente, de que la madre de la Chelito repartía entre los espectadores números para la rifa final. El que ganase pasaría una noche frívola con su su hija. Naturalmente, si el agraciado no era ídem, se le compensaba económicamente y se lo quitaban de encima. Consuelo manifestó en cierta ocasión: «Todo cuanto poseo se lo debo a mi arte y a la sabia administración de mi madre. En el ambiente en que me desenvolvía, hubiera podido cometer locuras comprometedoras. Pero ella las evitó.»

Se vieron en alguna ocasión, a solas, aquella bellísima, ingenua y a veces pícara muchacha, algunos años menor que Pablo, que había nacido en Placetas, un pequeño pueblo de Santa Clara, en la isla de Cuba. Allí estaba, durante el período de dominación española, destinado su padre don Isidro Portella y con él su madre, doña Antonia Audet. Ya en Madrid, tuvo la oportunidad de dar rienda suelta a su vocación artística en uno de esos salones que se anunciaban como «del género ínfimo», llamado París-Salón, en la madrileña calle de la Montera. Como era gente bien relacionada, organizaban cachupinadas, todos los domingos, en casa de los Portella. Entre los asistentes se encontraba Pepito Martínez Ruiz, que literariamente fue conocido con el seudónimo de *Azorín*. No podía faltar Ramón Gómez de la Serna. Ellos, así como otros escritores, exaltaron el bien hacer de la nena.

¿Y qué podía hacer un artista como Picasso en homenaje de su amada imposible? Dibujar, pintar retratos de la bella, alguno de los cuales le entregó y jamás se supo de su paradero. Como tampoco fueron encontrados los innumerables dibujos que el pintor conservaba, bocetos de un cuadro que jamás pintó. La artista del *Gran Vía* se ha adueñado de su corazón y de su inspiración. Sabartès cuenta que un mediodía va a recogerlo a su casa. Aún no se había levantado y su madre lo pasa al cuarto en donde está durmiendo. Había dibujado hasta el amanecer, después de una noche en vela, en el teatro y de una larga charla con la Bella Chelito, a regañadientes de doña Antonia, la madre de la artista.

Junto a su cama, una mesa y una silla, abarrotadas de papeles. «Y en todos ellos —escribe Sabartès— veo la imagen de la Bella Chelito, dibujada por él, desnuda, en toda suerte de posiciones. Una serie interminable de siluetas que dan la idea de gestos fugaces. El hechizo de la bella bailarina cupletera se apoderó de él hasta embrujarlo y no ha tenido más remedio que trazar esos dibujos para quitarse de encima la obsesión.»

Parece ser que «la obsesión» se la quitó de otra manera porque a la chica le hacía gracia aquel artista y convenció a doña Antonia que los dejase solos porque los esperaban unos periodistas que a ella le interesaba conocer. El prometido reportaje no se concluía jamás, porque varias noches a la semana Pablo y Consuelo acudían a esa supuesta cita. Se dice que esos desnudos, en diversas posiciones, se los hizo en el estudio, que compartía con algunos compañeros, pero que por las noches no acudían allí.

Sabartès jamás se refiere a las mujeres de Picasso, aunque convivió con alguna de ellas. Es el discreto secretario que, en ese sentido, sabe que ha de ver, oír y callar. No nos extrañe, pues, que haya hurtado un dato valiosísimo a la historia de Picasso, ya que entonces él era el único «cronista» que estaba a su lado. Conformémonos con lo que sigue escribiendo:

«Nunca más he vuelto a verlos: finos, graciosos, exquisitos, llenos de gracia, son el relato fiel de sensaciones recibidas de una fuente de sugerencias. Trazados de una vez, sin levantar el lápiz, son como la expresión de una idea escrita al correr de la pluma, sin detenerse, con tal de no olvidar ni la más mínima porción de un gesto, de la forma afilada de un cuerpo femenino, ardiente y movedizo, serpenteante, voluptuoso, y qué sé yo qué más... Ha poseído la atención de Picasso desde quién sabe cuándo, y el trabajo de esa noche le ha servido para pasar revista a las sensaciones recibidas, ha jugado con el recuerdo como si estuviera con la mujer que lo suscita, y cuando se ha cansado se ha dormido dejando caer la muñeca al lado de la cama.»

Nada aporta Sabartès, fiel pero ladrón de historias o cuando menos de anécdotas de su admirado amigo. Picasso no tenía que recurrir a los recuerdos cuando estaba tan cerca al iluminado objeto de sus deseos. Y, además, teniendo en cuenta que doña Antonia, cediendo ante el interés de su hija y la simpatía del muchacho, los dejaba ir solos por las Ramblas en busca de aquellos fantasmagóricos periodistas. De todas maneras la buena señora creía que su hija perdía el tiempo, y más estando tras ella, «por sus huesos», poderosísimos y ricos terratenientes catalanes que estaban dispuestos a poner fortunas a su nombre.

Recuerda de nuevo Sabartès que en 1941, entre polvorientos papeles, encontró varias fotografías, de hacía más de cuarenta años, de la Chelito. Le dijo a Picasso:

—Ahí la tienes...

Picasso responde:

—Sí, ahí la tienes. Justamente... ¿Qué te parece?

Viste recatadamente, como una gran señora. La cubre un traje vaporoso y se toca con un enorme sombrero, blanco, cubierto de plumas y haciendo juego con el vestido.

Picasso vuelve a recordarla, apartando las postales de su lado y entregándoselas a su hombre de confianza. Recuerda que Raquel Meller, la Fornarina y la Chelito eran las «estrellas» más deslumbrantes de su juventud.

Pablo vuelve a recordar sus cuplés y cantiñea:

Yo no sé pedir coñac,
ni chartrés, ni cuantró, ni champán,
¡Vino tinto con sifón!
Vaya usted al cabaret,
vaya usted, verá usted lo que ve...
¡Cómo bailan el fox-trox!

Coincide la marcha de la Bella Chelito, que regresa a sus pagos madrileños, con los deseos de Pablo Picasso de volver a París. Y así, al concluir el verano, prepara su tercer viaje a la capital francesa. Se hospeda en el hotel des Écoles y luego se muda a una habitación que comparte con un escultor, compatriota suyo, llamado Sisket. Se trataba de una pequeña buhardilla, en el edificio del siglo XVII conocido entonces como hotel de Maroc, en la rue de Seine, en donde hoy vive el escritor Jean Cau.

Pasaban auténtica hambre. Recibieron allí a Max Jacob, que había medio resuelto su problema económico aceptando el empleo que le ofrecieron en una tienducha. Un mediodía compraron una salchicha para los tres. Cuando la estaban cociendo explotó la salchicha, no dejando rastro.

Me detengo en estas anécdotas porque en esa vida miserable puede estar el secreto de la desaparición de los bocetos y dibujos de la Bella Chelito. Picasso cuenta que, desesperados y sin poder echar ningún combustible a la estufa, se decidieron a quemar varios cuadernos de dibujos que él había traído de Barcelona.

La ilusión por unirse a Consuelito se había esfumado. Su vera efigie, desnuda y en las más estéticas posiciones, había sido quemada, depurada en la «santísima inquisición» de la hoguera de una estufa huérfana de maderas o carbón para mantener el fuego sagrado de aquellos bohemios.

Fernande y «los amigos de Picasso»[1]

FERNANDE OLIVIER

> Compañera fiel en los años de miseria, no he sabido ser la de los años de prosperidad.

Dicen que soy el personaje contemporáneo sobre el que más libros se han escrito. Ahí están, en las estanterías, tirados por el suelo, amontonados. Todos los días del año me envían algún libro que, fatalmente, tiene como destino unirse a los demás, en grandes pilas. Cuando comienzan a molestarme, porque son demasiados, hago que los guarden en cajas y que los envíen a alguna de mis casas, a ser posible al castillo de Vauvernagues, que terminará siendo no solamente el museo en que se exhiban todas mis cosas, sino en el que me muestre a mí mismo. Ésta es la placa... éste es el busto... ésta es la estatua... éste es el mausoleo... ¡toquemos madera!... cuando me muestran alguno de estos recuerdos en bronce, en piedra, difícilmente puedo imaginarme que la estatua ha sido hombre. Todos los homenajes que haya de recibir que sean mientras viva, siempre y cuando pueda disfrutar de ellos, como aquél tan divertido de mi centenario. Le llamo centenario al ochenta aniversario. Llegaron toreros, Luis Miguel, Domingo Ortega y se organizó una gran corrida en Vallauris. Después de la lidia, los toreros se dirigieron a mí, que presidía el festejo, para que yo dijese si mataban o dejaban con vida a los novilletes. Ordené, como un César, su sacrificio, cosa que está prohibida en el sur de Francia. Libros, libros y más libros, que no leo jamás. Sobre todo aquellos que se refieren a mí. Si dicen la verdad, si son eso que se llama «objetivos», no preciso leerlos porque nadie conoce mis cosas mejor que yo y no necesito que me las expliquen otros que pretenden lucirse, y vender muchos ejemplares, con sus palabras puestas en orden. Si son de severos críticos que estudian mi obra, me dan mucha risa. Alguna vez repasé lo que dicen mis estudiosos y me reí a carcajadas. ¿Cómo imaginar que yo, cuando sobre una plancha de cinc, porque el cobre resultaba inaccesible a mi modesta economía, hice *Le repas frugal*, que iba a significar tantas cosas, sociales y hasta políticas? ¿Cuándo he querido decir yo con *Desayuno en la hierba* esas cosas que se me atribuyen? Yo no busco, encuentro. Me apasiono por un tema y lo plasmo en el lienzo. Eso es todo. ¡Caramba, si cuando pinté el *Guernica* no sabía yo que tenía tantos significados! ¿Cómo atre-

1. Relatos de Pablo y Fernande: presente de indicativo.

verme a decirles, sin echar por tierra los castillos de naipes de sus teorías, que era un boceto pensado, mucho tiempo antes, al que iba a dar otro destino? Y voy a ser todavía más sincero: ¿no han adivinado ustedes una corrida de toros? El picador en el suelo, la cuadrilla al quite. Después, todo consiste en transformarlo con unos pequeños toques. Si los libros que se escriben sobre mí contienen inexactitudes, me enfado y los pateo. Así que decidí no leer ni una sola línea de cuanto se escribe sobre mí. ¡Hasta de China me mandan libros que tratan de mi obra! Como no creo que tenga tiempo para aprender chino, me conformo con ver los «santos», que mis dibujos y mis cuadros son de imposible traducción al idioma de Mao. Prefiero los regalos de frutas que me envían los chinos. Un libro no se puede comer. Una naranja, sí. He cogido, de la estantería, un libro de Brassaï que recoge alguna de sus conversaciones conmigo. Debe tener muy buena memoria porque jamás le he permitido, ni a él ni a nadie, que en mi presencia tome notas y mucho menos que ponga en marcha una de esas infernales máquinas que recogen las palabras. Paso las páginas y me detengo en algunas. ¿He dicho yo realmente esas cosas, que suenan tan bien, a frases lapidarias, que es de lo que siempre he tratado de huir? Cuando se escribe se tiende a colocar las palabras para que queden encajadas, como piezas de un *puzzle*. Yo escribo sin puntos ni comas, todo seguido, como van surgiendo las ideas. Quizá escribo como pinto: sin puntos, ni comas, ni mayúsculas. Me gusta la dedicatoria de Brassaï: «... este manojo de momentos vueltos a vivir». Yo sería incapaz de escribir eso que llaman «memorias». ¡Y pensar que cuantos me han conocido se han creído obligados a escribir un libro sobre mí! Un escritor, y lo soy antes que pintor o escultor, escribe sus memorias en cada una de estas cuartillas. Esos cajones están llenos de escritos míos. Sería lamentable que los que recojan mi herencia los quemasen o los ocultasen, quizá para no distraer la atención de la obra del artista, de sus lienzos, de sus grabados, de sus esculturas, que es lo que verdaderamente aumenta en cotización. Creo que mis libros publicados, mis obras de teatro representadas —cosa que logré con algunas—, serían más que suficientes para que se tomase en serio al escritor. Yo puedo controlar mi obra escrita, no la gráfica. Ya se cuentan por millares las falsificaciones. De vez en cuando acude aquí algún policía y me trae litografías, hasta dibujos, para que yo diga si son míos. Casi siempre provienen de una falsificación. Niego mi autoría y pido que los destruyan. Jamás presento una denuncia, porque me arriesgo a que detengan a un íntimo amigo mío. Al leer estas páginas, Brassaï trae a mi memoria el recuerdo de dos mujeres que han sido compañeras en períodos distintos de mi vida. Brassaï trajo hasta mi estudio a una bailarina rusa: Marina. Al verla me quedé asombrado: «Mi mujer tenía el mismo perfil, el mismo cuello, la misma mirada. Y era rusa, como usted.» Brassaï la acompañó a visitar mi estudio. No pudo contenerse ante las tres naturalezas muertas del espejo y exclamó la bailarina: «¡Son espantosas!» Me agradó la brutal sinceridad de la muchacha. Estoy demasiado acostumbrado a que los visitantes entren en mi casa llenos de prejuicios, la visiten como un templo, me miren con más temor que respeto, como si se tratase de un dios. Siempre me ha gustado el éxito, pero he huido de la admiración manifestada públicamente. El éxito es importante. Se ha dicho que el artista debe trabajar para sí mismo, por amor al arte, y que debe despreciar el éxito. Es una falsa idea. El artista necesita el éxito. No sólo para vivir, sino primordialmente para poder realizar su obra. Otra cosa es la popularidad que nos asedia, la amenaza que pende como espada de Damocles sobre el artista. De entre todo, entre el hambre, la extremada pobreza y la incomprensión del público, la fama es lo peor. Por la cara de mis visitantes adivino, a veces, que lo que están viendo no les agrada nada. Lo que no he soportado jamás son sus comentarios, casi siempre elogiosos, buscando definiciones a mi obra. ¡Cuando yo no las he buscado jamás!... Por eso odio las críticas pedantes que en vez de elogiar o vituperar lo que el artista hace, dan la sensación de que son los críticos los que están buscando el éxito personal con lo que escriben. Volvamos a Marina, con la que, de no traerme el recuerdo físico de Olga y de los malos momentos pasados con ella —¿por qué al hacer balance pesa casi siempre más lo malo?— hubiese intentado hacer el amor. ¿O lo hubiese intentado de igual manera de no estar Brassaï presente? Quizá a él no le hubiese importado demasiado echar en mis brazos a aquella criatura. Muchos de mis amigos hicieron «la vista gorda» —¡qué bellas frases hechas las del idioma español!— ante los devaneos de sus mujeres conmigo. Odio la coba. Marina es como es. ¡Qué hermosa modelo hubiese sido! ¿Y por qué no intentar amar a Marina? Creo que, en estos momentos en los que la recuerdo, la he amado mucho. Lo peor para un hombre son las frustraciones. Y lo mejor y más atormentador para el recuerdo. Un amor no consumado no puede fracasar jamás. No hay nada feo al recordarlo. Mas para un hombre caprichoso como yo, acostumbrado a satisfacer todos sus deseos, los desencuentros son terriblemente duros. Me hago un mundo de ilusiones, sí: ilusiones retrospectivas, con lo que pudo ser. ¿Eso es lo que piensa de mi pintura, Marina? ¿Solamente la espanta? ¿Nada de lo que ve aquí le gusta? Se fue, directamente, al único cuadro de mi estudio que no me pertenecía como autor: *Arlesiana*, de André Marchand. Se lo hice saber y tuve que tranquilizarla. Marina se hubiese entregado a mí si hubiésemos estado solos. ¡Y cómo deseé la soledad en aquellos momentos!... En mi destino no está escrito que repita con mujeres parecidas, aunque dicen que al hombre siempre le gusta la misma mujer y que, por mucho que cambie en el transcurso de su vida, siempre elige como compañera a una parecida a la anterior. Si Marina hubiese vuelto a verme sola, quizá se habría repetido en mí el tópico. ¡Cómo se puede amar sin haber poseído a la persona amada! Pese a que yo no estaba solo —en realidad, ¿cuándo estuve sin una mujer a mi lado?—, llegué a creer que Marina me había pertenecido. ¿O me ha pertenecido alguna vez? Sólo las cosas muy bellas se asemejan a los sueños y al cabo de los años creemos que no han sucedido jamás. Marina no me pidió disculpas después de elogiar el único lienzo que no era mío. Pareció ruborizarse. Y así me gustaba todavía más. Bajó su vista, pero un momento después me sostuvo la mirada. ¡Dios mío, cómo perder una felicidad que a lo mejor no hubiese existido jamás, por timidez! Dejemos en paz el recuerdo de Marina. Sería terrible que un hombre que buscó el amor —¿el amor en realidad o el sexo, o la compañía?— insistentemente no lo hubiese encontrado jamás. Sería injusto si digo que no he amado a las mujeres que me acompañaron. Cuando una persona no es capaz de seguirnos siempre, llenando cada período de nuestra vida, cada momento, es cuando la abandonamos o nos abandona, cuando tratamos de encontrar esa comprensión. Se me ha tomado como un don Juan, un personaje de mi patria al que tengo la máxima simpatía. Porque todo el mundo piensa que era un crápula, un frívolo sin sentimientos, un coleccionista de aventuras amorosas. Creo que, por el contrario, fue un hombre que jamás encontró el verdadero amor. Y cuando lo halló, lo vio frustrado. He soñado, en más de una ocasión, que Marina era mi doña Inés. Y que, como en el Tenorio, a la hora final ella aparecería de nuevo, me cogería de la mano y me redimiría. Me aterroriza, al mismo tiempo que complace mi vanidad de hombre, pasar a la historia como un «conquistador» de mujeres y no, como era don Juan, un hombre que ha amado mucho. Di una explicación a Marina para tranquilizarla. No es la primera vez que sucede eso en mi estudio. En una visita que el célebre modista Paul Piret hizo a mi estudio del Bateau-Lavoir, ese pobre lugar que ha sido el rincón en donde me he sentido más feliz, rompió en admiraciones ante un lienzo. ¡Es magnífico! ¡Es único! ¡Es insuperable! Todos eran adjetivos encomiásticos. ¡Y se trataba de un autorretrato de Fernande Olivier! ¡Fernande Olivier! Una mujer amplia, transmitiendo serenidad quizá porque más que calmosa fuese vaga. Ojos en forma de almendra. Con un gran atractivo sensual. Jamás se movía de la cama y creo que se adelantó a las mujeres norteamericanas que hacen lavar los platos y arreglar la casa a sus maridos. Pero a mí me complacía hacerlo. Quiz, en un principio, la tomé como un bello objeto. Igual que a alguno de aquellos animalitos —¡tantos!— que me hacían compañía. Sí, como la rata que había en un cajón y que yo, pacientemente, había domesticado. Como la mica *Monina*, que me quitaba el cigarrillo o me hacía compartir con ella la fruta que yo estaba comiendo. O mi fiel perra *Frika*, o los dos gatos. Aquellos animalitos, mi «zoo», como gustaba llamarlos Fernande, tenían la ventaja sobre mis mujeres, sobre mis amigos, de que ellos no escribirían jamás unas «memorias» en las que yo fuese el protagonista. Y Fernande no pudo sustraerse a hacerlo, sobre todo cuando se sintió sola. ¿Tiene razón cuando se atreve a juzgarme, a presuponer mi infelicidad posterior al tiempo pasado a mi lado? La vanidad humana nos hace creer que la persona que comparte todo lo nuestro jamás será feliz fuera de nosotros. Me detengo en los párrafos finales de Fernande:

«Algunos, como Pablo, por vanidad o por debilidad, se han dejado acaparar por un ambiente que les será siempre extraño. Añoran el tiempo pasado, aquel tiempo en que no estaban obligados a ponerse un cuello duro para ir a cenar a casa de los amigos.

»Hay también quienes han palidecido por el odio, al creer que no han alcanzado el lugar que se merecen; otros a quienes el éxito ha hecho amables y risueños, y otros que nos saludan condescendientes.

»Todos tienen su automóvil. Sus mujeres de ahora tienen abrigos de pieles. Todos han adquirido necesidades que los obligan a permanecer dentro del engranaje.

»Todos necesitan trabajar, trabajar, trabajar siempre, sea por hábito, sea para pagar un nuevo coche, sea para conservar una gloria que les pesa con harta frecuencia.

»Como conocen la soledad moral —la verdadera— al trabajar, ya no sienten la misma alegría que antes.

»Pero yo conozco a algunas mujeres de artistas, compañeras de malas y buenas horas de juventud, que envejecen solas, también con sus recuerdos como fieles y únicos compañeros.»

¡La soledad como único compañero! ¿Es acaso lo que siento ahora la soledad? ¿Estuve en realidad acompañado con Fernande? ¿No era la tremenda bohemia de aquel estudio, las visitas de mis amigos y mis compatriotas, los que nos acompañaban? ¿Tuvimos en realidad Fernande y yo algún momento de soledad? ¿Nos dedicamos el uno al otro salvo en la cama? Ahora intentan verme millares de personas. Yo, Pablo, me convertiría en el museo viviente más visitado del mundo. No recibo a casi nadie. Tal vez porque no sienta la soledad. Quizá porque, ante mis cuadros, haya desterrado para siempre el fantasma de la soledad. ¿O es que me acompaña alguien definitivamente? No me gusta la palabra «definitivo». Me parece una terrible provisionalidad que no soporto. Dicen que a Fernande la secuestré, no la dejaba salir de casa, sentía celos de ella. Dicen que mi actual compañera está encerrada por mí. Es cierto que la llamo a cada instante y que me indigno, la insulto cuando vuelve si su ausencia me parece larga. También cierro con llave la nevera y tienen que pedírmela cuando necesitan una Coca-cola. Guardo tanto mis pinceles, mis cosas personales, que no las encuentro cuando de verdad las necesito. ¿Es egoísmo, es tacañería por mi parte? ¿O es un miedo, un terrible miedo, a volver a la soledad y a la miseria?

Sé que su vida conmigo, la vida de Fernande y Pablo, no está en las páginas de su libro. Sé que ha quedado dentro de ella y por eso quizá ésta sea la única ocasión en la que no me he indignado con las memorias de una de mis mujeres.

«Pablo. ¿Quién habría imaginado entonces lo que llegaría a ser Pablo, un hombre de mundo, cuando se lo encontraba en la Colina, en alpargatas, con los cabellos revueltos o con una vieja boina, vestido igual que los obreros metalúrgicos? Pantalón, blusa de tela azul cuyos lavados sucesivos habían acabado por darle unos tonos encantadores de pastel. Y aquella inolvidable camisa de algodón rojo con pelos blancos, comprada por un franco noventa y cinco en el mercado dominical de la plaza Saint-Pierre.

»Algunos escritores en sus libros sobre Pablo, me han presentado como "la bella Fernande", cosa que me ha dado la medida de su apreciación. Para ellos yo no había representado nunca más que un valor puramente físico. Pero, en realidad, ¿qué hubieran podido saber de mí?

»En Francia se tiene siempre tendencia a considerar a las mujeres como seres incapaces de pensamientos serios, sobre todo en los ambientes intelectuales. Yo lo sentía así, y eso me producía cierta inhibición. Me conformaba, pues, con escuchar. Creía en la profundidad de las ideas que se intercambiaban ante mí. Escuchaba con ardiente atención. Pero nunca me atrevía a emitir ninguna opinión personal. Sólo me mezclaba en la conversación cuando mis "grandes artistas" se permitían el divertirse igual que niños. Entonces me atrevía a brillar con mi resplandor, que no era sólo físico, pues parece ser que alguna vez aparecí como ingeniosa y se me tenía por mordaz, aunque también creo que servicial y justa en la medida que me fue posible serlo.»

¡Pobre Fernande! Teníamos los dos la misma edad cuando nos conocimos. ¡Veintidós años! Veintidós años. Ella ya era inquilina del Bateau-Lavoir antes de llegar yo. Sí, repito: el lugar en el que he sido más feliz en mi vida. Cuando llegué a París iba a vivir a Montparnase, pero el destino me trajo a la Colina: Montmartre. A la Maisson du Trappeur, por su parecido a una casa de troncos hecha por los tramperos. Max Jacob le encontró semejanza con las embarcaciones atracadas en los muelles del

Sena a las que acuden las lavanderas para lavar sus ropas. Por eso Max Jacob la bautizó como Bateau-Lavoir. Y aquí viven, entre pintores, escritores, obreros, lavanderas, actores, vendedores ambulantes. Y esa vieja portera que nos reñía a todos por nuestros frecuentes escándalos, pero que se sentía maternal y nos cuidaba. Esa portera que sabía que no se me podía despertar hasta la tarde, porque había pasado la noche pintando. No obstante, a veces llamaba muy de mañana y me decía: «Perdone, pero es persona seria e importante.» La verdad es que siempre procuré el encuentro con Fernande. Algo me atraía de su personalidad. Quizá me llevase a ella mi soledad de entonces. No he nacido para vivir solo. Quizá esta actitud conforme mi personalidad y sea otra de las manifestaciones del egoísmo que a mí se me ha atribuido, sin querer darse cuenta quienes así escribieron o así opinan que el egoísmo forma parte de la condición humana. Por ella me apresuré, para juntar algún dinero y gastármelo en los perfumes que tanto le agradaban, a concluir algunos de mis cuadros. Concluir, terminar. ¡Lo que más he aborrecido siempre! Una obra acabada es una obra muerta, asesinada. Quizá por eso me he negado casi siempre a asistir a mis exposiciones. Me dan la sensación de un gran cementerio en el que yacen seres que ya no me pertenecen en absoluto. Jamás puede gustarme lo concluido, el lienzo al que he puesto mi firma. Lo que de verdad me gusta es lo que estoy creando, lo nuevo, la invención constante. Mientras trabajamos en la obra, ésta tiene vida. Cuando la hemos concluido, la hemos matado, porque ya no le dejamos más posibilidades de desarrollarse. En una ocasión un amigo me llamó, indignado, desde España. Unos jóvenes bárbaros habían destruido una exposición en la que se exhibían unas litografías mías, por demás repetidas. Le dije que no se entristeciese, que para mí era motivo de alegría. Aun le dije más: créeme que si eso lo hacen con el museo del Prado tampoco habría que lamentarlo. Lo interesante es la obra viva, la que está evolucionando, la que se está creando. Lo mismo siento con las mujeres. Fernande, ya con personalidad, amiga de los artistas, casada y separada a los diecisiete años de un escultor que se había vuelto loco, ofrecía grandes posibilidades para mí. Hoy puedo decir que escribí en mi mente: «Amar a Fernande.» Y no tardó en presentárseme la oportunidad. Ella me miraba, pero como a un animalito. Quizá como a aquel gato pequeño que yo llevaba en mis manos una tarde de bochorno, en que comenzó a llover y tuvimos que refugiarnos en nuestra casa. Nuestra casa. La casa de mis años felices. En lo más empinado de la Butte de Montmartre. En el trece de la calle Ravignan, desde cuyo ensanchamiento nuestro edificio parecía un barracón de una sola planta. Desde la calle Garaud asemeja una masa irregular, de varios pisos. Nadie que lo observase desde Garaud se explicaría cómo los estudios podían sostenerse en pie. Incómodo, sin luz, con un solo lugar para proveernos de agua todos los vecinos. Nuestro primer encuentro, sobre todo de los madrugadores, es con las palanganas o con las jarras para recoger agua en sus manos.

«¡Joven bárbaro español! No me importó conocerlo y me dejé querer cuando lo vi con un pequeño gato entre sus manos, sus pequeñas manos. *Rien de très séduisant*. Nada de atractivo había en su persona rechoncha, de pies y manos pequeñitos. Solamente sus ojos, su mirada profunda. Los ojos de Pablo sobre los que se había hecho tanta literatura. Gertrude

Stein, que después sería nuestra amiga norteamericana y nos salvaría de apuros económicos con la adquisición de los cuadros de Pablo, lo había definido como "un limpiabotas guapo". Sus ojos, sí. Porque mientras no se le conocía bien, no se apreciaba en él nada seductor... No resultaría atractivo si no fuese por su mirada insistente que a todos llamaba la atención. Apenas se le podía situar socialmente, pero ese brillo, ese fuego interior que se sentía en él, desprendían una especie de magnetismo al cual yo no era capaz de resistir. Así que cuando él deseó conocerme, yo lo deseé también. Yo estaba acostumbrada a vivir entre los artistas y mis padres, vendedores de flores, plumas y árboles artificiales, admiraban el arte. El clásico, lógicamente. A mis maestros les sucedía lo mismo. No había en arte nada más allá del Louvre, del que todos los franceses nos sentimos muy orgullosos. Los franceses, casi siempre pedantes, que asumimos nuestra historia y nuestra cultura en cada persona, aunque esa persona jamás se haya asomado a la historia ni a la cultura. El pequeño burgués francés, y toda Francia está habitada por pequeños burgueses, no admira en el arte más que aquello que le parece copia exacta de la naturaleza. Todo, absolutamente todo, era teatral en el Bateau-Lavoir. Todo daba la sensación de un decorado para representar *La Bohème*.»

La invité a visitar mi estudio. No se hizo de rogar. Estaba en la planta baja lo que lo hacía más franqueable en los constantes asedios de mis amigos. Así era posible que me visitase incluso *Lolo*, que llevaba hasta allí Frédé, el dueño de Lapin agile, en donde nos reuníamos los artistas —he pensado «artistas», qué palabra tan pedante y tan desfasada, qué singular modo de entenderse y de llamar a las cosas por algún nombre—. Las noches de verano las pasábamos en su terraza. En el invierno nos situábamos en el interior. El humo apenas nos permitía respirar y no dejaba vernos. *Lolo* era un burro singular. No nos molestaba, pero engullía todo lo que encontraba cerca, como mis tubos de pintura, algún lienzo que yo no había concluido, pañuelos, paquetes de tabaco, cerillas... Cuando salíamos, al amanecer, con *Lolo*, que se había engullido alguno de los lienzos que yo esperaba terminar para cobrar algún dinero, nos encontrábamos a Utrillo, borracho, adormilado en alguna esquina.

«Nunca he visto un extranjero menos apto para vivir en París. Parecía negarse a aprender nuestro idioma. Y, por falta de dominio del vocabulario, resultaba menos mordaz, menos agresivo de lo que en realidad era. ¡Qué distinto se manifestaba en nuestros viajes a España! Accedí, porque en realidad lo estaba deseando, a visitar su estudio. Ahora aún recuerdo, con toda claridad, la imagen y el olor de aquel estudio al que daban vida los enormes lienzos, a medio pintar y un desorden policromo y brutal al que yo me habitué en seguida. El estudio en el que Pablo no vivía más que del trabajo y la esperanza. Su estudio era muy amplio, con un techo muy alto en el que lucían unas decorativas vigas. Al fondo, una habitación. Casi ningún mueble, porque Pablo jamás quiso amueblar sus estudios, mas, en esta ocasión, aunque lo desease no le sería posible, dada su precaria situación económica. En el centro del estudio una estufa enmohecida. El cubo del lavabo, siempre lleno de agua sucia. Frío en invierno, un horno en verano, quizá influyó en que a partir de entonces Pablo gustase de ir ligero de ropas. No sólo él, sino los amigos que lo visitaban se quedaban en calzoncillos. Pablo exhibía sus piernas delgadas y en más de una ocasión se lamentó de no tener unos centímetros más para mejorar su figura.»

¿Por qué no jodemos?
«Qué?»
—Se dice así, en España, a hacer el amor...

«De acuerdo.»

«Y Pablo, feliz como un niño, me llevó a aquella habitación que sería la nuestra durante muchos años. Él dice que los más felices de su vida. Yo no sabría decir, desde el recuerdo, si lo fueron o no. Pablo era un bárbaro español, apasionado. Hicimos el amor una y otra vez. Creo que hasta que, de pronto, se acordó que aquellas eran sus horas de trabajo y no podía entretenerse más. ¿Me había condenado a la pobreza o a la felicidad? Largos días y noches de invierno en los que me quedaba en cama, sin poder apenas levantarme, porque hacía un frío infernal. Hasta que un carbonero, enamorado de mis ojos, según decía, comenzó a traernos el combustible gratuitamente. Dos meses tuve que permanecer sin salir de casa porque era imposible que nuestra economía nos permitiese comprar unos zapatos para mí. Los de Pablo estaban agujereados, y así, en días de lluvia, tenía que salir a la calle para visitar a los marchantes, a los aficionados, a los compradores de sus cuadros. Pero él era generoso, desprendido cuando cobraba uno o dos francos. No se acordaba de nuestras necesidades más vitales y se los gastaba en comprarme una colonia que a mí me agradaba. No saldría jamás de aquel estudio del que estuve a punto de irme cuando Pablo me propuso hacer el amor. No es que fuese yo una muchacha pudibunda. Sin embargo me pareció demasiado brutal que me lo propusiese, de buenas a primeras. Daba la sensación de que era la primera vez que poseía a una mujer. Lo hubiese creído así por su forma de comportarse, por sus maneras, por su concluir y volver a empezar una y otra vez. Lo hubiese creído así de no haber visto entrar en su estudio algunas mujeres, varias de sus amigas, las esposas o queridas "fieles" que, horas antes, los habían visitado con sus amigos. "Señor P..., señor P... puede usted abrir... es una visita seria." Y la llamada de la portera era lo único que lo sacaba de sus constantes juegos amorosos. He conocido antes y después de Pablo a algunos hombres. Ninguno tan apasionado, tan fanático del sexo, como Pablo. Él saltaba de la cama y se colocaba un viejo batín. Yo me escondía debajo de las sábanas. Y esperaba a que saliese el visitante, casi siempre un comprador. Pablo tenía un gran amor propio y por mucha que fuese nuestra necesidad no siempre accedía a la venta. "Quieren estafarme, pretenden engañarme...", se lamentaba. Volvía a mi lado. Yo me sentía celosa debido a sus amabilidades con otras mujeres. Max Jacob, uno de nuestros amigos más encantadores, decía de Pablo que hubiese preferido la gloria de un don Juan a la de un artista célebre. Pablo atendía amablemente a todas las mujeres y, de no tener que guardar las formas, hubiese hecho el amor con todas las que conocía, sin importarle lo que y quienes fuesen. Sentía horror a las complicaciones, quería simplificar siempre las cosas. Por eso era un hombre incapaz de una larga aventura, de una conquista a una mujer que le robase tiempo y que le trajese complicaciones. De ahí que, como cuando se encontró ante mí, quisiese abreviar. Y el primer capítulo de sus relaciones comenzaba siempre cuando "hacía el amor" con la mujer objeto de su deseo. Pablo únicamente se divertía pintando, desarrollando, modificando sobre la marcha todas sus importantes ideas.»

Ella piensa que no es para mí más que un objeto con el que hago el amor. Quizá mi apasionamiento, mi manera brutal de comportarme, le lleve a esa conclusión. Cuando la dejo y pretende que continuemos juntos, me reprocha que solamente me importa mi trabajo. Posiblemente tenga razón. No me puedo resistir a desarrollar una idea. Bueno, un boceto de idea porque las ideas no son más que puntos de partida. Es raro que las pueda expresar tal y como me vienen a la mente. En cuanto me pongo a trabajar me surgen otras en la punta de la pluma. Para saber lo que se quiere dibujar, hay que empezar a hacerlo. Si surge un hombre, hago un hombre. Si surge una mujer, hago una mujer. Los españoles decimos que si sale con barba, san Antón y, si no, la Purísima Concepción. Es un refrán formidable, ¿verdad? Cuando estoy delante de una hoja en blanco las ideas me rondan por mi cabeza constantemente. Lo que surge me interesa, aun contra mi voluntad, más que mis ideas. Me fío siempre del primer trazo. No podría trabajar como Matisse, que tras hacer un dibujo lo calca. Una y otra vez. Hasta cinco o seis veces. Considera que el último es el más puro y el definitivo. Con las mujeres me sucede lo mismo. Cuando llevé por primera vez a mi estudio a Fernande, noté en ella una vacilación. Sé que si no actúo rápido no volvería de nuevo aquí. Las mujeres piensan que los hombres las abandonaremos en cuanto hayamos conseguido hacer el amor con ellas. Quieren reivindicar su sexo, sobre todo las feministas, y no saben que esa reivindicación únicamente llegará con la seguridad en sí mismas, con no creerse únicamente un objeto de deseo. ¿Por qué va a malograrse una relación si se empieza por lo que para los burgueses parece el punto siguiente al conocerse, a convivir, a emplear las palabras? Posiblemente Fernande no hubiese vuelto si se va en aquellos momentos. Seguramente yo no la hubiese llamado jamás.

«Aún tardarían en desaparecer totalmente los azules que tanto me sorprendieron cuando entré por vez primera en su estudio. Una mañana me dijo que le gustaba nuestra convivencia porque en el fondo se sentía un despreciable burgués y nuestra vida estaba marcada por el color rosa. Jamás pude pensar que no solamente nuestra vida sino su obra entraba en el período rosa. Pero, como nuestra convivencia no fue del todo rosa, sus cuadros no lo fueron hasta mucho tiempo más tarde, hasta superar la transición azul-rosa que marca la ida del azul y la llegada del rosa. La monocromía azul se tornará rosa. Los poetas, sus amigos, ya empiezan a cantarle. Apollinaire, nuestro querido, nuestro miserable, nuestro desconcertante amigo, pondría énfasis en sus versos para decir de él "más que todos los poetas, más que los escultores y los demás pintores, este español nos mata como un frío breve". Pablo aplaudió los versos, pero cuando quedamos a solas me preguntó: "¿Has entendido lo que quiere decir ese acertijo?" Y rió, rió mucho, con esa risa que a todos nos contagiaba. Si estaba rodeado de gente y decía algo que le parecía gracioso, era el primero en reír. Y miraba a los demás. Y se disgustaba si notaba que no les había hecho gracia. Se dijo que el mundo azul de Pablo estaba marcado por la vida, y en la época rosa la vida ha de llegar aún. Me muestra, concluida ya, *La muchacha de la cesta de flores*, un tímido adiós al azul, que prevalecerá en el fondo. ¿También nuestra vida tenía color de rosa? Para nosotros dos, para nuestra intimidad, posiblemente sí. Si hoy la observo, con perspectiva, han sido los años más difíciles vividos por él y compartidos, estoicamente, por mí. Por eso suelo decir que, habiendo sido su compañera fiel en los años de miseria, no he sabido ser la de sus años de prosperidad. Azul y rosa, como su pintura, era el panorama que se cernía sobre nosotros. Parecerá un contrasentido, pero jamás se comía mejor en nuestra casa como cuando carecíamos de dinero. Pablo o yo pedíamos al pastelero de la plaza Abbesses un suculento almuerzo. Le decíamos que nos lo llevase a casa a las doce en punto. Un muchacho lo llevaba y, como llamaba inútilmente a la puerta, lo dejaba allí. Cuando nos cerciorábamos de que se había marchado, abríamos la puerta y lo recogíamos. Si disponíamos de dinero pagábamos las cuentas atrasadas, y así establecimos un sistema de crédito no sólo con el pastelero, sino con el carnicero, que nos servía suculentas lonchas de jamón de Bayona. Crédito que extendíamos a los restaurantes, como el de Vernin, en la calle Cavallotti, o el de Azon, en la calle Ravignan. Jamás dejaban de servirnos porque si se negaban sabían que no pagaríamos las cuentas atrasadas. Servirnos una y otra vez, aunque el precio por comida no alcanzaba más de noventa céntimos, era la garantía de que algún día podrían cobrar la cuenta. Apenas teníamos tiempo para nosotros mismos. Azul y rosa. Pablo trabajaba por las noches, a veces alumbrándose con una lámpara y otras con velas. Yo, en ocasiones, le hacía compañía. Otras me ponía a leer los libros que él compraba para mí en una librería de viejo muy cercana. Al amanecer Pablo se reunía conmigo. Era un excelente amante. Dormíamos hasta primeras horas de la tarde. Mientras, por la mañana, una mujer venía a hacer la limpieza, aunque a lo que de verdad se dedicaba era a leer el periódico y dejar las cosas en el mismo desorden en que las encontraba. El desorden se había convertido en nuestro orden. Nos habíamos acostumbrado a vivir así y nos sería imposible dormir en nuestra casa si un día, al entrar en ella, la encontrásemos ordenada.»

Me preocupaba Fernande. Llegó a escribir que yo la encerraba en casa, por celos. Nada más contrario a mi voluntad. Perezosa, no quería salir. Aunque un duro invierno no podía hacerlo porque no tenía zapatos. Carecíamos de lo más elemental. A mí me faltaron los colores, especialmente el blanco. Me negaron el crédito en una tienda en la que ya debía una cantidad preocupante. Tuve que arreglármelas combinando otros colores y prescindiendo del blanco. Pero, poco más tarde, se me acabaron las telas. Pintaba nuevos temas que se me ocurrían sobre telas pintadas. Me vi obligado a hacer una de esas visitas que a mí me han molestado siempre, a un marchante, Sagot, viejo zorro, que instaló su galería en una farmacia. Encontró muchos productos farmacéuticos y, si se sentía generoso, los repartía entre los artistas necesitados. No siempre con acierto, por-

Ella, baja, gorda, recia, de hermosa fisonomía, rasgos nobles y ojos inteligentes y espirituales. Masculina en su voz y en su aspecto, Gertrude Stein era lúcida, de talento.

Sabartès, que quería encontrar explicación a todos los actos de Picasso, dijo: «La llamó Eva a manera de cumplido, como si con ello quisiera demostrar que la consideraba como su primera mujer.»

La madre de Picasso (según el autor): **«No creo que haya una mujer que pueda ser feliz con mi hijo. Es capaz de darse a sí mismo, pero no a otra persona.»**

que en más de una ocasión les hizo tomarse medicamentos para el hígado cuando en realidad lo que les dolía era la cabeza. A Fernande pretendió curarle un catarro con un antidiabético. Sagot se las sabía todas. Si un artista llegaba a su galería a ofrecerle obra, es porque estaba realmente necesitado. Y así fue formando su gran colección, de parte de la que se desprendía, supervalorando los cuadros ante sus clientes. Sagot volvió conmigo al estudio. Seleccionó un guache grande, con dos saltimbanquis sentados. Una tela con dos muchachas que sostienen en sus manos en la tela y creo que un arlequín. Me ofreció por el lote setecientos francos, que inmediatamente rechacé. Sagot ni se inmutó. Sabía esperar. Podía esperar y no dudaba que yo volvería por su galería, aunque me hice el propósito de no visitarlo nunca más. Ya no podía pintar. Tuve que quemar, para conseguir algún calor en aquella gélida casa, cuadernos de dibujos entre los que estaban los retratos, los apuntes que hice a una mujer por la que sentí gran admiración y hubiese deseado amar en mis años mozos de Barcelona: la Chelito. Estaban de moda en Barcelona los *cafés-concert*, que una compatriota mía, la Bella Otero, había puesto de moda. La Chelito era el ídolo de mis compatriotas. Fui a verla trabajar, una y otra vez, en un teatro de la Gran Vía. Hice, incansablemente, una serie de siluetas, sin levantar el lápiz del papel. La Chelito era una pieza muy cotizada por los más ricos barceloneses, y seguro que no perdería el tiempo con un muchacho como yo, que tenía que limitarse a amarla a distancia. Dibujarla constantemente era una forma de llevarla conmigo, aunque hubiese preferido llevar a su personita.

Me limité, sí, a retratarla, a imaginármela desnuda y a colocarla en una serie de posiciones que aquel día se llevó el fuego. Sólo he conservado durante muchos años dos fotografías de la Bella Chelito. Sabartès me hizo observar que nada tenían que ver con aquellos dibujos míos en los que aparecía desnuda. La de las fotografías era una señorita recatada, vestida castamente, con un traje vaporoso que cubre todo su cuerpo, un enorme sombrero blanco y toda cubierta de plumas como correspondía a una *vedette*. Quizá mis dibujos me hubiesen resuelto el acuciante problema. Y tuve que volver a la galería de Sagot, que sabía que tarde o temprano claudicaría. Me explicó que se había gastado muchos francos en comprar obra de otros artistas, que la mía le seguía interesando, pero que en vez de setecientos, únicamente podía darme quinientos francos. Me indigné, chillé ante la impasibilidad del marchante, al que, días más tarde, entregué los tres cuadros a cambio de trescientos francos. Compré lienzos, pinturas y todavía me sobraron algunos francos para invitar a los amigos, que, como todas las noches, esperábamos la de aquel día. Todos los días menos los que señalaban otros compañeros para recibir en sus casas. O menos los martes, fecha que reservábamos para reunirnos en la Closerie des Lilas para celebrar las veladas de «Versos y prosa». Moréas nos recibía aporreando el órgano, nos dedicaba las melodías preferidas, porque nos conocía a todos: Apollinarie, Gaus, Léon Deubel, Braque, Alfred Jarry, Maurice Magre, Duhamel... Siempre me interrogaba: «Dígame, ¿tenía talento Velázquez?» O, muy orgulloso de haber aprendido un difícil nombre, me preguntaba mi opinión sobre Lope de Vega Carpio. Moréas era implacable y a la mujer de un poeta, que le dijo que no quería vivir más de cuarenta años para no envejecer, le respondió: «Usted ya debería estar muerta, señora mía.» Solamente le dominaba una mujer, una prostituta que se desenvolvía en aquel ambiente como pez en el agua. Le decíamos que prescindiese de ella y respondía que le era imposible, que lo cuidaba, que le arreglaba la casa. ¿No crees que una criada te resultaría mejor, más barata y no te crearía ningún problema? ¡Hasta podrías tirártela mejor que a ésta! Fuimos, pronto, al entierro de aquel organista. Vimos lágrimas en los ojos de Apollinaire. De vez en cuando yo coqueteaba con la mujer de alguno de aquellos bohemios. Si me hacían caso se desataba la ofensiva de celos de Fernande. Por eso me divierte leer ahora, en sus páginas, que yo era tremendamente celoso.

«Bajo, rechoncho, casi un enano al lado de sus amigos, de nuestros amigos, a Pablo le entusiasmaba que le confundiesen con un boxeador. Una de sus frustraciones era la de no haber sido torero ni boxeador. Aficionado al boxeo, asistía a muchas veladas. Derain le dio una lección de boxeo en su casa. Participó un boxeador profesional. Pablo no quiso continuar la pelea. "No me gusta que me peguen." Tampoco había tenido la oportunidad de pegar, hasta que un día se la brindaron en el café de l'Ermitage, cita de todos los artistas y bohemios que vivíamos en París. Una orquestina tocaba constantemente, aunque la concurrencia apenas si hacía caso de ella. Si discutían de música era para defender distintos instrumentos. A Pablo le gustaba la guitarra e iba en pos de guitarristas, bailadoras flamencas, gitanos. Daba palmas y hasta iniciaba algún baile, tímidamente, cuando le invitaban a participar en la fiesta. Braque prefería el acordeón y a Mac Orlan le entusiasmaba la trompa de caza. Derain prefería el clavicordio, la cítara, la flauta y los instrumentos negros. Markous, al que llamábamos Marcoussis debido a las contrariedades amorosas que le causaba Pablo, era visitante asiduo. Lo mismo que Gazanion. Pablo encontraba allí a uno de sus boxeadores más admirados, Sam Mac Vea, al que todos encontrábamos un extraordinario parecido con Braque. Pablo, como he dicho, tuvo ocasión de poner en práctica sus conocimientos de boxeo, descargando toda la fuerza de su puño sobre la mandíbula de un individuo que lo empujó. El contendiente fue separado y la pelea terminó. Pablo, que había triunfado delante de un gran número de espectadores, se sintió orgulloso. Se había ganado el respeto de los demás. A partir de entonces lo tratarían con más cuidado. Pasó la noche satisfechísimo, bebió más que de costumbre, aunque la costumbre de todo aquel grupo de amigos era beber. Estaba feliz, como un niño con un juguete nuevo. Recogió del suelo una caja de cerillas y nos fuimos. ¿Por qué esa manía de recogerlo todo?»

Yo recojo todo. Jean Cocteau me apodó «el rey de los traperos». «A mí me encantan las cajas grandes de cerillas. Superponiéndolas y pegándolas unas a otras, hago rascacielos. Cada caja se convierte en un cajoncito abarrotado de cerillas, de chinchetas, clips, lancetas, imperdibles, fusibles, colillas, papel de fumar. En estos tiempos de alarmas, de cortes de luz, de escasez de tabaco, es el único mueble útil, siempre a mano», me dijo un día Brassaï. Le respondí que yo no me atrevía a tirar una caja de cerillas y mucho menos una de pitillos. Las guardo, las amontono. Siempre me tienta hacer con ellas esculturas, construcciones. Parecen, en pequeño, esos tubos metálicos que se acoplan para formar andamiajes.

Algo haré con estas cosas que recojo y a las que Fernande llama «basura». No sé lo que voy a hacer con ellas. Si se sabe exactamente lo que se va a hacer, ¿por qué hacerlo? Puesto que ya se sabe, ya no tiene interés. Es mejor hacer otra cosa. Pienso en pintar una y otra vez a Fernande. Pienso, como cuando veo una cabeza interesante: ¡Qué pena no ser pintor! ¡Si fuera pintor haría su retrato! Y cuando llega uno de mis amigos pintores le muestro la cabeza de Fernande: «Tú, que eres pintor, ¿qué esperas para hacer su retrato? Tú, que tienes la suerte de ser pintor...» ¡Habría que pintarlo todo! Fernande esperaba pacientemente mi vuelta: de la compra, de la reunión con los amigos, de las visitas a los marchantes, a las galerías en las que, sistemáticamente, me negaba a exponer. Cuando en *Assette au beurre*, una publicación humorística muy popular, me propusieron hacer ilustraciones a cambio de ochocientos francos, me negué. Fernande no podía comprender mi actitud. Nuestra vida pareció serenarse cuando conocí en la *Closerie* a una pareja de fumadores de opio. Yo ansiaba conocerlo todo y sabía bien que nunca se termina de buscar porque nunca se encuentra. Primero fui invitado a fumar opio en casa de la pareja. Ya adiestrado, adiestré a Fernande y a mis amigos y fumamos en nuestro propio estudio. Compré una lamparilla y el bambú de tonos ambarinos y de olor penetrante me fue ganando. Varias veces a la semana me dedicaba a fumar opio y me olvidaba a mí mismo. Bebíamos té frío con limón. Mis amigos, nuestras mujeres, todos éramos enteramente felices, desaparecían los problemas como por ensalmo. Parecía como si se nos agudizase el ingenio, la inteligencia. Los temas preferidos en aquellas sesiones eran los de pintura. La piña de amigos se fue apretando más y más. No podíamos prescindir de la droga. ¿O podíamos y no queríamos prescindir de ella debido a los minutos de felicidad que nos proporcionaba? Cierto que no puedo calibrar hasta dónde nos llevaría el opio si un acontecimiento trágico no llega a ocurrir. Vighels, también fumador de opio, se dio muerte en su propio estudio. Se ahorcó y aquella trágica imagen no se apartaba de ninguno de nosotros. Las tertulias recobraron su ambiente habitual. La animación, casi siempre producida por el alcohol, nos hacía ingeniosos, nos zaheríamos y algunos llegaban a desafiarse en duelo. Nos respetábamos para ser respetados. Y si encontrábamos alguna víctima propiciatoria, no dudábamos en echarnos sobre ella. Simplemente, para divertirnos. Como a costa del aduanero Rousseau, por el que sentíamos admiración. Apollinaire nos puso en contacto con él y nos llevó a una de sus célebres veladas que se celebraban en su estudio, cercano a la calle Vercingétorix. Su tertulia era de panaderos, tenderos, carniceros del barrio. Colocó en el fondo un estrado desde el que los invitados cantaban canciones, recitaban poemas, exponían sus teorías. Hasta que decidimos dedicarle un homenaje en mi estudio. Consistiría en un banquete con un máximo de treinta personas. Las que pasasen de ese número, llegarían después. Las columnas y las vigas fueron cubiertas con ramas de árboles. Una silla sobre un cajón era el «trono» destinado al aduanero. Sobre caballetes y con tablones se montó la mesa. Las sillas nos las prestó Azon, de cuyo restaurante debían servir la comida. Debió de haber una mala sincronización porque nos la sirvieron... al día siguiente. De tal manera que todos nos echamos a la calle y cada uno vino cargado con las provisiones que encontró. «¡Honor a Rousseau!», se leía en una pancarta situada encima de su «trono». Rousseau bebió más de la cuenta y comenzó a dormir, mientras los pintores, los escultores y los poetas le dedicábamos nuestros mayores elogios, a los que él contestó atropelladamente. Los habitantes de Montmartre desfilaron por el estudio. Sin hacer ningún esfuerzo, Fernande fue felicitada por todos, porque habían descubierto en ella a una magnífica anfitriona. Rousseau había decidido casarse y nos contó a todos sus males de amor. Viudo dos veces, le espantaba la soledad. Pretendió casarse con una mujer de cincuenta y nueve años. Él tenía sesenta y tres. El futuro suegro se negó al matrimonio porque consideraba que su hija era demasiado joven para él. Rousseau protestaba: «Se puede amar todavía a mi edad sin caer en el ridículo. No es el mismo amor de vosotros, los jóvenes. Pero ¿debe uno resignarse a vivir solo porque sea viejo? Regresar tristemente a una casa vacía es lastimoso. A mi edad es cuando uno tiene más necesidad de animar el corazón y saber que uno no morirá solo, sino que acaso otro viejo corazón le ayudará a pasar a la otra vida. No hay que burlarse de los viejos que se vuelven a casar. Tienen necesidad de esperar junto a un ser querido la muerte que se siente tan próxima.» Murió poco tiempo después. Yo no comprendía ese miedo a la soledad. Incluso, ante la pintura *Castillo negro* de Cézanne, llegué a decir: Y esos hombres trabajan en una soledad increíble, que acaso era su bendición, aun cuando fuese su desgracia. ¿Qué hay más peligroso que la comprensión? Tanto más cuanto que no existe. Casi siempre es al revés. Uno cree que no está solo. Pero lo está más intensamente. ¡Solo! Ahora pienso que mi deseo de estar unido siempre a una mujer, no poder vivir sin una mujer al lado, sea el fruto de un miedo subconsciente, como el que sentía el pobre Rousseau. Pero él se atrevía a confesarlo. En muchos momentos he pensado en separarme de Fernande. No lo intenté jamás por miedo a la soledad. Quizá por pereza, porque cada mujer que ha pasado por mi vida es volver empezar. Y una mujer no es como un cuadro, no es como una escultura, que estás deseando terminar para comenzar con otra nueva. Fernande ha sido la compañera de mis días de bohemia, de miseria incluso. No sería justo desprenderme de ella cuando todo empezaba a enderezarse. ¿Y es justo que, por un sentido de la justicia quizá euivocado, sacrifiquemos nuestras propias vidas con tal de no dañar a los demás? Siempre he dejado a mi suerte que resolviese estos problemas, quizá provocados por mí, tal vez incitados por la persona que ha permanecido a mi lado. He aprendido que nada es eterno y que lo que llamamos eterno se acaba al término de unos años. Todavía faltaba mucho tiempo para que Fernande y yo nos separásemos.

«Llegaron los coleccionistas que mitigaron nuestra situación. He de reconocer que la presencia de algunas adineradas mujeres despertó mis celos. Fue cuando vinieron al estudio dos hermanos, judíos norteamericanos, solteros. El alto, con luenga barba, con gafas, casi calvo. Ella baja, gorda, recia, de hermosa fisonomía, rasgos nobles y ojos inteligentes y espirituales. Masculina en su voz y en su aspecto, Gertrude era lúcida, de talento. Mis celos surgieron porque Pablo le propuso hacerle un retrato. Y la acababa de conocer en casa de Sagot. Los dos hermanos eran muy aficionados a la pintura y pronto se convertirían en importantes coleccionistas. Gracias a ellos y a otros coleccionistas, dispusimos de dinero abundante. Pablo ideó una original "caja de caudales" que consistía en una cartera en la que guardaba todos los billetes de que disponía. La metía en el bolsillo interior de su chaqueta y, para mayor seguridad, cerraba el bolsillo con un imperdible. Cuando tenía que sacar algún billete lo hacía de la manera más discreta. La desconfianza de Pablo era conocida por todos. En una ocasión creyó que alguien había ido a su "caja fuerte" porque, según él, el imperdible estaba colocado de distinta manera a como él solía hacerlo. Miró con ojos de inquisidor español a todos los que estaban allí reunidos. Con el dinero nació la manía de coleccionista de Pablo. No tenía precisamente un exquisito gusto en la decoración. Vasos y tazas decoradas con motivos bucólicos, botellas de cristal grueso, fragmentos de viejos tapices, instrumentos de música, cajas viejas, marcos dorados, cromos brillantes enmarcados con paja, una caja de sombreros en la que guardaba todas las corbatas que iba comprando. Se colocaba la corbata sobre una camisa raída y vestía como un obrero. Le gustaba llamar la atención, "dar la nota", como él solía decirme. Los sábados acudía a la casa de los Stein, a las tertulias amplísimas, para las que era insuficiente el estudio, ya que los visitantes llenaban toda la casa. Matisse y Picasso eran los dos pintores preferidos de aquellos singulares hermanos. Pablo se enfadó con ellos porque hicieron una prueba barnizando una de sus pinturas. El enfado duró hasta que los dos hermanos fueron a buscarlo a casa. Gertrude posó casi un centenar de veces para el retrato que le hacía Pablo, que suspendió cuando tomó la decisión de que pasásemos unas largas vacaciones en España. Gertrude protesta e insiste para que termine el retrato porque no ignora que el aplazamiento puede ser largo. Gertrude conocía bien a Pablo, pero tal vez no tan bien como ella presumía. Hacía de él una descripción curiosa: "Es un Napoleón que va seguido de sus cuatro granaderos: Derain, Apollinaire, Braque, Salmon. Es el matador al frente de su cuadrilla."

»Para mí el viaje a España significaba la total recuperación de Pablo. Por lo menos mientras durase el viaje, al que felizmente no habíamos puesto límite ni fechas. Lo preparamos con cuidado y él comenzó a hablarme apasionadamente de su país. Iba a presentarme a su familia, que yo ya conocía por las veces que me la había descrito Pablo. Incluso nuestra vida podría cambiar a partir de entonces. Le escuché una vez más la palabra "matrimonio", que a mí me horrorizaba. No podíamos salir de viaje, mucho menos a un largo viaje, si alguien no se cuidaba de nuestro "zoo" particular. Zoo que se había visto aumentado por una tortuga. La víspera de la marcha Pablo se mostró más cariñoso que de costumbre. Nuestras jornadas de amor resultaban interminables. Cerraba la puerta y no recibía a nadie. En aquellos días no trabajaba apenas. Todas sus preocupaciones se encaminaban al viaje al que, una y otra vez me quise negar a acompañarle, pero él insistió en que fuese con él. Pablo tenía la costumbre de pasarse algunos meses en su patria. Cuando volvía estaba remozado, más fortalecido. España le era necesaria para su particular inspiración. Sé que ha escandalizado a muchos que yo haya escrito que nunca he conocido a un extranjero menos hecho para la vida de París que él. En París parecía estar incómodo, molesto, ahogado en una atmósfera en la que, paradójicamente, se movía como pez en el agua y al mismo tiempo nada tenía que ver con la que él deseaba. En España yo lo he observado muy diferente a sí mismo, alegre, menos salvaje, más brillante y animado, interesándose por las cosas con aplomo y calma. A gusto, en definitiva. Se desprendía de él un resplandor de dicha que contrastaba con su carácter y sus actitudes habituales.»

Nací para casado y buena prueba de ello es que viví como casado todos los años de mi vida. Me obsesionaba la idea de casarme con Fernande y creí que nuestra marcha a España lo solucionaría todo. Confiaba enormemente en el sentido burgués de las familias españolas, atemorizadas con el escándalo. Para mí era una incógnita la reacción de mis familiares ante la presencia de Fernande. Pero harían de tripas corazón, en el supuesto de que no les agradase, para evitar el escándalo. Como suponía, por ese espíritu burgués al que me he referido, mis padres intentarían todo lo posible para que nos casásemos. Tema en el que insistí, inútilmente, con Fernande. Había un grave impedimento que era su marido legítimo, el escultor loco, ya que el matrimonio no había sido disuelto. Disponíamos de mucho tiempo y de dinero, porque Vollard entró a saco en mi estudio del Bateau-Lavoir y se llevó treinta cuadros por los que me pagó dos mil francos. Con esa cantidad hubiésemos vivido esplñndidamente durante varios meses. Preferí gastarlos en este nuevo viaje a mi país. Lo necesitaba para reponerme de mi ajetreada vida parisina. De nada valieron las protestas de Gertrude para que concluyese su retrato. Ella quería que lo terminase, ese famoso retrato al que nadie encontraba parecido con la modelo. Yo insistía siempre en que había que dejar pasar los años, hasta que Gertrude, en una actitud sensata, terminase por parecerse a la mujer del cuadro. Bajo el cual, años después, y cuando el parecido se había logrado, se sentaba para recibir a las visitas. En la última sesión borré la cara de Gertrude sin hacer caso de sus lamentaciones, casi de sus improperios. Le prometí que a mi regreso terminaría el lienzo.

Efectivamente, como había calculado, mi familia fue mi principal aliada. Inmediatamente después de presentarles a Fernande, que procuró dar una buena impresión, nos preguntaron por qué no nos casábamos. Naturalmente, ni ella ni yo tratamos el tema del marido, pero yo estaba dispuesto a contraer matrimonio. Sé que quien escuche mis confesiones, hechas en voz alta, pensará que soy un cínico. Sobre todo si conoce mi biografía amorosa, llena de capítulos en los que tienen parte principal distintas mujeres. Quizá si Fernande hubiese accedido a casarse conmigo las cosas no hubiesen discurrido como hasta ahora. No podría responder de esporádicas infidelidades. Que no hubiesen tenido el menor peligro porque, cuando cometí esas infidelidades, estando ligado a alguna mujer, fue en las épocas en las que nuestras relaciones estaban terminadas. Entonces sí, entonces surgía el peligro, por otra parte por mí deseado, de que me uniese a alguna de aquellas damas a las que, en otras ocasiones de estabilidad sentimental, solamente me hubiese acercado buscando una aventura. Yo estaba ávido de darle a conocer lo que había sido mi ambiente en Barcelona, los lugares en los que trabajé, los restaurantes en los que comíamos y los cafés en los que teníamos nuestras tertulias. Fernande pareció interesarse por todo cuanto le mostraba y muy pronto se hizo amiga de mis antiguos amigos. Que le prestaban una especial atención y la asediaban preguntándole cosas de un París que ellos habían dejado, unos con nostalgia, otros decepcionados y algunos de ellos porque en España habían encontrado su estabilidad artística y económica, que París les negaba. O que no supieron buscar, esperar con abnegación en una ciudad difícil, hasta que definitivamente abre sus puertas a los artistas que le interesan. Ése, el de una situación de privilegio en España y una situación paupérrima en París, era el caso de Mateo de Sotto, que vivió la más dura bohemia parisina. Todos los días recorría algunas casas de españoles para obtener el dinero suficiente para comer aquella jornada. Llevé a Fernande hasta el estudio de Gargallo, uno de los escultores por los que sentía mayor admiración y que pasó buena parte de su vida en un estudio instalado en un sótano y viviendo pobremente. Casanova pertenecía a los desertores de París, en donde no estuvo suficiente tiempo como para formarse. Pero se había reencontrado a sí mismo y se mostraba satisfecho de su vida, de su obra, de sus clientes, en Cataluña.

Era demasiado fuerte el ritmo que llevávamos en Barcelona, en donde me olvidé hasta de mi profesión y solamente me dediqué a apurar las horas, acostándonos al amanecer y levantándonos generalmente pronto para no desaprovechar el día. Se hacía necesario un descanso y decidí que nos trasladásemos a Gósol, un pueblo perdido en los Pirineos, fronterizo con Andorra, circunstancia que hacía que casi todos los habitantes del lugar, como los de las aldeas cercanas, se dedicasen el contrabando. En Gósol Fernande se sintió feliz. Sobre todo porque me había recuperado, de la misma manera que yo la recuperaba a ella. En París vivíamos en función de los demás y era muy difícil conseguir la intimidad que a mí siempre me apeteció. Intimidad que no ha sido comprendida por casi ninguna de mis mujeres. Así todas, cuando escriben o cuando hablan de sus relaciones conmigo, explican que las quise reducir a una especie de cárcel, que les propuse incluso estar recluidas durante el día y la tarde, trabajando, sin que conociesen a nadie. Y recuperarlas por la noche, cuando nadie podría importunarnos. Efectivamente, hice proposiciones semejantes, no siempre bien interpretadas por esas queridas mujeres, muchas veces carentes de sentido del humor. El sentido del humor es privilegio de algunos españoles y, desde luego, no existe entre los franceses. No, ni entre los mismos humoristas. El francés hace de su vocación artística o literaria un oficio. Para mejor cumplirlo sabe que ha de utilizar los elementos de que dispone. Y uno de ellos, evidentemente, es el humor. Cambia totalmente en su otra vida: el ciudadano X o la ciudadana Z. Entonces difícilmente comprende las bromas, a las que los españoles somos tan aficionados. Todo lo que no esté reglamentado no sirve, no puede ser asimilado por los franceses. De ahí que alguna de las mujeres que me acompañaron a lo largo de mi larga vida no hayan entendido mis ironías, mis propuestas llenas de humor que ellas tomaron al pie de la letra. Es cierto que siempre he deseado la soledad en compañía de los seres queridos. Es verdad que, sabiendo que me debía a demasiada gente y que entre esas personas que me frecuentaban podía estar la traición, es evidente que sentía celos no solamente de mis mujeres, sino de mis amigos, de mis cosas. Si a unas y a otros, y hasta a las cosas, he pretendido ocultarlas ante mis visitantes, quizá haya sido por ese tremendo sentido de posesión de las mujeres, de los amigos, de las cosas, hasta de los más insignificantes objetos. Sufrí demasiado, fueron muchas mis carencias y pienso que pueden volver aquellos tiempos difíciles. En Gósol, aunque compartíamos parte de nuestro tiempo con la buena gente del lugar, Fernande y yo vivíamos para nosotros. Fue este viaje nuestra primera auténtica luna de miel. Prefería amar que coger el lápiz y tomar apuntes. Sólo nos separábamos cuando ella no quería acompañarme en mis excursiones cinegéticas. Pronto se estabilizó allí nuestra situación y parecía que jamás abandonaríamos el pueblo. Hasta el punto de que comencé a trabajar intensamente. Al atardecer salíamos a la calle, nos saludaban los vecinos y yo escuchaba, complacido, sus historias, casi siempre iguales, casi siempre ingenuas, siempre apasionantes si se escuchaban no con espíritu crítico sino sumergidos en la ingenuidad, sin la cual era imposible entrar en el juego dialéctico. Un viejo de más de ochenta años, del que todos huían por su mal carácter, se pacificaba a mi lado. De él aprendí muchas cosas y, entre otras, me contagió los deseos de vivir. Aquel octogenario todavía hacía proyectos para el futuro, y uno de ellos era ir a vivir a París, bajo mi protección y abrirse camino, iniciar una nueva vida. Aprendí de él que el límite de la vida no está precisamente en la edad cronológica sino en la ilusión que se pone en ella. Él, el viejo, se había "plantado" en una edad en la que todavía se hacen proyectos, se tienen ilusiones. Años más tarde, quizá recordándolo, quizá dictada mi actitud por el subconsciente, yo también decidiría "plantarme" en una edad, que sería la misma para siempre y de la que ni los años ni las circunstancias me moverían jamás. Aquel viejo hablaba de sus amores no en pasado, sino en presente. Aún mantenía las esperanzas. Creo que fue a partir de aquel contacto cuando decidí que la edad no era lo importante en el trabajo ni en el amor. Y así procuré rodearme siempre de gente joven. Si abandonaba a mis mujeres, no era porque hubiesen cumplido muchos años, sino porque se dejaban envejecer de alguna manera. Y yo he sabido siempre que las actitudes se contagian. Necesitaba, urgente, apremiantemente, estar rodeado de juventud.

Pensé, seriamente, en quedarme a vivir en Gósol. Cuando me encontraba decidido, porque aquí mi obra era más ligera, más como me hubiese gustado que fuese siempre, cuando iba a comunicar mi decisión a Fernande surgió un grave contratiempo. La hija del posadero había contraído el tifus. Yo siempre he tenido mucho miedo a las enfermedades, a su contagio. Hicimos precipitadamente el equipaje. Nos iríamos a Francia cruzando la romántica frontera pirenaica. Tardamos muchas horas en llegar a un pueblo desde el que salía una diligencia que nos llevaría a las cercanías de Francia.

«Aquellos días fueron los más felices, para los dos, desde que nos conocimos. Yo vivía consagrado a Pablo, como él desearía que ocurriese siempre. Pablo vivía dedicado a su trabajo y a mí. Nuestros amigos campesinos no nos importunaban como los de París. Es más: los buscábamos para comunicarnos con ellos. Esa comunicación, al revés de la que manteníamos en París, nos unía más a nosotros dos. Habíamos conseguido una compenetración que jamás recuperaríamos. Por eso he sostenido siempre la teoría de que en España Pablo hubiese sido completamente feliz y no el hombre al que su instinto empujaba siempre a lo atormentado. La calma y la serenidad habían vuelto a él. Ese milagro únicamente tenía un nombre: España.»

Yo podía conseguir, y Fernande lo sabía perfectamente, que una mujer se dedicase íntegramente a mí. Es más: podía exigirle que no se moviese de mi estudio, que no saliese a la calle sin mí. De esa manera, con esa actitud, di lugar a interpretaciones que a veces creí erróneas, cuando se hablaba de mi insoportable deseo de poseerlo todo para mí mismo. Difícilmente una mujer conseguiría que yo estuviese encerrado, dedicado íntegramente a ella. El español que jamás me abandonó me hizo comportarme como un machista y recordar un refrán que yo repetía riéndome, pero que a lo largo de mi trayectoria sería como un axioma que no se alteraría jamás: "La mujer, la pata quebrada y en casa." Casi nunca conseguía ese secuestro, ese encierro de las mujeres con las que compartía mi intimidad. ¡Únicamente mi intimidad! En Gósol lo logré, plenamente, con Fernande. En contrapartida, Fernande vivió un tiempo irrepetible en mi biografía. Unos meses en los que ella me tuvo para sí, sin posibilidad de que me escapase de su lado. Creí que la monotonía, las mismas cosas repetidas día tras día, terminarían por cansarme. Me ocurrió todo lo contrario. En el fondo me rebelaba contra mí mismo, acostumbrado a imponer mi voluntad. Y, sobre todo, a no estar dominado. Pero aquel dominio no me había sido impuesto, sino que fui yo quien lo tejió, pacientemente, como una tela de araña. Efectivamente, mi presa había caído en el cepo. Pero yo la había acompañado en aquella trampa de la que no deseaba salir jamás. Creo que comencé a sentir un auténtico amor. O a tener consciencia de que aquella unión había sido por amor y que el amor en nosotros dos aumentaba cada día que pasaba. No echaba de menos a ninguno de mis amigos, ni a los marchantes, de los que tanto necesitaba. Se me había borrado, como yo lo borré del lienzo, el rostro de Gertrude. No importaba demasiado porque yo terminaría mi obra cuando y como me apeteciese. Y la obligación del modelo es terminar pareciéndose al retrato que hemos hecho de ella. Como yo había previsto, Gertrude Stein se parecería a ese retrato que ella creyó que yo no iba a concluir jamás. Su desesperación fue mayor cuando decidí borrarle el rostro. Era como si alguien se hubiese colado en el lugar en el que Dorian Gray conservaba su retrato y lo hubiese retocado borrándole la cara. En muchos de mis grabados, hechos sin modelo presente —porque el subconsciente es quien nos lo proporciona—, no podría identificar a la mujer en que me basé para una o varias figuras. Sin embargo, pasando el tiempo y como quien descifra un jeroglífico, la identidad se me ha ido revelando. El negativo de la fotografía se positiva ante mí y veo claramente en quien me he inspirado.

«¡Lástima que tuviésemos que abandonar la fonda, Can Tempanada, precipitadamente! Habíamos sido allí completamente felices, y en una ocasión en la que Pablo me explicó sus proyectos de que nos quedásemos allí "para siempre" no dudé en contestarle que me sumaba a su decisión. Yo sí que añoraba París y hasta a nuestros amigos. Pero era muy superior a mi *saudade* el amor a Pablo. Y sabía que la única manera de tenerlo para mí era quedarnos en tan idílico lugar. ¡Lástima que tuviésemos que enfrentarnos al más grave problema vivido por Pablo! Un suceso iba a cambiar su vida, cuando menos mientras no se aclaró ante las autoridades policiales y judiciales francesas. Fue su amigo Guillaume Apollinaire quien le dio la noticia. Se sentía totalmente impotente ante el acoso al que le sometía la policía. La historia fue conocida como el caso de los robos del Louvre y comenzó, años antes, por una bravuconada de un muchacho enloquecido, hijo de un famoso abogado belga llamado Géry. Géry era presentado por Apollinaire como su secretario. Muchacho despierto, ingenioso, se hizo amigo de todos los que componían el grupo. Apollinaire lo acogió en su casa y el chico comenzó a enloquecerse viviendo una vida con la que no había soñado jamás. Vida enloquecida compartida por un grupo capaz de las más insólitas aventuras y hazañas. Borrachos, la fiesta terminaba siempre igual. Pablo llevaba consigo una Browning y hacía disparos con su revólver, atemorizando a los vecinos. Apollinaire no perdía jamás la compostura y conservaba sobre su cabeza un canotier de paja gruesa, que era insuficiente para el volumen de su perímetro craneal. El canotier ocultaba la forma de su cabeza, de pera. Su boca, pequeña, parecía todavía más reducida cuando hablaba. Apretando los labios, intentaba llamar más la atención cada vez que decía algo. No es que su ropero fuese amplio; no obstante sentía predilección por un traje inglés, beige, que se ponía casi todos los días. Ojos pequeños, pegados a una nariz arqueada, larga y fina. Era la suma de un ser noble y otro vulgar, con manos de obispo y gestos untuosos. Se creía por encima de todos, de vuelta de todas las cosas y al mismo tiempo caía en las más grandes ingenuidades. Por eso toda esa fachada se desmoronó no sólo cuando la policía registró su casa, sino al ser detenido y al ingresar en la prisión de la Santé. Recuerdo su risa estentórea, infantil, su afán de complacer hasta extremos inauditos que le llevaban a cometer tremendos dislates. Una tarde decidió limpiar el estudio de Pablo, que había quedado en estado lamentable tras la visita de los amigos de siempre. Guillaume dijo que tenía la fórmula idónea. Fregó el suelo con petróleo. El olor era insoportable y lo fue mucho más cuando decidieron rociar el suelo con agua de colonia. No llegábamos a comprender cómo había acogido a Géry en su casa, porque Guillaume, generoso en tantas cosas, era un tremendo egoísta en lo material. Jamás prestó dinero a los amigos y guardaba celosamente todo lo que había en su casa, incluida las alacenas, porque temía que los visitantes le devorasen las existencias. Pero lo cierto es que hospedó a Géry ignorando los contratiempos que le iba a traer aquella hospitalidad. Géry quiso probar que era muy fácil robar en el Louvre. Y así, en varias visitas, se fue llevando estatuillas y máscaras. Generoso con lo que no era suyo, hizo regalos a los amigos. A Pablo le correspondieron dos pequeñas máscaras de piedra. Al parecer no dijo la procedencia, pero sí le recomendó que no las tuviese muy a la vista. A su anfitrión le hizo regalos, entre otros una estatuilla que Apollinaire había colocado sobre la chimenea. Pablo guardó los presentes en el fondo del armario y yo me los encontraba, sin darles importancia, ya que me había familiarizado con ellos, cada vez que iba a buscar alguna ropa. Si los cuidadores del Louvre se dieron cuenta de aquellas sustracciones, es cosa que no se supo, puesto que no las denunciaron. Y los robos hubiesen permanecido ocultos de no ocurrírsele a Géry escribir una carta a un diario en la que, bajo su firma e identificación, explicaba lo fácil que era robar en un museo tan importante como el Louvre. El muchacho no se recataba de dar nombres y entre ellos estaban los de los dos amigos a los que había regalado las cotizadas piezas. La policía buscó a Apollinaire y comenzó a tejerse una historia de que el poeta era el jefe de una banda organizada dedicada al expolio del museo para obtener ganancias con la venta de las piezas robadas. Géry recorría las ciudades francesas, jugando al ratón y al gato con los policías, puesto que desde cada lugar en que se hospedaba escribía a la prefectura tarjetas postales dando cuenta de su paso por allí. El cerco policial se estrechó, pero fue imposible encontrarlo. Fácil fue, en cambio, el registro de la casa de

Apollinaire y su posterior detención y encarcelamiento. Pablo y Guillaume se volvieron locos. No sabían qué hacer, se reunían "en secreto" para tomar decisiones. Hasta que decidieron esperar a la noche, meter todo el expolio en una maleta y arrojarla al Sena. Ninguno de los dos conocía juegos de cartas, pero hicieron tiempo simulando que jugaban. Aquella escena, impresionante por el miedo de sus dos protagonistas, resultaría grotesca en el recuerdo. Guillaume y Pablo imitaban a los gángsters de las películas norteamericanas. No sin tomar precauciones máximas, dado que se sentían perseguidos o vigilados, se dirigieron al Sena y recorrieron varios puentes en las dos direcciones. Ningún lugar les parecía el idóneo para arrojar el botín. Veían gentes que pasaban o se imaginaban sombras. Eran sin duda sus implacables perseguidores y no debían dejarse atrapar con las manos en la masa. Ya amanecía y se hacía mucho más difícil desembarazarse de la pesada carga, con la que volvieron a casa. Todavía más desconcertados que nunca. Los dos eran la imagen del terror. Desesperados, hacían proyectos para huir de Francia clandestinamente. Y estuvieron a punto de hacerlo porque, peor que la supuesta o real persecución, era la que ellos imaginaban, condenados a cárcel o perpetuidad o quién sabe si a morir en la guillotina. Lógicamente yo compartía sus miedos, aunque sin llegar al grado de histeria de ellos dos. Alguien debía conservar la cabeza fría.

»¿Les había llegado a complacer la comedia que estaban representando? Yo no podía saber lo que era cierto y lo que era teatral en todas las reacciones. Pablo vivía sobresaltado, esperando que de un momento a otro le detuviesen. Hasta que llegó el día. Muy de mañana fue arrestado Apollinaire en su casa. Más tarde llegó un agente a la nuestra. Se identificó y pidió a Pablo que le acompañase a la prefectura, no sin antes pasear su vista por el estudio, como tratando de encontrar algo. Su amabilidad no era sincera y lo que él esperaba es que le hiciésemos alguna confidencia. El joven agente había procurado hacerse simpático, darnos confianza y animar a Pablo. Ánimos inútiles porque Pablo no sabía qué hacer. Ni siquiera fue capaz de vestirse sin mi ayuda. Se abrazó a mí y hubiese deseado quedar así, para siempre. En un autobús bajaron los dos hasta la prisión Central, en donde Pablo fue conducido ante el juez que instruía el caso. Antes había sido sometido a la tortura de una larga espera, que terminó por desmoronarlo y convertirlo en un pelele. Estaba a merced de aquella gente y dispuesto a confesar y a firmar cuanto ellos le mandasen. Su desaliento creció al ver ante el juez a Apollinaire. Aquello no era el poeta, sino una sombra, una piltrafa. Roto el cuello, sin corbata, la camisa abierta, con barba descuidada, sollozante y con la cabeza entre las rodillas. Dos días llevaba detenido y en todo momento era sometido a interrogatorios. En los que, vencido, sin fuerzas para negar, no sólo confesó la verdad y lo que el juez quería o creía que fuese la verdad, sino que complicó a sus amigos, principalmente a Pablo. Cuando vio a Pablo, lejos de calmarse, comenzó a temblar y los temblores se contagiaron a su amigo. Los dos se sentían totalmente perdidos y se desmoronaron ante el nuevo interrogatorio del juez. Lloraban como chiquillos, suplicaban, prometían. El juez, hombre experimentado, jamás había presenciado una escena como aquélla y su severidad se convirtió en paternalismo. ¿Cómo habían llegado a esa situación? Sencillamente porque, tras el fracaso de la maleta, Apollinaire no encontró mejor medio para desembarazarse de las máscaras y las estatuillas que llevarlas a

Olga Koklova, mujer de bonita piel y algunos autores que la conocieron o la estudiaron a través de los retratos que de ella hizo Picasso, adivinan una «expresión de estúpida tozudez, de insatisfacción, del mal humor, resaltada por el mentón levantado».

Hay que observar que en los rostros, mil veces retratados por Pablo, de su mujer (Olga) **y de su hijo** (Paulo) **no existe la sonrisa.**

Paris-Journal, pidiendo que mantuviesen en secreto su procedencia. El periódico se anotó uno de sus mayores éxitos. Y, lógicamente, no guardaron el secreto, lo que dio lugar a la detención del poeta. Después del interrogatorio, Pablo fue puesto en libertad. No se le consideraba culpable, aunque quedaba a disposición del juez para declarar en el momento en que éste lo creyese oportuno. Peor fortuna tuvo Apollinaire, que pasó unos días en la Santé. Fue entonces cuando se movilizaron sus amigos y comenzaron a firmar en un pliego en el que se pedía la libertad de Guillaume. El juez, convencido de que ninguno de los dos era culpable, dictaminó el sobreseimiento de la causa. Sobreseimiento que les devolvió sólo relativamente la tranquilidad porque, durante algunos días, seguían con los mismos temores, huyendo de fantasmas, cambiando de taxis constantemente para despistar a sus perseguidores. Aquello parecía un juego de niños. Y a ellos se lo pareció también, meses después, cuando relataban lo sucedido con todo lujo de detalles. Era, sin duda, la mayor aventura que habían vivido jamás. Y la que no hubiesen deseado vivir. Supieron lo que era el miedo y, tal vez movidos por sus extraordinarias sensibilidades, lo exageraron hasta perder la dignidad. Las máscaras y las estatuillas volvieron al Louvre, y allí deben de seguir. Pablo, asiduo visitante del museo, las rehuía. Huía del recuerdo de aquella gran pesadilla. Los acontecimientos nos acercaron más y de nuevo vivimos una de las etapas más felices de nuestra vida. Las francachelas remitieron por algún tiempo y el número de visitantes era más reducido. Algunos no acudían por miedo a verse envueltos en el escándalo. Se portaron cobardemente. Otros no eran invitados. Quedaban los fieles, los que habían dado la cara por sus amigos. Pablo no perdonó nunca a los que habían dejado solo a su amigo y afianzó su amistad con André Salmon, André Tudesque y René Dalize, que fueron los máximos gestores para obtener la libertad del poeta. Sólo ellos, el propio Pablo, Max Jacob y Joseph Théry defendían a Apollinaire y no se apartaban de su lado.»

Mi situación económica había cambiado notablemente. Era necesario, comercialmente, trasladarme a otro domicilio en el que pudiese recibir a las personas, marchantes y compradores directos, que se interesaban por mi obra. Dejé con pena el Bateau-Lavoir, al que volvería como visitante, lleno de nostalgias, años después. Así nos trasladamos al número 11 del bulevar de Clichy, cercano a Pigalle. Alquilé un estudio grande, orientado al norte. Mi piso daba al mediodía y, abriendo las ventanas, veía los árboles de la avenida Frochot. Jamás había amueblado ninguno de mis estudios, ya que no daba importancia a ese tipo de decoración. Mi nuevo estudio permaneció magníficamente amueblado durante algún tiempo porque Van Dongen me dejó sus muebles hasta que él regresase de una larga temporada que pensaba pasar en Holanda. Después fui amueblando el estudio y abigarrándolo de muebles de gran valor. El traslado iba a marcar, paulatinamente, mi distanciamiento de Fernande. Su hipersensibilidad fue en aumento y dio lugar a escenas de celos que yo rehuía, a las que tenía miedo.

Continuábamos asistiendo a las tertulias del café de L'Ermitage, en donde los futuristas querían sorprender a la burguesía, tan proclive a dejarse impresionar, con sus curiosos atuendos, luciendo un calcetín de un color y otro de color diferente. Oppi era uno de los asiduos. Un joven muy simpático e inteligente, al que me había presentado Severini, una institución parisina. Fernande se hizo amiga de Marcelle Humbert, compañera de Marcoussis. Comencé a pintar un cuadro con las palabras Ma Jolie. Gertrude Stein, después de ver el cuadro, dijo: «Fernande no es, ciertamente, Ma Jolie. Me pregunto quién será...» Yo tardaría de descubrir aquel secreto. El nombre de una mujer que iba a cambiar, una vez más, mi vida. El nombre de la mujer de quien me sentí totalmente enamorado. Fernande se fugó con Ubaldo Oppi, quizá para darme celos. Unos días antes no hubiese soportado su ausencia y mucho menos su engaño. No sé si creyó que así me iba a reconquistar, pero fallaron sus cálculos. Quise terminar con aquella nueva situación rápidamente. Fernande lo escribiría tiempo después. No supo o no quiso ser mi compañera en las épocas de prosperidad. Guardo hacia ella un gran recuerdo. Y creo en su sinceridad cuando escribe: «En casa de Pablo he pasado los mejores años de mi vida. En esa época fui totalmente feliz. También dejé allí una parte de mi juventud y todas mis ilusiones.»

Había aparecido en mi vida la primera mujer a la que de verdad había amado: Eva.»

La bien amada

EVA

> En el fondo no hay más que el amor, sea el que fuere.
>
> PABLO PICASSO

Querido Pablo: Respondo, aunque con un poco de retraso, a tus dudas. Pero comprenderás que no era fácil la respuesta porque no siempre son coherentes tus palabras, definitorias, y tu comportamiento, casi nunca definitivo. Sé que cada vez que te acercaste a un ser humano y entraste en posesión de sus sentimientos, lo hiciste con una tremenda voluntad de «para siempre». Claro está que el «para siempre», como lo «definitivo», tiene un límite que se encargará de ponernos la propia existencia. No tienes que disculparte, porque ha sido largo tu caminar, demasiado intensa tu andadura. Tú mismo te preguntaste, dándote respuesta inmediata porque las contestaciones de los demás jamás han sido válidas para ti: «¿Qué es un pintor en el fondo?» No esperaste demasiado, porque siempre has tenido prisa aun dentro de tu enorme, de tu serena calma, no aguardaste a la respuesta ajena: «Pues un coleccionista que quiere formarse una colección ejecutando él mismo los cuadros que le gustan en otros. Es así, y luego se convierte en otra cosa.» Encontraste, querido Pablo, respuesta a tu conducta vital: un coleccionista que ha llevado siempre a su lado a las mujeres que le gustaron a otros. Caminando dentro de una gran ambigüedad que si te permitió una definición machista fue, ni más ni menos, porque fueron esas mujeres las que salieron a tu paso. Recuerda cuando reprochaste a Sabartès, ese viejo cascarrabias, celestino de tu vida y de tu obra, que se entrometiese en tu decisión de acercarte a una mujer. «Usted cuídese de sus asuntos, Sabartès. No entiende nada de nada. Carece de la suficiente inteligencia para darse cuenta de que esta muchacha está caminando sobre un alambre y, además, profundamente dormida. Usted no nos entiende a los sonámbulos. Y lo que tampoco comprende es el hecho de que me gusta esta muchacha. Y me gustaría igual si se tratara de un muchacho.»

Pero importa lo que no importa, mi querido amigo. Me has causado dolor con tus dudas, después de la afirmación rotunda de que «sólo el amor cuenta», me has hecho daño en tus sospechas de que no crees que nadie te haya amado a lo largo de tu larga vida. «Sospecho que me moriré sin que nadie me haya amado de verdad.» Sospechas el desamor. Sin embargo ¿has tenido intuición, te ha dado el pálpito cuando te amaban de verdad? «Deberíase arrancar los ojos a los pintores, igual que se hace con los jilgueros para que canten mejor.» ¿Debería, Pablo, arrancarse los ojos a los hombres, como se hace con los jilgueros, para que intuyesen mejor cuando se los ama? Como a los jilgueros, intentaste enjaular a las personas amadas. Sin ojos, para que conservasen la última visión antes de que se los arrancases, cruelmente, Pablo. Encerrados, para que respetasen esa obra que sería imposible, tú lo has dicho, en compañía: «Nada se puede hacer sin soledad y yo me he creado una soledad que nadie sospecha.» Sí, Pablo, «lo real se capta en el silencio». Has luchado contra ti mismo, en una batalla de titán. «Si se pudiera alcanzar una completa intensidad el primer día, el amor acabaría ese mismo día.» ¿Y cuántas veces, centenares, millares, intentaste alcanzar esa intensidad, aun a costa de destruir «el mismo día» todo lo que hubieras deseado para siempre? Sí, lo has dicho y hay que aceptarlo: «La aventura es mi razón de ser.» Perdona, Pablo, que arriesgue poco y que te dé respuesta con tus propias palabras que, de haberte parado a meditar sobre lo dicho, lo que definiste, no hubieses necesitado acudir a mí para resolver este problema. Tampoco en el terreno sentimental te has detenido mucho en la búsqueda. Simplemente caminas con esos terribles ojos bien abiertos y encuentras, encuentras, encuentras, encuentras. No he de pedirte explicación de las razones por las que quisiste que permaneciese a tu lado. Yo coincidí con tu época cubista. Si se te pedía explicación de esa nueva corriente, respondías: «Cuando inventamos el cubismo no teníamos la menor intención de inventar el cubismo. Simplemente, queríamos expresar lo que llevábamos dentro. Ninguno de nosotros tenía un proyecto o un plan.» Sería inútil pedirte una explicación lógica a tus uniones con tantas y tantas mujeres. «Soy, en el fondo, un curioso. Mi curiosidad es mayor que la de cualquier otra persona. Siento curiosidad por cualquier aspecto, momento o fenómeno de la vida. Siento curiosidad por cualquier sueño. Mi curiosidad traspasa las fronteras de la curiosidad.»

No te interesó nunca la música, quizá porque la intuías y no llegabas a comprenderla. Siempre has dejado de lado a las personas, a las cosas que no eras capaz de aprehender. Y, también lo has dicho, sólo te importa lo que te aporta algo: «Mis amigos y las personas a las que quiero son mi fuente de inspiración.»

Pasé por tu vida casi silenciosamente. Ni siquiera en tus cuadros has reflejado mi imagen, aunque sí mi nombre: Eva. Ma Jolie. Sí, he pasado por tu vida como un querido, como un amado fantasma. Todos tus amigos, de los que huiste como queriendo ocultar tu nuevo amor, «la primera vez que he estado enamorado», confesaste, querían descifrar mi incógnita. Alice Toklas escribió en su autobiografía: «Un día fuimos a verle. Había salido y Gertrude Stein, por hacer una gracia, dejó su tarjeta de visita. Pocos días después volvimos nuevamente y encontramos a Pablo entregado a su trabajo, pintando una tela en la cual había escrito "Mi bella" y en un ángulo había colocado la tarjeta de Gertrude Stein. Cuando salimos, Gertrude Stein me dijo: "Fernande no es, seguramente, 'Mi bella'." Me pregunto quién será.»

Me cambiaste inmediatamente mi nombre y Marcelle Humbert desapareció para ti, para tus amigos y para mí misma. Sabartès, que quería encontrar explicación a todos tus actos, dijo: «La llamó Eva a manera de cumplido, como si con ello quisiera demostrar que la consideraba como su primera mujer.» ¡Eva, como la primera mujer sobre la Tierra! ¡Eva, como la primera mujer de Pablo!

Cada momento importante de nuestra vida está enmarcado en una canción. ¿Te acuerdas de nuestra canción? «*O Manon, ma jolie; mon coeur te dit bonjour.*» Era la canción que nos acompañaba, cada día, en nuestras tertulias, en nuestros encuentros de L'Ermitage, o cuando, en el circo Medrano, charlábamos con los clowns, descubríamos al desternillante Grock, que nos sumía en un delirio de risas. Te interesaba el circo como todo lo que te rodeada. ¿O te rodeabas, inteligente o intuitivamente, de sólo aquello que te interesaba? «Violentamente interesado por todo cuanto hay a mi alrededor.»

Fernande, tu compañera de los años de bohemia, había simpatizado conmigo, sin siquiera imaginarse que tú te interesabas por la querida de otro pintor. Así, «la querida», la amante. ¡Pobre Louis Markous! Aquel polaco, con alma infantil, que aceptó de buen grado que Guillaume Apollinaire lo rebautizase como Marcoussis. ¿No intentabas, acaso, una sencilla aventura amorosa, como la buscabas con todas las mujeres que te rodeaban? Ni Fernande, ni siquiera yo, intuíamos que una larga vida amorosa estaba a punto de terminar y que otra breve, pero intensa aventura, comenzaría a partir de entonces. ¿Por qué esas simpatías hacia mi persona, Fernande? Gertrude, que tenía respuesta para todo, la dio inmediatamente: «Podía comprender las razones por las que Fernande sentía simpatías por Eva. La gran heroína de Fernande era Evelyn Rhaw, pequeña y negativa. Eva era una pequeña Evelyn Rhaw francesa, pequeña y perfecta.»

Crespelle, cuando conoció tu nueva aventura —¿tu nueva ventura?—, hizo notar las diferencias entre Fernande y yo: «Tras vivir tantos años con un Rubens, estaba dispuesto a apreciar los graciosos encantos de un Watteau.» Lo que no pudiste explicarte nunca era cómo había estado a tu lado un Rubens. Tal vez no estabas consciente de que un Rubens te acompañaba, porque «en Rubens no se narra nada. Es el periodismo, la película histórica».

«*O Manon, ma jolie; mon coeur te dit bonjour.*» ¡Sólo el amor cuenta! Sólo percibimos los encuentros y difícilmente sentimos nostalgia por los desencuentros. Tú mismo me hablaste de esa muchacha que pasó a tu lado en Saint-Germain, que te interesó en aquel instante, que te preocupó durante algunos días, sabiendo que no la volverías a ver más. Muchas veces nos construimos una vida fantástica poniendo en el juego imaginativo a los desencuentros. «¿Qué sería de mí sin habernos encontrado?» A mí también me ha gustado el juego de los imposibles, de imaginar, como si fuese realidad, lo que sucedería si esas dos personas que no vuelven a verse hubiesen coincidido, unido tal vez sus vidas. Jamás te han preocupado las frustraciones de algo que no has tenido en tus manos nunca. «Yo no busco, encuentro.» «Tal vez por eso yo haya dado tanta importancia a los encuentros. En mi vida y en mi comportamiento artístico. En la vida se habla mucho de la búsqueda, una de las obsesivas ideas de los pintores. Mi opinión es que en pintura, ¿por qué no en la vida?, la búsqueda carece de sentido. Lo que cuenta es "hallar", no "buscar". El artista es quien "halla". Cuando pinto intento representar lo que he "hallado", no lo que he "buscado" en los objetos. Se realiza una obra de arte cuando se "hace", no cuando se describe, en un cuadro, la intención de hacer. El responsable de cuanto he hecho y hago soy solamente yo.»

«Me di cuenta inmediatamente de que te ibas a convertir en el primer amor de mi vida.» Me bautizarías Eva, como la primera mujer sobre la Tierra. «¿No eres tú, Marcelle-Eva, la primera mujer a la que amo?» ¡Qué curioso que tú, que afirmaste que tu vida, que ha sido a menudo dramática, pero nunca trágica, haya alcanzado dimensiones de tragedia cuando yo desaparecí de tu entorno. Para ser más exacta: de la vida. ¿No fue acaso un final feliz? ¿Sería más feliz «Julieta» con «Romeo» si sus amores hubiesen desembocado en una solución burguesa, de novela rosa? No te di tiempo, perdóname mi querido Pablo, de rectificar tu afirmación: Eva es el primer amor de mi vida, la primera mujer a la que amo.

Escribiste mi nombre, Eva, Ma Jolie, una y otra vez en aquellos lienzos que nadie comprendía. Me los explicabas porque tu enorme soberbia no te hubiese permitido convivir con una mujer que no comprendiese tu pintura: «Pocos entienden que el cubismo no es diferente de cualquier otra escuela de pintura. Los mismos principios y los mismos elementos se hallan en cualquier experiencia artística. El hecho de que el cubismo haya tardado largo tiempo en ser aceptado y de que aún hoy haya quien lo rechace, no significa nada. Como no sé leer inglés, cada libro escrito en esa lengua es una página en blanco para mí. Sin embargo, no quiere eso decir que no exista la lengua inglesa.»

Fernande se enfrentó a mí abiertamente. Quería recuperarte después de su escapatoria con aquel muchacho... ¿Recuerdas? «No solamente no me importó, sino que significó un alivio. Me allanó el camino para acercarte a mí.»

No me fue fácil dejar a Marcoussis. Se lamentó, me suplicó, me amenazó. Y lo que me dio más miedo es que tomase venganza en ti, como me había prometido. ¡Cómo te reíste cuando llegó a tus manos su venganza! Un dibujo en el que te llenó de cadenas, mientras que él aparece libre, feliz, como el hombre que se ha liberado de un gran peso. ¡Ese gran peso era yo, naturalmente!

«No hay nada tan parecido a un perro de lanas como otro perro de lanas. Y eso puede aplicarse también a las mujeres. Para mí sólo hay dos clases de mujeres: las diosas y las que que son como felpudos.» Comenzaste tus amores, Pablo, acercándote a las mujeres como a las diosas. Y concluiste convirtiéndolas en felpudos. Por eso, Pablo, mi querido Pablo, no lamentes mi desaparición quizá demasiado prematura. Lo suficientemente pronto como para no convertirme en un capítulo más de tu vida que, como todos, lleva el nombre de una mujer. Es preferible, Pablo, la muerte al desamor. Es mejor morir sin haber dejado de amar y sin que te hayan dejado de querer.

¿También me incluías a mí, muchos años después de mi desaparición, cuando le decías a Françoise que «nadie tiene verdadera importancia, sobre todo en lo que a mí concierne. Las demás personas son como esas pequeñísimas partículas de polvo que flotan bajo la luz del sol. Solamente se necesita echar mano de una buena escoba para que desaparezcan». ¿Crees, después de estas afirmaciones, que en el fondo no hay más que el amor?

Caminas por tu vida sentimental como el animalillo que se siente acorralado, que piensa que todos lo persiguen, que no confía jamás en que puedan hacerle una caricia y que, por eso, no lo acarician jamás, aunque él lo esté deseando. ¿Piensas que has llegado al fin de tus días sin que nadie te haya amado de verdad, como era tu sospecha? ¿Te has dado de verdad? ¿Has procurado que te amasen auténticamente?

No todos los perros son de lanas, luego no todos los perros son iguales. Cuando nos unimos, sin una palabra de oposición por mi parte, tuviste que sacrificar a *Frika*, la perra que había compartido sus ocho años de vida contigo. Llevamos a Avignon un enorme perro alsaciano. ¿No tendría aquel viaje algo de huida? Nunca permitiste que se te hicieran reproches y tus amigos de siempre querían a Fernande, escuchaban a Fernande y te acusaban de ser, una vez más, tremendamente injusto con una mujer. Nada mejor que poner tierra por medio. Sólo deseabas estar junto a mí. ¡Sólo perseguías tu soledad para seguir trabajando! Decías que yo te había dado nuevos ánimos para seguir pintando. Y así decidiste que viajásemos de nuevo, esta vez hacia Sorgues-sur-Provenze, en donde alquilamos una casa absurda, incómoda, con forma exterior de vagón de ferrocarril. Braque vino a reunirse con nosotros. Él no te recordaría a Fernande ni te reprocharía tu comportamiento con ella porque también él estrenaba nueva felicidad. Le acompañaba Marcelle Lapré, su reciente esposa.

Te sentiste deprimido porque tus deseos eran los de casarte, como él había hecho. En realidad, Pablo, te hubieses casado con todas las mujeres que te acompañaron a lo largo de tu vida. Casi me reprochaste que, por mi culpa, no se pudiesen realizar tus deseos. Mi apellido real era Gouel y aún existía «un tal señor Humbert», del que no estaba separada legalmente y que, por tanto, impedía nuestro matrimonio. ¡Qué tremendamente español, qué fanáticamente convencional, qué rabiosamente burgués, querido Pablo!

Me hiciste una escena de celos por mi matrimonio, por mi unión a otro hombre... ocurrida cuando aún no nos habíamos conocido. Me propusiste aislarme de todos, que viviésemos únicamente el uno para el otro. ¿No fue eso lo que en realidad existe? Por tu parte, nada de renuncias. Y menos a tu trabajo, que siempre lo consideraste por encima de tus sentimientos. Pablo, mi querido Pablo, no tomes como reproche estas palabras. Sabes que fui incapaz de echarte en cara nunca nada. Ni siquiera que, cercana a la muerte, tus visitas fuesen constantes e intermitentes, porque estabas apasionadamente volcado en tu trabajo de entonces. Aquellos cuadros cubistas fueron nuestros únicos hijos. Hijos sin rostro. Hijos que tú tratabas de explicarme. Y que yo hacía esfuerzos por comprender. En realidad, trataba de entenderte a ti, Pablo. ¿Correspondes, Eva, al amor que siento por ti? ¡Siempre lleno de dudas! Sabías que ningún capricho te era negado, que casi ninguna mujer se hubiese opuesto a tus deseos. «¿Pero soy yo, precisamente yo, el que te atraje? ¿No es acaso mi nombre, mi leyenda, todo lo que he conseguido material y artísticamente?» Estuve a punto de abandonarte cuando escuché tus dudas. ¡Siempre tus dudas! No me dejaste marchar. «Comprende que eres mi única razón de ser, mi primer amor.» ¿No es el peor de los chantajes el que se hace con los sentimientos? Pero yo te quería, Pablo; puedes estar seguro de que te quería. Me habías atraído, desde que nos presentó Apollinaire, tu penetrante mirada. Tu mirada irresistible e indescriptible. ¡Siempre tus ojos! Tus ojos distrayéndonos de la vulgaridad de tus maneras.

«Mi pobre Eva ha muerto. Es un gran dolor. Siempre me trató con gran dulzura.» Esas palabras dirigidas a Gertrude Stein y poco más.

Sí: algo más. Desaparecí aquel invierno, víctima de una tuberculosis. Muy pocos amigos en mi despedida. Max Jacob. Y Juan Gris, que le comunica lo sucedido a Maurice Raynal: «Sieté u ocho amigos asistieron al entierro, que fue muy triste, con la salvedad, naturalmente, de las frases ingeniosas de Max, que sólo sirvieron para hacer resaltar el horror e indignar a Pablo.»

No puedo desvanecer tus dudas. Tal vez fue demasiado breve y demasiado intensa nuestra vida en común. Quizá alcanzamos la total intensidad del amor en pocos días, y por eso el amor, con la desaparición de uno de nosotros, terminó «ese mismo día».

Hasta tus dudas, Pablo, has querido convertirlas en convicciones. Si tú no les sabes dar respuesta, no seré yo quien te disuada de que no, de que no te morirás sin que nadie te haya amado de verdad. Siento haber fracasado doblemente. Privándote de mi vida, que aún te era muy querida. Y privándote, al mismo tiempo, de dar respuesta negativa a tus dudas, a tus tremendas dudas, Pablo, mi querido Pablo.

Eva.

Olga, la conquista de una sílfide

OLGA KOKLOVA

> No creo que haya una mujer que pueda ser feliz con mi hijo.
>
> MARÍA PICASSO LÓPEZ

Para Serge Lifar [1] «los ballets rusos de Diaghilev fueron, durante veinte años, el centro receptor y emisor de la vida del ballet en el mundo entero. La compañía de Diaghilev había de comprender y reflejar (sin utilizarlos siempre) todos los fenómenos de la vida contemporánea y, en particular, los que caracterizaban la época del arte de la danza».

De rusos tenían su origen y la nacionalidad de las primeras compañías. Pero, como ha sucedido siempre con bailarines y coreógrafos de aquel país, pronto se instalaron en Francia, con radio de acción hacia toda Europa e incluso América. Diaghilev deseaba crear un ballet europeo, aunque el nombre de «ruso» lo mantuviese hasta el año 1929.

A ese hombre genial se le debe la mayor aportación de la pintura al baile, su maridaje con él. Formó grandes figuras, como a Fokin, Nijinski, Massine, Lifar. Él pedía que sus bailarines fuesen «pura sangre». Y entre las bailarinas figuraba, sin pertenecer al grupo de las estrellas, aunque sí al de solistas, una muchachita rusa llamada Olga Koklova.

Olga era una mujer baja, un metro cincuenta y cinco. «Bella, apasionada e insistente», fue la definición que de ella hizo Penrose. Mujer de bonita piel, y algunos autores que la conocieron o la estudiaron a través de los retratos que de ella hizo Picasso, adivinan una «expresión de estúpida tozudez, de insatisfacción, de mal humor, resaltada por el mentón levantado». De cuerpo bello, estilizado e indudable atractivo, pese a que en el ballet había otras muchachas de mayor encanto y talento que Olga. «Ella exigía demasiado de mí», diría Picasso años más tarde cuando las relaciones se habían deteriorado. Pero ve en ella, como más tarde escribiría a Gertrude Stein, «una verdadera señorita». Cuando comenzaron a verse, el coreógrafo y director de la compañía lo advierte: «Ten cuidado. ¡Con una rusa hay que casarse!»

¡Una verdadera señorita! Hija de un coronel ruso de artillería, Olga

1. Serge Lifar, bailarín ruso que se afincó en París y estuvo muy ligado, también como coreógrafo, a la evolución del ballet francés. «El alma de la danza lo posee», dijo de él Paul Valéry. Falleció en 1986.

Koklova o Khoklova, nació en Niezin, Ucrania, el 17 de junio de 1891. Comenzó muy tarde el baile profesional e ingresó a los veintiún años en la compañía de Diaghilev, edad con la que no podía pensar en hacer una carrera brillante. Tiene un aire aristocrático, que ella cultiva. Lleva el pelo liso en bandós con raya en medio. Posee, como entonces se decía, «*charme* eslavo», y no es una chica fácil, como aquellas a las que estaba acostumbrado el joven y ya experimentado artista.

No les gustó a algunos de los amigos de Picasso. Alice Derain la define como una criada. «Era una mujer pequeña y vulgar, con la cara cubierta de pecas.» Sin embargo, la impresión distinguida que impacta a Pablo Picasso perdurará durante toda su vida. Ya separado de ella, la califica de «toda una señora».

Alguien dijo que Picasso odiaba a Jean Cocteau porque él le había presentado a su mujer futura, a Olga. El escritor y dibujante francés se defiende aclarando que cuando todos los amigos fueron a despedir al ballet ruso, que marchaba hacia Roma, al ponerse en marcha el tren, Picasso se subió y continuó viaje «porque ya tenía previsto desplazarse e incluso llevaba el billete en el bolsillo». Lo cierto es que Cocteau fue el responsable de la *liason* del español con el mundo del ballet y, en consecuencia, a ello fue debido que conociese a Olga y se enamorase de ella. Cocteau iba con frecuencia por el estudio del pintor y define y explica su presencia allí: «La admiración de Picasso se dirige mucho más hacia lo que le servirá que hacia la belleza realizada. Le debo el perder menos mi tiempo contemplando, con la boca abierta, lo que no me puede ser útil, y comprendiendo que una canción callejera, escuchada desde este rincón egoísta, vale tanto como *El crepúsculo de los dioses.*»

Cocteau ya había probado fortuna, con muy escasos éxitos por cierto, en el ballet con *Le dieu bleu* y había comprometido a Eric Satie a que compusiese la música de un ballet «que iba a dejar estupefacto al mundo». Así, en 1917 invitó a Picasso a hacer los figurines y el decorado y también a viajar con él a Roma, en donde se reunirían con Diaghilev. Pablo se resistió, como siempre que le proponían viajar a un lugar lejano y, al final, accedió a la proposición, y en el mes de febrero llegaron Cocteau y él a Roma. Allí se pusieron de acuerdo para trabajar en colaboración. El título del ballet era el de *Parade*, que sería como un homenaje al circo y al *music-hall.*

Picasso hizo amistad con Diaghilev y con otros dos rusos que llegarían a ser sus íntimos amigos: el bailarín Massine y el compositor Stravinski.

Cocteau dice que «hicimos *Parade* en una bodega de Roma donde la *troupe* ensayaba. Nosotros paseábamos al claro de luna con las bailarinas y visitamos Nápoles y Pompeya». Visitaron también Florencia y Milán, y Picasso regresó a Montrouge, en donde continuaría su trabajo con sus dos colaboradores. Satie quiso abandonar el proyecto porque no aceptaba las ideas de Cocteau y sin él continuó, y si *Parade* fue posible, se debió a su admiración por Picasso. Satie escribe a su amiga Valentine Gross: «¡Si supieras lo triste que estoy! *Parade* está mejorando, a pesar de Cocteau. ¡Picasso tiene ideas que me gustan más que las de nuestro Jean! ¡Y Cocteau no lo sabe! ¿Qué puedo hacer? Picasso habla de continuar el texto de Jean y de que él, Picasso, hará otro texto, el suyo, lo cual es sorprendente. ¡Prodigioso! Estoy volviéndome loco furioso. ¿Qué se puede hacer? ¡Conociendo las maravillosas ideas de Picasso se me rompe el corazón al tener que componer de acuerdo con las del bueno de

Jean, menos maravillosas! ¿Qué se puede hacer? Escríbeme y aconséjame. ¡Estoy loco!»

Finalmente sería el mismo Satie el que escribiese: «Ya está arreglado. Cocteau lo sabe todo, y él y Picasso han llegado a entenderse. ¡Qué suerte!»

Picasso, además de hacer su trabajo puntualmente, ya sale con Olga, que forma parte del cuerpo de baile que estrenaría *Parade* el 17 de mayo de 1917 en el teatro del Chatelet. Diría de la obra Serge Lifar que «era un cuadro de Picasso en movimiento». Pero no quiere comentarlo porque cree que «no es un ballet y sus auténticos coreautores son, mucho más que Massine, Picasso y Jean Cocteau, cuya influencia se hizo sentir cada día más en los ballets rusos».

Había expectación en la sala y nervios entre los creadores y actuantes. El telón presentaba una composición con estilo «indirectamente cubista». Parecía inspirado en los carteles de circo. Se reunían arlequines y gentes de circo. Un gran Pegaso blanco, sujeto por una cincha, estaba al lado de su potrillo que buscaba la teta. Una bailarina alada juega con un mono subido en una escalera. Varios objetos de circo en primer plano: un tambor, una pelota, un perro que duerme. Después de la tienda aparece un paisaje romántico de arcos ruinosos. Juega los colores rojos y verdes, como los de sus antiguos saltimbanquis. Lo que había detrás del telón resultaría más sorprendente todavía. Decorados y vestuarios eran deslumbrantes, muy especialmente el de Massine, que hacía de hechicero chino.

Durante la representación se escuchan algunas protestas, que arrecian cuando cae el telón por última vez. Gritaban «Sales boches», al tiempo que amenazaban a Diaghilev, a Picasso y a todos los que habían colaborado en aquella «tomadura de pelo». Fue Apollinaire quien los sacó del gran apuro. Todos lo respetaban, ya que además aparecía con un vendaje negro en su cabeza, consecuencia de las heridas de guerra y la gran cruz de guerra en el pecho. Exigió respeto y todos le obedecieron, sobre todo por patriotismo y teniendo en cuenta su prestigio como poeta.

Con *Parade* viajarían a diversas capitales europeas, y una de las señaladas en la *tournée* era Barcelona. Allí reciben a Picasso con entusiasmo, y en esa ocasión le presentan a Joan Miró, que era alumno de la Academia del Círculo de San Lucas y que asistía a todas las representaciones del ballet. Pablo se reencuentra con su familia después de cinco años de ausencia. Su padre había muerto y su madre vivía con Lola, su hija, casada con el doctor Juan Vilató Gómez. Instaló a Olga en la pensión Ranzini, del paseo de Colón, cercana a la casa de Picasso y al Liceo, en donde actuaba la compañía. Que allí también representaría *Las Meninas*. Olga era una de las intérpretes de ese ballet.

Desde la ventana de la pensión de Olga, Pablo pintó un paisaje en el que aparece el monumento a Colón. Repetiría muchas veces ese paisaje, y en uno de sus cuadros, que sirve de reclamo para el museo Picasso de Barcelona, aparece la bandera española, roja y gualda, destacando por sus colores. Hace otras pinturas, como la *Muchacha con mantilla*, en estilo puntillista. Curiosamente, esas pinturas hechas durante su estancia en Barcelona son las más acabadas. Todas quedan en casa de la madre y la familia Vilató Ruiz, sin hacer uso de ellas, pese a las necesidades económicas por las que atraviesan, las conservarían en diversos rincones, incluso debajo de las camas. La mayor parte de esa obra ha quedado en propiedad, por donación de Picasso y aportaciones de Jaume Sabartès, en el museo barcelonés.

Quien desee conocer a Olga ha de enfrentarse con esa muchacha ataviada con mantilla que fue el regalo que Pablo hizo a su madre.

Desde allí, pidiendo ayuda a Jean Cocteau, pudo resolver el problema que en aquellos años representaba el que Olga tuviese un pasaporte expedido en la Rusia imperial, que lógicamente había quedado sin validez. Ya estaba la muchacha en libertad de dirigirse a donde más le conviniese. La compañía iba a Sudamérica y Pablo a París. Así es que los dos salieron desde la estación de Francia con destino a la capital francesa.

Ya en París, Olga se instala en la villa suburbana de Montrouge, junto con una sirvienta, perros, pájaros enjaulados y todos los objetos que llevaba consigo Picasso en su éxodo de domicilios. Era el otoño de 1917. Y el 12 de julio de 1918 se celebró el matrimonio. Asistieron únicamente los amigos. El primer paso fue firmar el acta matrimonial en la alcaldía del distrito séptimo, para pasar a la ceremonia ortodoxa rusa. Como testigos, Apollinaire, de cuya boda Picasso había sido también testigo y Max Jacob y Jean Cocteau.

Con el cambio de estado, Picasso mudó también de domicilio. Se instalaron cerca de la galería Faubourg Saint-Honoré, propiedad de Paul Guillaume, en donde Matisse y Picasso habían inaugurado una exposición colectiva. Paul Rosenberg les encontró un apartamento de dos pisos. No rompe Picasso con sus viejos amigos, pero, como uno de ellos escribe, «ahora frecuenta les *beaux quartiers*». Olga fue la encargada de la decoración. El estudio daba a la calle y el comedor al jardín. Olga se encargaría de que el mobiliario fuese adecuado para recibir dignamente a las numerosas visitas. Olga era distinta a las demás mujeres con las que había estado Picasso. Posesiva, celosa, comenzaba a crear algunas dificultades a su enamorado marido, que, ante y sobre todo, amaba la libertad.

Crespelle diría de ella: «Al cabo de cierto tiempo, a Olga solamente le quedaba una finalidad en la vida: hacer la existencia insoportable a su marido. Incluso abandonó sus actividades sociales con el fin de entregarse por entero a tan estimulante tarea. Hay quien pone en duda, como O'Brian, que Olga admirase a su marido ni tan siquiera a su obra. Dicen que lo que le gustaba era presumir, sobre todo ante sus compañeros de baile, de su desahogada posición social, de estar casada con un artista que comenzaba a destacarse del grupo de importantes y cuyo genio ya era reconocido a todos los niveles.»

Según Françoise Gilot, Picasso opinaba que Olga no era una mujer a la que le gustase «postrarse ante el altar del arte porque no tenía la menor idea de pintura ni de nada que se relacionase con ella». Él también reconoció parte de su culpa, puesto que pensó que le sería permitido continuar con su vida bohemia.

En definitiva, la que presagió el fracaso del matrimonio, culpando de antemano a su propio hijo, fue doña María Picasso cuando, en Barcelona, le dijo a Olga: «¡Pobre muchacha! No sabes bien en dónde te vas a meter. Si yo fuese tu amiga te diría que no lo hicieses bajo ningún concepto. No creo que haya una mujer que pueda ser feliz con mi hijo. Es capaz de darse a sí mismo, pero no a otra persona.»

Pero Picasso estrenaba una vida nueva, que en definitiva le complacía: la alta sociedad. Abundaban los vestidos de Chanel, y Olga y él eran elementos imprescindibles en todas las reuniones y calabriadas. La gama de amistades llegaba desde los orientales a los sudamericanos, todos caballeros enriquecidos y damas elegantes. Y este ambiente se hizo notar mucho más cuando se trasladaron a Inglaterra, en donde se rendía pleitesía a los grandes artistas. Picasso tenía que dar explicaciones de su obra, mientras que Olga atraía la atención de los comensales, hablándoles de sus ilustres antepasados, de la vida en la «santa Rusia» y, sobre todo, de sus inexistentes triunfos como bailarina, lamentando que su carrera se viese truncada y reconociendo que no era posible desarrollarla cuando tenía que ocuparse de su marido. Rehuía las conversaciones referentes a la pintura de Picasso, entre otras cosas porque no era conocedora, ni había querido ser estudiosa de la producción picassiana.

El ballet ruso llegó a Londres en setiembre de 1918 y Picasso seguía siendo su principal colaborador. Allí, en el teatro Alhambra, estrenaron algunas obras, no sin antes representar de nuevo *Parade*. Fue un acontecimiento artístico y social el estreno de *El sombrero de tres picos*, de Manuel de Falla, para el que Picasso hizo figurines y decorados.

Ya en la capital inglesa se le pidió que se estableciese definitivamente allí. Pablo siempre había deseado conocer Londres, cuando era muchacho. Creía que allí podría desarrollar mejor que en España y que en Francia su carrera de artista. Pero tuvo que esperar y llegó, ya famoso y casado con Olga, con la que se instaló en el lujoso hotel Savoy.

Disfrutaban ambos del éxito de *El sombrero de tres picos*, y la Karsavina, que hace de molinera y es primera figura junto a Massine, afirma que su traje «era una verdadera obra maestra de seda rosa y encaje negro, concebido de la forma más sencilla. Es un símbolo más bien que una reproducción etnográfica».

Continuaba la vorágine social del matrimonio. Olga se presentaba con modelos especialmente diseñados para ella y Pablo de rigurosa etiqueta, con trajes que habían salido de los talleres de los sastres más caros de la ciudad.

Se celebró una recepción en honor de Picasso y de Derain, que también había diseñado vestuario y escenarios para el ballet ruso. La fiesta la ofreció Maynard Keynes. Acudieron importantes personajes, entre otros Ansermet, director de orquesta. De mi amistad con este músico y filósofo suizo, que me fue presentado por su discípulo y protegido Ataúlfo Argenta, he recogido datos valiosísimos para dos biografías importantes: una, la de Stravinski, y otra, la de Picasso. Ansermet era un ser excepcional, de una cultura fuera de lo corriente y uno de los últimos humanistas europeos. Sirvan estas líneas de recuerdo y homenaje a un gran amigo, a un hombre genial al que se debe la aparición de grandes músicos y el haber catapultado a la fama a discípulos importantes, como el ya citado Ataúlfo Argenta. Ansermet fue dibujado en Barcelona por su amigo Picasso. Asistieron a la fiesta varios componentes del ballet ruso y entre otras mujeres Lidia Lopekova, bailarina y amiga íntima de Olga, que se acabaría casando con el anfitrión, Keynes.

Picasso correspondía a estas invitaciones abriéndoles a todos aquellos amigos las puertas de su casa de la rue La Boetie. Allí retrató a sus invitados, sentados en una fila de sillas. En el retrato aparecen Derain, Cocteau y Satie. En la reproducción del dibujo, el lugar que debía ocupar Derain es ocupado por Olga.

Continúa Picasso haciendo decorados y figurines para nuevos ballets, y cuando realiza el de *Cuadro flamenco*, Juan Gris se queja amargamente «porque me había sido encargado a mí y se me adelantó Picasso». Así, según Gertrude Stein, se enfrió la amistad entre los dos pintores que todavía no se habían reconciliado cuando surge la temprana muerte del pintor madrileño, en 1927.

Había terminado la guerra con victoria de los aliados. Pero la alegría no fue suficiente para paliar el dolor por la grave enfermedad de Guillaume Apollinaire, que contrajo la llamada «gripe española». Picasso tenía terror por las enfermedades y su posible contagio. Pero era más grande la fuerza de su amistad con el poeta que el miedo, y, así, decide acompañarlo junto a la cama durante toda la tarde del 9 de noviembre de 1918. Olga también estaba a su lado. Muere Apollinaire y Picasso hace su autorretrato delante de un espejo. «Si no hubiera espejos, no sabría mi edad.»

El nacimiento de su primer hijo es una auténtica fiesta. Paulo nace el 4 de febrero de 1921. El matrimonio con el niño se traslada a una gran villa, en Fontainebleau, en donde pinta varias escenas de maternidad, a su mujer dando de mamar al niño. No se encuentra demasiado satisfecho haciendo el papel de padrazo y bromea con los amigos que acuden a visitarlo diciéndoles que está a punto de pedir un farol de las calles de París y un urinario para dar mayor respetabilidad al césped.

Continúa trabajando y ofrece una doble versión de *Los tres músicos* y de *Tres mujeres en la fuente*, paisajes, bodegones, rincones y la puerta de su nueva villa y retratos de su mujer y de Paulo.

Aunque el gusto «novedoso» por la vida social decae en él, sigue aceptando invitaciones, como la del baile que ofrecía el conde Étienne de Beaumont, en el que Pablo aparece disfrazado de torero. En realidad se pone un traje de luces con el que había soñado toda su vida. Solamente en otra ocasión, que tuve la suerte de presenciar, volvió a vestirse la chaquetilla y la taleguilla; pero eso ocurriría muchos años después y dentro de La Californie, de cuyo acontecimiento hice valiosos documentos gráficos que aparecen en uno de mis libros biográficos del pintor.[2]

El hecho de que sus juergas con nocturnidad se prolongasen hasta el amanecer, no le impide seguir trabajando al ritmo habitual. Sigue el dictado de Breton, que había afirmado que «la belleza debe ser convulsiva» o de lo contrario «deja de ser belleza», y así vuelve a una dinámica manera de pintar. Sigue colaborando con los ballets rusos y pinta su célebre cuadro *Tres bailarinas.*

Olga le hace la vida incómoda a su marido y le coloca en situaciones límites. Una de ellas es cuando Gertrude Stein invitó al matrimonio para leerles su *Autobiografía de Alice B. Toclas.* La escritora contaría después: «Yo leía y Pablo escuchaba con los ojos muy abiertos, y entonces su esposa Olga Picasso se levantó y dijo que no quería escuchar más y que se iba. "Qué te pasa?", preguntamos. "No conozco a esta mujer", fue su respuesta mientras se iba. Pablo me pidió que siguiese leyendo. No le

2. *Picasso íntimo,* de editorial Dagur, 1971. En el capítulo de las ilustraciones gráficas, titulado «¡Torero!», le ayuda a vestirse Luis Miguel. También Jacqueline se pondría ese traje de luces.

Aquella muchacha suiza —Marie-Thérèse Walter— **que Pablo conoció cuando tenía ella diecisiete años, la musa rubia, de grandes melenas, rolliza, atlética, la mujer sin más ambiciones que la de consumir su vida al lado del gran Picasso, le lleva un estilo nuevo, lo sitúa en un rubenianismo espléndido.**

Posiblemente la inclinación de Jacqueline a favor de Maya era debido a que no perturbaba la paz de su padre, con visitas y peticiones económicas o de otro tipo, con lo cual Jacqueline tenía un flanco menos que vigilar en su guardia cuidadosa de Pablo Picasso.

«Sabartès es la mujer más celosa de Picasso», había dicho el propio Pablo, riéndose de su fiel escudero al que, según su capricho, despedía o volvía a llamar.

hice caso: "Tu deber es ir al lado de tu mujer", le dije. "¡Oh, sí!", exclamó él. Yo le repliqué con otro: "¡Oh, sí!" Y no volvimos a vernos en dos años.»

Apareció en la vida de Picasso Marie-Thérèse, y con ella, conducidos por Marcel Boudin, se fue en su querido Hispano-Suiza a Barcelona. Transcurría 1931 y ya se había proclamado la República. La estancia en Cataluña le devolvió a sus amigos, a su familia, asistió a numerosas corridas de toros y pasó unos días en Sitges, que se había convertido ya en una especie de ciudad cultural de Cataluña, merced al esfuerzo de Miguel Utrillo, Casas y otros escritores y artistas que viven en la capital catalana. Fue descubierto por los periodistas. Se negó a hacer declaraciones, afirmando que únicamente había venido a ver a su madre, a su hermana, su cuñado y sus sobrinos. Las únicas entrevistas que se conservan son debidas a Miguel Utrillo.

Su tiempo con Olga iba a tener las limitaciones «lógicas» que las cuestiones amorosas, sobre todo, encierran para Picasso. Él no podía continuar aburguesándose, aunque ello tuviese sus ventajas. Refiriéndose a la casa a la que se trasladaron una vez casados, Salmon escribe: «En su piso se sentía libre, contento. No admitía otros amigos que los que habían estado o fuesen dignos de haber estado, en la calle Ravignan. Se camina sobre la más suave de las alfombras, una alfombra de colillas. A los criados se les prohibía subir al estudio a hacer la limpieza. Incluso Olga no subió jamás al piso de Pablo, era él quien bajaba al de Olga.»

En el piso en el que reinaba ella, todo era orden y limpieza. Solamente los cuadros cubistas rompían el ambiente burgués que allí se masticaba. Olga es autoritaria, demuestra mal genio en más de una ocasión, vigila a su marido, para que no convierta en un Rastro el apartamento, como sucede con el que él ocupa. Si Picasso invade el piso de su mujer es solamente para hacer un auténtico retrato del ambiente que allí se respiraba. La pinta vestida de noche y con ella Jean Cocteau, Eric Satie y el crítico inglés Clive Bell. El dibujo está fechado el 21 de noviembre de 1919.

Ya se le conocen nuevas aventuras amorosas a Picasso, pero ha cambiado su campo de «caza». Ahora el coto, que antes le parecía vedado para un bohemio, es el de «las mujeres mundanas que a mí me parecen mujeres del más allá», como confesaría a Douglas Cooper. Su matrimonio está prácticamente fracasado, aunque procure prolongar la convivencia y la vida en común con Olga. A la que le encantaban las veladas sociales, que a Pablo le habían vuelto a aburrir terriblemente. Sus gustos eran no sólo irreconciliables, sino que no se podían compatibilizar. Sólo el hijo, Paulo, los une. El niño le sirve de modelo y sería inmortalizado vestido de arlequín, con un traje de rombos amarillos y azules, con gorguera de tul, recostado en un sillón. Lo disfraza de torero y al fondo hay unos arcos que recuerdan una plaza de toros. Viste a Paulo de pierrot. Ha desaparecido su tristeza del *Arlequín* y ahora su gesto es retador, altivo. Hay la inocencia infantil en *El niño con paloma*. Es conveniente observar que en los rostros, mil veces retratados por Pablo, de su mujer y su hijo no existe la sonrisa.

Pablo continúa viviendo con Olga, pero únicamente merced el hijo de ambos. Pasa el verano con ellos en Jean-les-Pins y al regresar a París compra el castillo de Boisgeloup, cerca de Gisors, en donde encuentra espacio suficiente para volver a la práctica de la escultura.

Contrasta la prosperidad económica y el renombre de Picasso con las situaciones apuradas por las que atraviesa su madre en Barcelona. Hasta el punto que vende a Miguel Calvet, por la suma de mil quinientas pesetas, cuatrocientos dibujos de juventud de Pablo. El tal Calvet los vende a la galería parisina de Zak en ciento setenta mil francos. Picasso denuncia a Calvet, va con la policía a visitar a los marchantes y escribe prohibiendo a su madre y a su familia que se desprendan de ninguna obra suya de juventud. En 1943 Calvet es condenado, pero los dibujos de Picasso no aparecieron jamás.

No se puede precisar si la ruptura con Olga llega en los últimos meses de 1934 o en enero de 1935. Pablo le habla a ella de divorcio. Le resultaba muy difícil porque el divorcio era reciente en España y él conservaba su nacionalidad española. Los jueces franceses debían estudiar la legislación de nuestro país y ése resultaba un proceso demasiado lento. Olga era la primera en oponerse al divorcio. Por otra parte, esta separación legal le hubiese supuesto una verdadera fortuna a Pablo, porque en caso de separación y, por ende, de ruptura de la *communauté légale*, los gananciales, los bienes adquiridos durante el matrimonio pertenecen a los dos cónyuges. Y en diecisiete años la cotización de Picasso había aumentado considerablemente y su obra valía verdaderas fortunas. Así, los abogados de Olga obligan a que se precinte el estudio de Picasso hasta que se produzca un fallo. Así querían evitar que desapareciesen las obras que allí se almacenaban. Se creó una situación muy tensa, hasta que Olga, por iniciativa propia, abandonó a Picasso en julio de 1935. Pero lo que no abandonaría jamás sería su lucha contra él.

Olga consiguió una importante pensión alimentaria, la custodia de su hijo Paulo y la propiedad de la casa de Boisgeloup, que nunca le había gustado. El piso de la calle Boetie, con sus cuadros, correspondió a Picasso.

En el fragor de esa batalla se produce el nacimiento de Maya, hija de él y de Marie-Thérèse, que de algún modo resarce a Pablo de lo que había sufrido en la batalla legalista, jurídica y personal mantenida con su esposa.

Olga se sumió en una rara locura que consistía en perseguir a su marido y a sus acompañantes femeninas. Lo espera a la puerta de la galería en la que exponía Dora Maar, que desde hacía muchos años había dejado de ser la amante de Pablo. Olga, con cabellos rojos y una manera de andar muy peculiar, sigue a Pablo cuando sale de la galería, dándole el brazo a Françoise. La mujer se tranquiliza al comprobar que no se trata de Dora.

Seguía a su marido por toda Francia. Se enteraba de los viajes que él iba a realizar y ella aparecía en los lugares más insólitos. Ya sabía que Françoise era la nueva amante y comenzó a odiarla. Se sentaba en la playa muy cerca de su marido, al que frecuentemente acompañaba Paulo, hijo de ambos. Olga le hablaba a Pablo, que le volvía la espalda y que un día se vio obligado a abofetearla. Entonces cambiaba de táctica y era a Paulo al que se dirigía: «Paulo, ya ves que estoy aquí y que deseo hablar con tu padre. Tengo algo muy importante que decirle. ¿Cómo dice que no me ha visto si llevo aquí varias horas? Levántate y dile que estoy aquí.» Paulo no le hacía caso y entonces ella se acercaba más a Pablo: «Tengo que hablarte acerca de tu hijo.»

Cuando Pablo le dio una bofetada y ella comenzó a gritar, tuvo que amenazarla con llamar a la policía.

No solamente continuaba con su persecución, sino que le escribía cartas diariamente. «Ya no eres el mismo de antes. Tu hijo tampoco ha hecho grandes progresos y va de mal en peor, igual que tú.»

Acusaba a Françoise de haberle robado a su marido. Cuando iba a abrir la puerta de su domicilio, Olga chillaba: «Ésta es mi casa. Mi marido vive aquí.»

En la playa pisaba las manos de Françoise, extendidas en la arena. Hasta que se cansó de aquellas agresiones y cogió a Olga por una pierna, le retorció el pie violentamente y la hizo caer sobre la arena. A partir de entonces no volvió a molestarla.

En diciembre de 1954 Paulo es hospitalizado de urgencia. Fue operado de hernia por el cirujano Blondin; tras la intervención sufrió una embolia pulmonar que le tuvo varios días entre la vida y la muerte. El médico envió un telegrama a Picasso comunicándole el estado de su hijo, pese a lo cual no se movió de su residencia mediterránea. Llegó el mes de enero de 1955 y Paulo continuaba hospitalizado. Su madre, Olga, también estaba hospitalizada, ya que, además de estar paralizada de medio cuerpo, padecía un cáncer. Picasso decidió enterrarla en Vallauris; asistió al entierro y siempre llevaría la alianza de viudo en su mano.

Pablo había recuperado su libertad, que tan insistentemente reclamó por vía judicial. De haberle concedido Olga el divorcio, era seguro que hubiese contraído matrimonio con Marie-Thérèse. Cuando llegó su libertad, las relaciones con Françoise Gilot estaban demasiado deterioradas como para pensar en matrimonio, cosa que Pablo le había prometido en más de una ocasión.

La alianza, en uno de sus dedos, era lo único que quedaba de Olga. Si acaso el recuerdo de unos tiempos felices gracias a su aventura teatral en los ballets rusos. Pero él no podía mirar atrás porque era un hombre que vivía para el porvenir, al que ya no le interesaba la obra que acababa de concluir, porque ya la consideraba con vida propia o superada, pero de todos modos ajena a él. Lo que era realmente lo suyo era el lienzo que tenía ante su mirada e iba manchando con sus pinceles. Ni siquiera le importaba ya la mujer que estuviese a su lado porque ya latían en él los proyectos de nuevos amores. Se enamoraba sinceramente: «Cada vez que me fijo en una mujer y la deseo, ten por seguro que me he enamorado de ella», le escuché decir en varias ocasiones.

La predisposición al amor la llevaba siempre dentro. Únicamente le faltaba poder materializarlo. Y las ocasiones se le presentaron y él no las desperdició jamás.

Primer acto: Marie-Thérèse a escena

MARIE-THÉRÈSE WALTER

En el amor, como en la pintura, se puede probar todo, se tiene derecho a todo. A condición de no volver a lo mismo.

PABLO PICASSO

Escribe su amor en los cuadros. Nunca hizo otra cosa.

KAHNWEILER

Antibes. 1977. Un cuerpo de mujer, ya sin vida, se balancea en el garaje de su casa de Jean-les-Pins. Difícilmente se reconocería en el cadáver de Marie-Thérèse Walter, de sesenta y ocho años de edad, a aquella mujer de curvas voluptuosas que enamoró a Pablo Picasso y que se vio reflejada en una buena parte de su obra. Era, sin embargo, *La musa*, que, según confesión del pintor, llegaba a su vida en los momentos más difíciles. Pero, como él dice, «lo esencial, en estos tiempos de miseria moral, es crear entusiasmo. ¿Cuántas personas han leído a Homero? Sin embargo, todo el mundo habla de él, y se ha creado así la superstición homérica. Una superstición que en un sentido provoca una preciosa excitación. Lo que más necesitamos nosotros y los jóvenes es entusiasmo».

Conocí a varias «mujeres de Picasso» personalmente. A Marie-Thérèse Walter me la presentaron coincidiendo con el ochenta aniversario del artista. El trato de ambos no era asiduo, se espaciaba en períodos de meses o de años, pero él se preocupaba de la subsistencia de ella, como solía hacer con las demás mujeres que fueron importantes en su vida, incluso en la de sus más íntimos amigos y, ¿por qué no?, aquellas que compartió con esos amigos. Si hablé con ella fueron pocas palabras porque en aquellos días estábamos tan ocupados en las celebraciones picassianas que todo lo que no fuese él nos parecía accesorio. Creo que me dio su dirección porque, evidentemente, tenía interés en hablar con una mujer a la que yo había conocido realmente a través de su hija Maya. Por otra parte, de todos los hijos de Picasso, «el que menos molesta, no quiere estorbar y por eso viene de tarde en tarde por aquí. Su comportamiento es ejemplar», me había dicho Jacqueline. Posiblemente la inclinación a favor de Maya era debido a que no perturbaba la paz de su padre, con visitas y peticiones económicas o de otro tipo, con lo cual Jacqueline tenía un flanco menos que vigilar en su guarda cuidadosa de Pablo Picasso. Que también elogiaba a esta chica, «que por lo menos es discreta, cosa que es virtud que no suele adornar a las mujeres».

Supe cosas, pues, de Marie-Thérèse en la calle del Príncipe de Madrid, en donde se habían puesto de moda Las cuevas de Sésamo.

Coincidían estas «catacumbas artísticas y literarias» con el auge del existencialismo, filosófico y de signos externos, en París.

Nuestra musa no era Juliette Greco, sino una gitana amplísima, exuberante, sobrina de Joselito y Rafael el Gallo, familia de Ignacio Sánchez Mejías, el de «las cinco en punto de la tarde» y emparentada con Manolo Caracol y la más ilustre gitanería andante. Recitaba poemas taurinos haciendo una verdadera interpretación. Aún no se dedicaba profesionalmente, como lo haría más tarde, a dar recitales, y sus versos quedaban escritos en la bóveda de nuestras cuevas o se los llevaba el viento delante de las estatuas a las que hacíamos homenajes casi todas las noches, al salir de aquel cubículo en el que nos reuníamos sin necesidad de cita. No teníamos consejero áulico, nos faltaba el Sartre de turno, pero exponía sus pensamientos Cabezali, ateneísta y futuro catedrático, que perdió la razón de tanta lectura y pensamiento y que, tengo para mí, se arrojó de una ventana o ingirió veneno en la imperial Toledo, a donde había sido destinado como catedrático de instituto. Más que doctrina impartía versos Jose Antonio Novais, con el que a las del alba, hartos de líquidos espirituosos, cantábamos canciones varias, como el *Cara al sol,* que él y yo entonamos, una noche de lluvia, debajo del quicio del teatro Español, vecino a nuestra sede de la calle del Príncipe. Llegó un municipal y nos multó «por gamberros». ¡Gamberros enseñándole una canción patriótica a un periodista portugués que no la conocía! De nada valieron nuestras protestas, y a nuestra dirección, el Ateneo de Madrid, iba llegando la comunicación de la multa, mes por mes y notablemente incrementada. El poeta Sancho nos recitaba un poema a cambio de una peseta, no admitía mayor donativo. Con una peseta de cada uno de nosotros le bastaba para emborracharse e «ir tirando». Perico Beltrán, bohemio en donde los haya, abandonaba su seguimiento de Antonio Bienvenida o de Julio Aparicio para lucirse dando pases de pecho, toreando de salón ante sus asombrados amigos. Jesús y José Rey Alvite, los hermanos Ana María y José Luis Goñi, todos periodistas venidos de Santiago de Compostela para hacer los cursos profesionales, aparecían de vez en tarde. No así Raimundo Domínguez, Borobó, también procedente de La noche de Santiago y especialista, entre otras muchas materias y personajes, en la Bella Otero, su universal paisana gallega. Acudía «la mami», Mercedes Queipo de Llano, que con sus dineros satisfacía sus frustraciones de actriz, cosa que en sus tiempos juveniles estaba vedada a damas de alto copete. Yusi Martínez Campos era la «musa», sólo que por lo juvenil, de todo el grupo, entre los que se encontraban algunos pintores jóvenes, como Antonio Saura. Margarita Mas ya destacaba como actriz, y Arias Franc se nos presentaba como pintor revolucionario. Un día explicaba cómo había irrumpido, en el teatro María Guerrero, en plena conferencia de Salvador Dalí. Avanzó hacia el escenario, con una paloma, que dijo se trataba de la de Picasso, sobre su hombro y un bastón muy daliniano, que blandía mientras protestaba y se hacía notar entre aquel abigarrado público.

Creo que fue otro de aquellos locos sublimes, José Luis Monter, el que señaló a una muchachita tímida, quizá por no conocer suficientemente el castellano, que escuchaba todo:

—He ahí a la hija de Picasso.

En principio nos lo tomamos a beneficio de inventario. Pero, efectivamente, se trataba de Maia, Maya, nombre con el que había sustituido al suyo de pila, Concepción, la hija del pintor y de Marie-Thérèse. Su padre le había querido poner el nombre de su hermana muerta en La Coruña.

Maya frecuentaba cada noche nuestra tertulia y circulaba por todos los cenáculos literarios y artísticos, gozando de la amistad y del respeto de los artistas, mayormente de la «progresía». No quería hablar de sus padres para la prensa, pero a título particular nos relataba muchas cosas de ellos. Sobre todo de su madre, porque ella veía con escasa frecuencia a Picasso. Quizá por esa razón no se deterioraron las relaciones, como ocurría con sus otros hijos.

Conoció Picasso a Marie-Thérèse por casualidad, se fijó en sus exuberantes formas, y así comenzó a satisfacer un deseo en el que nunca sus sentimientos amorosos estuvieron bien definidos y, al mismo tiempo, entraba de lleno en un laberinto del que difícilmente sabría salir. Picasso, comediógrafo, se dio cuenta de que se le habían rebelado los personajes y él no tenía soluciones pirandelianas como autor de todo lo que allí estaba ocurriendo. Por una parte, Olga, su mujer legítima, que se niega a concederle el divorcio. Dora Maar es un gran amor, que alterna con aventuras, venturas y desventuras, pero no está dispuesto a perderla. Lo mismo le sucede con su reciente adquisición, la discreta Marie-Thérèse, que hasta su muerte no está dispuesta a darle más quebraderos de cabeza que los que él se crea con esa complicada situación. Practica pues, dado que con Olga no mantenía ya ninguna relación sentimental, el clásico «triángulo», pero sin hacer coincidir jamás a los dos objetos ocultos de su amor, discretamente guardados pero públicos, como lo era todo lo que se relacionaba con él. Debe pensar, como el poeta, que no hay mayor soledad que la de dos en compañía y no digamos nada de la soledad de tres. Es por lo que pide a su amigo Sabartès que se vaya a vivir a su casa para hacerle compañía. «Sabartès es la mujer más celosa de Picasso», había dicho el propio Pablo, riéndose de su fiel escudero, al que, según su capricho, despedía o volvía a llamar. Lo reclamaba cuando aparecía, después de un viaje a América, con una bella y nueva esposa, a la que Picasso no hacía ascos, sino que le prodigaba sus atenciones. Y el bueno de Sabartès estaba conforme, aunque siempre refunfuñando, con lo que hiciese Picasso.

Marie-Thérèse presentaba el saludable aspecto nórdico y podía ser su gran coartada para evadirse del mundo social, falso cuando menos para Pablo, en el que le había introducido la rusa Olga. Marie-Thérèse significaba para él la recuperación de la libertad, que tanto ansiaba y que con tanta facilidad perdía. Porque para Pablo el estado ideal era el matrimonio y no sabemos si, de haber podido casarse con otra mujer, de haberle concedido el divorcio Olga, permanecería con ella más tiempo del que le duraban sus amantes. No olvidemos que el mismo día de su muerte, tendió su mano hacia Jacqueline y le dijo al médico, soltero recalcitrante: «Se equivoca usted no casándose. Créame que como mejor está un hombre es casado.»

Un día la modelo Marie-Thérèse le da la noticia de que está embarazada. Pablo llora, le besa las manos y el vientre, pero en realidad ni podía ocultar su desesperación por la manera en que se habían complicado las cosas. En nada puede ayudarle ella, que ni siquiera lo aconseja. Permanece impasible, víctima de una especie de pereza mental que la ha acompañado siempre. Es Pablo el que ha de tomar todas sus decisiones sin nadie que le ayude. Recurre a su abogado, Henri-Robert, al que pide que acelere todo el trámite de su divorcio con Olga. Para ello era preciso valorar los bienes de un matrimonio hecho en régimen de comunidad. Cuando el tasador llega a casa, Olga se desmaya y hay que suspender todos los trámites. Olga, no obstante, abandona su hogar y se instala, con su hijo Paulo, en el hotel Californie, de la calle Berri. Mientras tanto, Marie-Thérèse vivía con su madre en Maisons-Alfort y con ella continuó hasta que, en otoño, se aproximaba la fecha del parto.

Es cuando Picasso vuelve a instar a Sabartès para que se traslade a vivir con él y se ocupe de sus asuntos administrativos y artísticos. En realidad lo que está buscando es a alguien que le ayude y le aconseje en una situación que a él se le antoja como un callejón sin salida.

La nueva paternidad, el segundo de sus hijos, le ilusionaba y le distraía de los enormes problemas que le asediaban, entre otros la situación de España, en plena guerra civil.

El 5 de octubre de 1935, en la Clínica Belvédère, de Boulogne, nace una niña que va a ser bautizada con el nombre de María Concepción. Es declarada en la alcaldía, por Picasso y una de las hermanas de Marie-Thérèse, como «de padre desconocido». Picasso, que gusta del confusionismo, acude a la pila bautismal actuando en calidad de padrino de Conchita, que al crecer decide llamarse Maia, Maya.

Picasso, que deja de trabajar, se convierte en un excelente padre de familia. Encuentra un gran parecido de Maya con él, le lava los pañales, le prepara las papillas. La música de fondo son los llantos y las protestas de Marie-Thérèse, que no soporta la situación al darse cuenta de que la separación de su amante con su mujer legal es poco menos que imposible. El divorcio tendría que tramitarse en España, «y mientras dure esta maldita guerra no va a ser posible», decía a modo de disculpa. Y también para convencerse a sí mismo de que su actitud ante el asunto, totalmente pasiva, era la mejor que podía tomar. Si no lo era, al menos resultaba la más cómoda y él rehuía las incomodidades. Se unían a esta situación las cartas, llenas de reproches cuando no de insultos, que Olga le enviaba diariamente, con una puntualidad asombrosa.

Llega al fin Sabartès, el 12 de noviembre de 1935. En la estación de Orsay lo está esperando Pablo, impaciente, mirando el reloj, haciéndosele los minutos interminables. Sabartès escribiría más tarde: «Es la quinta vez que vengo de lejos, y la tercera que Pablo viene a buscarme.»

Marchan inmediatamente a la casa de la Boetie, el piso en que vive Pablo y comienzan a organizarse, no sin antes mantener largas conversaciones en las que Picasso quería saber cosas de su amigo, de cómo le había ido en su larga ausencia.

Picasso, que no pinta ni esculpe, se refugia en la literatura. Compone poemas, escribe teatro y diversas prosas, lo que suscita las iras de otra de sus mujeres, permanente, siempre próxima, su protectora y también su enemiga: Gertrude Stein, que dice que si Pablo escribe es por molestarla a ella.

Lo que en el fondo late es una situación de celos enormes por el nuevo amor de Pablo. No es que Gertrude Stein no estuviese acostumbrada a esa situación. Pero ahora había nacido un nuevo hijo, que lo apartaba más de los amigos, dado que se había vuelto hogareño.

«Ver a un hombre que sabe hacer muy bien una determinada disciplina haciendo otra cosa que no sabe hacer y en un terreno en donde no puede vivir y desarrollarse es algo repugnante», le dice ella.

Pero todavía continúa sus acusaciones:

«Usted no ha leído en toda su vida un libro que no haya sido escrito por uno de sus amigos. Ni esos libros lee, porque usted no es sensible a ninguna palabra, las palabras le aburren terriblemente.»

Picasso comprende bien los celos, que no son precisamente literarios, de aquella irritada mujer y le responde serenamente:

«¿No ha afirmado usted, siempre, que yo era un ser extraordinario? Un personaje extraordinario puede hacer lo que desee.»

Una nueva réplica, todavía más airada:

«Usted es extraordinario si se sabe atener a sus limitaciones. Su frontera, los límites, los conocemos todos. Usted ahora escribe para librarse de todo lo que le agobia, que es incapaz de soportar. Por mí puede seguir insistiendo. Haga todo lo que sea, menos tratar de convencerme a mí de que lo que usted escribe es poesía.»

Y entonces Picasso vuelve a la carga. Tiene como testigo a Paul Rosenberg, en cuya casa se desarrolla la escena, y a Braque, con el que trataba asuntos del surrealismo. Y recita:

Recogiendo limosnas en su plato de oro,
vestido de jardín,
aquí está ya el torero,
sangrando su alegría entre los pliegues de la capa
y recortando estrellas con tijeras de rosas,
sacudiendo su cuerpo la arena del reloj
en el cuadrado que descarga en la plaza el arco iris
que abanica la tarde del parto;
sin dolor nace el toro,
que es el alfiletero de los gritos
que silban la rapidez de la carretera,
los aplausos en la tinta ardiendo en la cazuela,
las manos removiendo el aire de cristal en fusión,
la corona de bocas,
los ojos siseus du paradis
que las banderas de la mano despiden
al borde del tejado,
baja por la escalera suspendida al cielo,
envuelto en su deseo,
el amor,
y se moja los pies en la barrera
y nada campeón en las gradas.

Marie-Thérèse, una constante queja y siempre envuelta en sus lágrimas, es incapaz de comprender la literatura de Pablo. Posiblemente tampoco entiende su pintura, pero le sigue ciegamente. Su única preocupación burguesa es legalizar la situación en que se encuentran ella y la hija de ambos, con la que se trasladan a Jean-les-Pins.

«Trabajo, escribo, pinto y empiezo a irme a la cama más tarde», le escribe a Sabartès, al que le ha encargado que le envíe su correspondencia. Unos días después el secretario fiel recibe una carta desconcertante: «Te escribo con prontitud para anunciarte que desde esta tarde abandono la pintura, la escultura, el grabado y la poesía para dedicarme enteramente al canto. Afectísimo y seguro servidor que sus manos estrecha, éste que lo es amigo y admirador suyo, Picasso.»

Rectifica inmediatamente cuando las cosas marchan mejor y Marie-Thérèse ha dejado de llorar y únicamente se dedica a cuidar a la niña: «Sigo trabajando a pesar de todo y del canto. Su seguro servidor que su mano besa, éste que lo es un mamú, Picasso.»

La relación con Marie-Thérèse se iba deteriorando. En esta ocasión moría por hastío. Picasso se refugió en ella, en uno de los momentos que él reconoce como los más difíciles de su vida, atraído por su incuestionable belleza y quizá porque representaba un exotismo dentro de la tónica de sus anteriores relaciones.

Los dos eran polos opuestos, aunque quizá por eso Pablo encontraba en ella un remanso de paz, el encanto de la vida burguesa que le apartase de su disparatada existencia anterior. No obstante, jamás creyó que una actitud conservadora, tradicionalista, resultase creativa. Se cansó de cambiar los pañales a la niña, de hacer una vida con Marie-Thérèse, que más parecía de un matrimonio de la clase media, con todas sus ventajas e inconvenientes. Todo fue bien entre ellos mientras eran «la visita» que no se deterioraba con la constante convivencia, cosa que ocurrió a partir de la llegada al mundo de Maya.

Cuando ella vivía con su madre y Pablo en su casa, que había compartido con Olga y ahora con Sabartès, las cosas iban bien. Hasta que vivieron juntos y aparecieron los pequeños problemas familiares, que a Picasso no solamente no le importaban sino que podían convertirse en todo el mundo. Los catarros y las enfermedades de la niña. Y todo unido a los constantes llantos de esa «Magdalena», porque Pablo no legalizaba su situación matrimonial y se hacía punto menos que imposible que cumpliese con sus promesas de matrimonio. Así se fue derrumbando esa falsa edificación que no llegó a ser ni un frágil castillo de naipes.

«Marie-Thérèse, en un principio, significaba para mí la paz, de la que estaba tan necesitado. Pero en cuanto esa paz tampoco era posible a su lado, todo se fue precipitando hacia su desenlace final.»

Aquella muchacha suiza que Pablo conoció cuando tenía ella diecisiete años, la musa rubia, de grandes melenas, rolliza, atlética, la mujer sin más ambiciones que la de consumir su vida al lado del gran Picasso, le lleva a un nuevo estilo, el «vidriera», que lo sitúa en un rubenianismo espléndido. Y no le causa problema alguno. Cuando el artista le preguntaba qué le parecían los cuadros y esculturas que había hecho inspirándose en ella, la respuesta era siempre la misma:

—No me parezco nada...

A Picasso, lejos de irritarle, le entusiasmaba esa tremenda ingenuidad de la muchacha. Que era, sin habérselo propuesto ni otra colaboración que ofrecer su apetitoso cuerpo completamente desnudo, la modelo ideal para el artista. Porque Pablo Picasso siempre tuvo a su lado a la mujer, a la modelo, acorde con su evolución. Él mismo se preguntaba si era la mujer la que le dictaba, inconscientemente, los cambios que había experimentado a lo largo de su vida y de su obra.

Había sido además Marie-Thérèse la mujer con la que más le apeteció hacer el amor.

El principio del fin comenzó cuando, en enero del 36, en los Deux Magots, en donde se detuvo porque allí había una joven de pelo negro y ojos oscuros que llamó poderosamente la atención del poeta Paul Éluard, éste los presentó. Ella era Dora Markovitch, hija de un croata y de una francesa, que se había criado en Argentina y que se dedicaba a la fotografía. Se hacía llamar Dora Maar. Y una de las sorpresas y mayores satisfacciones de Picasso es que se dirige a él en español.

Los dos se vieron en otras ocasiones, en una de las cuales Dora se quitó sus guantes, de lana negra y bordados de flores. Mientras escuchaba a Pablo, que ya la requería de amores, jugaba con una navajita que clavaba en la mesa, entre sus dedos separados, que a veces eran víctimas de algún corte. El galante nuevo amigo le pidió esos guantes que guardó en una vitrina de su estudio de Grands-Augustins, junto a sus recuerdos más queridos.

Pronto, utilizando las tácticas de quien se creía gran conquistador, la invitó a su casa de Boisgeloup. A partir de entonces, ella y Marie-Thérèse, aun sin coincidir casi nunca, compartían el mismo hogar y al mismo hombre.

Continúa viéndose y hasta viajando con la madre de su hija, pero ya prepara la unión con Dora Maar, con la que proyecta partir hacia el Midi. Dora empieza a posar para Picasso, que ha hecho que Marie-Thérèse se instale, con la hija de ambos, en Tremblay-sur-Mauldre, a quince kilómetros de Versalles. La casa se las cede Vollard, está vacía, y la amueblan totalmente.

La vida cotidiana de Picasso era compartida con Dora, pero se reservaba los fines de semana para reunirse con Marie-Thérèse y con su hija, a la que hacía y recortaba monigotes. También se entretenía en hacer dibujos de la madre de Marie-Thérèse. Era sin duda la única suegra, aunque ilegítima, que había tenido y se llevaba muy bien con ella. Los cuatro componían una familia llena de felicidad. Pablo sabía manejar bien la mano zurda, como buen aficionado a los toros que era y la convivencia con dos mujeres era muy fácil para él.

Las mujeres de Picasso van muy unidas a las casas de Picasso. Dora, que había conseguido que Pablo invitase a marcharse a Sabartès, pide ahora una nueva casa. Pablo da su consentimiento, siempre y cuando no se abandone su piso de la Boetie. Es Dora la que le busca un inmenso taller, en la calle de los Grands-Augustins, una casa del siglo XVII que antes de la Revolución francesa formó parte del hotel de Savoie-Carignan. Allí situaba Honoré Balzac la acción de su *Obra maestra desconocida.*

El histórico e historiado taller era conocido en todo el barrio, en el que por cierto vivían los padres de Dora, como «el desván de Barrault», porque allí había vivido el célebre actor y director de igual nombre.

Algunos autores se refieren a la crueldad, que yo siempre consideré como infantil, de Pablo Picasso, que hace que por una puerta entre Dora a aquel «desván de Barrault» y que por la otra salga Marie-Thérèse. Pero, a veces, él mismo provoca situaciones de vodevil al hacerlas coincidir a las dos sin que ninguna de ellas, que durante mucho tiempo ignoraron sus mutuas existencias, se diesen cuenta de lo que iba a suceder.

«A rey muerto, rey puesto», era uno de los refranes españoles que más empleaba Picasso.

Dora es la *Mujer en un sillón* por su actitud, por sus gestos; sin embargo, Picasso quiere que sea Marie-Thérèse, que lleva un vestido de Dora. Hay quien atribuye este juego al cinismo, a la crueldad y hasta a una actitud irresponsable de Picasso. Las dos mujeres, la que se va y la que llega, solamente están separadas por una sutil frontera entre ambas. Los dos amores se han superpuesto y de ahí que ambas mujeres estén representadas, en las obras que hará a continuación de este episodio.

Si los retratos de Marie-Thérèse iban perdiendo sus curvas, los de su sustituta, como *Dora Maar dormida,* tienen la calma, la cachaza, el reposo total habitual en Marie-Thérèse.

Una tarde, en «Notre-Dame-de-Vie» hablaba de estos temas, de los enredos que me recordaban las aventuras del señor de Casanova, con Pablo Picasso. Iba yo a recoger parte de mi equipaje, que lo había guardado en su casa, cuando me dijeron que pasase, pero que no podía despedirme del señor porque había salido. Vino a mi encuentro Jacqueline. Me sonrió. Apenas se atrevió a decir que Pablo había salido. Cuando se disponía a darme una explicación apareció él, riéndose a carcajadas.

—¿No te habrás creído lo que te han dicho de mi marcha? —me preguntó.

—¿Por qué no me lo iba a creer, Pablo? —le respondí.

—La verdad es que fui el que dio la orden de que te dijesen, a ti y a cuantas personas tenían que verme hoy, de que me había marchado. Y es que en el fondo, gallego, lo que más me ha gustado hacer toda la vida son cabronadas. —Y volvió a reírse.

Meses después sacamos a colación el tema de su juego con las mujeres, de su ceremonia de la confusión:

—Ya te lo he dicho una vez: ¡Me gusta hacer cabronadas, que son las travesuras de los que hemos dejado de ser niños! Son nuestras picardías. Además, esos enredos están en las comedias italianas, en Molière, en el teatro de bulevar. Y no te olvides que soy el autor teatral del futuro. Ya estrené algunas obras, pero no son muy conocidas. Así es que hago entrar y salir a los personajes a mi antojo, como tú haces con los que colocas en tus obras...

Y Pablo Picasso había ordenado que cayese el telón para Marie-Thérèse Walter. Claro que, en el mutis, se encontraría con otra mujer, con un nuevo personaje en la comedia picassiana, con Dora Maar, con la que se levantaría el telón en el siguiente acto.

Segundo acto: Dora con paisaje de Guernica

DORA MAAR

> Todo dentista desearía ser médico, y cada fotógrafo, pintor. En lo profundo de Dora Maar, fotógrafa, había una pintora que trataba de liberarse.
>
> PABLO PICASSO

(La escena presenta una panorámica de Saint-Germain-des-Prés. Frío en París, y los artistas, intelectuales y bohemios se refugian en los cafés. Han de invitar o ser invitados. El decorado nos presentará el interior del café Deux Magots, lleno de gente.)

Entra un hombre de mediana estatura, al que todos saludan amablemente. Se trata de *Pablo Ruiz Picasso,* pintor español. Picasso habla con un poeta muy popular en aquellos ambientes: *Paul Éluard.* Y clava su mirada en una muchacha que está sentada junto a un velador del fondo. Le llamaremos *Dora Maar.* Pelo negro, ojos oscuros y mirada profunda. Se adivina inteligencia en ella. Pablo pide a Paul que los presente.

Se acercan los dos y comienza el diálogo:

PAUL. Dora, te presento a Pablo Picasso, pintor... Pablo, Dora Maar, fotógrafa...

PABLO. (Le tiende la mano, aunque no deja de mirarle a los ojos. Una escena cómica porque no acierta con la mano de ella. Que coge la de Picasso y la aprieta. Ríen los tres.) ... mucho... mucho gusto...

DORA. (Hablará en castellano, ante la gran sorpresa de Pablo.) ... mucho gusto... ¿Quieren sentarse?

PAUL. Gracias. Te acompañaremos hasta que venga a quien esperas...

DORA. No espero a nadie... Así es que, si ustedes lo desean...

(Ante la gentil invitación, ellos se sientan.)

PABLO. Habla usted muy bien español...

DORA. ¿De veras?

PABLO. ¿Cuándo lo aprendió?

DORA. Mejor, pregúnteme usted dónde... Vamos, no sea tímido...

PABLO. ¿Dónde?

DORA. En Argentina... una historia muy sencilla. Mi padre, el arquitecto Markovitch, croata, se casó con una francesa. Emigraron para abrirse camino. Y, en cuanto les fue posible, regresaron a París...

(Dora, sin que Picasso deje de mirarla, se va quitando los guantes negros que cubren sus manos. Tienen unas florecillas bordadas. Los coloca sobre la mesa y saca del bolso una navajita de punta muy afilada. La abre, los dos personajes fingen asustarse, ella se ríe. Extiende sobre el velador su mano izquierda, aparta los dedos cuanto puede y comienza su juego consistente en clavar la navaja en el velador y, a ser posible, sin hacerse daño. Parece nerviosa y se clava, ligeramente, en dos o tres ocasiones. Sangra un poco.)

PABLO. ¿Divertido?

DORA. Y un poco menos peligroso que la ruleta rusa. ¿Ha jugado usted alguna vez a la ruleta rusa?

PABLO. Sí...

DORA. ¿Y...?

PABLO. Apreté el gatillo con tan mala suerte que disparé sobre mi sien la bala... Pero rebotó... tengo la cabeza muy dura... En cambio, un amigo mío...

(Sigue hablando, aunque hubiese querido desviar la conversación, que surgió instintivamente...)

DORA. Siga. ¿Qué le sucede?

PABLO. (Sin querer dar importancia a sus palabras.) ¡Él no tenía la cabeza tan dura como yo!

DORA. ¿Una apuesta?

PABLO. En cierto modo sí... Una mujer, un desengaño amoroso...

DORA. ¿Cree que un desengaño amoroso es suficiente razón para perderla de ese modo?

PABLO. En mi caso no habría balas suficientes. Pero ya le he dicho que rebotan cuando las disparo... ¡Tengo la cabeza muy dura! (Hace una pausa. Bebe agua mineral, que habrá sobre la mesa. Se fija en los guantes de Dora y juguetea con ellos.) ¿Puedo quedármelos?

DORA. ¿Cree que le servirán?

PABLO. Guardo los objetos más preciados, de las personas más interesantes que he conocido... Pienso que estas prendas pueden incrementar mi colección...

DORA. ¿Un museo de los horrores? Siempre me han espantado los museos...

PABLO. Estoy de acuerdo con usted y lamento ser el responsable de muchos museos... Nosotros hemos cargado las salas de los museos con todas nuestras tonterías, nuestros errores, las derrotas de nuestro espíritu. Hemos hecho de ellos unas pobres cosas ridículas. Nos hemos aferrado a unos mitos en lugar de sentir lo que había de vida interior en los hombres que hicieron esos cuadros. Haría falta una dictadura total... Sí... una dictadura de pintores para suprimir a todos aquellos que nos han mentido, a los tramposos, para acabar con los objetos de engaño, con las costumbres... Pero no, la cordura será lo que siempre permanezca y prevalezca. ¡Habría que hacer una revolución contra la sensatez!

DORA. ¿Ha sido usted sincero en su obra?

PABLO. Yo pongo en mis cuadros todo lo que amo y ahí queda. Que las cosas luego se apañen entre ellas...

DORA. ¿Cree que su obra está viva?

PABLO. Por sí mismo, no. Un cuadro no vive más que por aquel que lo mira... Yo quisiera llegar a que no se viera nunca cómo están hechos mis cuadros. ¡Eso qué importa! Lo que yo deseo es que mis cuadros emanen únicamente la emoción...

DORA. ¿Me enseñaría a comprenderlos?

PABLO. ¡Oh, no, de ninguna manera! Todo el mundo quiere comprender la pintura. ¿Por qué no tratan de comprender el canto de los pájaros, el secreto de las flores?

DORA. Los jóvenes queremos descubrir otros secretos; por ejemplo, el suyo...

PABLO. La juventud de hoy no sabe a dónde ir. En lugar de partir de nuestras experiencias para reaccionar totalmente contra nosotros, se pone a revivir el pasado. ¿Por qué empeñarse desesperadamente en lo que ya ha cumplido su promesa? No veo por qué todo el mundo tiene que ocuparse tanto del arte y le pide cuentas. Los museos son otras mentiras, las gentes que se ocupan del arte son, en su mayoría, unos impostores...

DORA. Todas tratamos de encontrar la verdad...

PABLO. ¿Qué verdad? La verdad no puede existir. Si busco la verdad en mi tela, puedo hacer cien telas con esa verdad. Entonces, ¿cuál es la verdad? Y ¿qué es la verdad? ¿La que me sirve de modelo o la que yo pinto? No, sucede como en todo lo demás. ¡La verdad no existe!

DORA. He visto los dibujos de los niños de una escuela... En ellos no puede existir la mentira. Quizá la verdad haya que buscarla en los dibujos de los niños...

PABLO. Siempre se nos ha dicho que hay que dejar en libertad a los niños. Cuando la realidad es que se les impone que hagan dibujos de niños... se les enseña a ellos... Hasta hay quien les enseña a hacer dibujos abstractos, pero, eso sí, ¡de niños! En realidad, como de costumbre, con el pretexto de dejarlos en libertad, de no estorbarlos, se los ata con cadenas...

DORA. Usted ha sido niño...

PABLO. Sí, sí, pero yo no he hecho nunca dibujos de niño. Ni siquiera cuando era muy pequeño. ¡Jamás! Recuerdo uno de mis primeros dibujos. Yo tendría unos seis años... tal vez menos... En casa de mis padres, en el pasillo, había un Hércules con su clava... Me metí en el pasillo y dibujé el Hércules. Pero aquél no fue un dibujo de un niño. Fue un verdadero dibujo que representaba a Hércules con su clava... Yo trabajaba ya a la contra. Porque a partir del momento en que se empieza a hacer por, todo se escoña... ¿Me ha dicho usted que es fotógrafa?

DORA. Sí...

PABLO. Me gustaría que hiciese unas fotografías de mis más recientes obras... Dicen que mis cuadros son fotogénicos...

DORA. Encantada...

Escena II

(Murallas de Mougins. Hotel Le vaste Horizon y a su lado un piso. Paul Éluard acude a recibir a su amigo Pablo Picasso, al que ha buscado alojamiento.)

PAUL. ¿Buen viaje?

PABLO. ¡Veníamos en el Hispano-Suiza como sardinas enlatadas...! He traído todo mi material: lienzos, caballetes, pinturas... ¡Y ninguna mujer! (Ríen los dos. Por un lateral aparece Marcel, cargado de todos los trastos que indicó Picasso y, además, varias maletas. Las deja en la calle. Vuelve a salir y reaparecerá cargado con más equipaje.) ¿Mucha gente, Paul?

PAUL. Viejos amigos... Tendrás la sensación de que no has salido de París: Zervos y su mujer, May Ray, Paul Rosenberg...

PABLO. ¿Tu mujer?

PAUL. Sí, ha venido Nusch y Cécile, nuestra hija... Bueno, y una novedad, ¡la playa!

PABLO. La necesito...

Escena III

(El mismo lugar que hemos visto antes. Han pasado algunas horas. La terracita del hotel en el que toman el aperitivo varios de los personajes citados. Entra Pablo Picasso, cojeando. Con él un nuevo personaje, Roland Penrose, también maltrecho.)

CÉCILE. (Que va hacia ellos y ayuda a Pablo a sentarse ante el velador en el que se encuentran Nusch y Cécile, madre e hija. Paul Éluard estará en otra mesa.) ¿Qué te ha ocurrido, Pablo?

PENROSE. Yo guiaba el coche y Pablo iba en el asiento de atrás... En una curva chocamos con un coche que venía hacia nosotros por la izquierda. El golpe fue fuerte, nos sacudió sin hacernos el daño que nos pudo causar... Pero aquí tienes a Pablo, que se golpeó en el pecho...

PABLO. Estoy molido, apaleado... ¡Ay! (Intenta cambiar de postura.) ¡Si casi no me puedo mover! Me hicieron una radiografía y parece ser que no tengo nada roto, solamente estoy magullado.

CÉCILE. Lo siento. (Pablo se pone a dibujar en servilletas de papel. Le va entregando su trabajo a la chica: toros, toreros, caballos, la descripción gráfica del accidente. Y un rostro de mujer.) ¡Qué bonitos! ¿Y ésta?

NUSCH. ¡Si es Dora! No me digas que te has enamorado de ella...

PABLO. ¿Celosa?

NUSCH. Mi marido no consiente que yo sea celosa. ¿Lo es él acaso? (Y en este momento se le acerca Paul Éluard.)

PAUL. (Muestra un trozo de mantel en el que ha estado escribiendo.) ¡Nuevos versos para el poema que te dedico, Pablo! (Lee solemnemente:)

Montrez-moi cet homme de toujours si doux
Qui disait les doigts font monter la terre
L'arc-en-ciel qui se noue le serpent qui roule
Le miroir de chair où perle un enfant
Et ces mains tranquiles qui vont leur chemin
Nous obéissantes réduisant, l'espace
Chargues de désirs et d'images
L'une suivant l'autre aiguilles de la même horloge.

PABLO, CÉCILE Y LOS DEMÁS OYENTES. ¡Bravo, bravo! (Paul Éluard, en tono de broma, saluda como un torero al que le aclama el público.)

PAUL. Todavía el poema no ha llegado a su término...

ROSENBERG. ¡Y tardará en alcanzarlo! Paul, nunca te has cerrado la espita de los demás...

(Todos, menos la mujer y la hija de Paul Éluard ríen la gracia de su ami-

Ella era Dora Markevitch, hija de un croata y de una francesa, que se había criado en la Argentina y que se dedicaba a la fotografía. Se hacía llamar Dora Maar. Y una de las sorpresas y mayores satisfacciones de Picasso es que se dirige a él en español.

Tal vez de no haber escrito aquel libro de «memorias» que tanto le molestó a él, Françoise solamente pasaría a la historia como «la mujer flor».

Picasso siempre me autorizaba a publicar mis entrevistas con él. Solamente me ponía una condición: «Tú pones en orden mis ideas. Pero nada de "máquinas reproductoras" ni saques el bloc de notas porque, entonces, tendré la sensación de que te estoy dictando, no habrá diálogo entre los dos.» (En la foto, Picasso con el autor.)

go. Paul mira los dibujos que tiene Cécile en su mano. Quiere guardarlos porque la chica juguetea con ellos sin darle importancia. Picasso se da cuenta y los rompe en mil pedazos, ante el asombro de la chiquilla.)

PABLO. No te preocupes, Cécile... te haré tu retrato... (Y, dicho y hecho, comienza a dibujarla, sin apenas fijarse en ella.) Aquí lo tienes... y, ahora, a cumplir tu obligación. ¡A parecerte! (Nuevas risas de todos. Picasso se resiente de los golpes que ha recibido. No sabe en dónde colocarse. Y, es en esos momentos, cuando entra la escritora Lise Deharme. Da la sensación de que espera la llegada de otra persona.)

ÉLUARD. *Voilà la inteligence!*

(Todos se apresuran a saludarla. Picasso la besa.)

LISE DEHARME. Pablo, ya sé que estuviste en Saint-Tropez... ¿buscándome? ¿O buscando a una mujer de ojos verde pálido, cara ovalada, pelo negro y hermosas manos? Vamos, dime la verdad. Paul, ¿sabes que Pablo se ha enamorado como un colegial de tu amiga Dora Maar? Pablo, he aquí a la primera mujer inteligente que puede compartir tu vida...

PAUL. Sí, un curioso contraste: belleza e inteligencia. ¡Al fin una mujer inteligente!

LISE DEHARME. Gracias...

(En estos momentos, con las llaves de un coche en la mano y con un bolso, en el que llevará máquinas fotográficas, hace su deslumbrante aparición Dora Maar. Responde físicamente a la descripción que ha hecho de ella su amiga Lise Deharme. Viste sencillamente, como de viaje. Saluda a todos. Cuando va a Picasso, éste dibuja algo y la mira. La saluda y al tiempo le entrega un dibujo. Dora va con igual vestido de viaje y abre una puerta, al otro lado de la cual encuentra a un patriarca con barbas y una vara. Está sentado y sostiene un perro sobre sus rodillas.)

DORA. ¿Qué significa?

PABLO. Usted, la juventud... yo, la vejez...

MAN RAY. Me alegro que haya venido, Dora... Quiero mostrarle mis últimos descubrimientos... he obtenido pruebas fotográficas de sombras de objetos, de tejidos proyectados sobre papel sensible... Me gustaría que trabajase conmigo en este arte nuevo...

Escena IV

(Estudio de Pablo Picasso en Grands Augustins. En las paredes, un grabado titulado *Minotauro viniendo del mar.* Los ojos del Minotauro están reflejados a la luz de un candil que sostiene una mujer. Gesto amenazador en el brazo derecho del monstruo, alzado. Detrás de él se quiere deslizar de un caballo histérico, el cuerpo de una mujer agonizante vestida de torero, con la espada en su mano y los pechos blancos e indefensos. Desde las ventanas, dos mujeres con palomas contemplan la escena. Un hombre, desnudo, trata de escaparse por la escalera. Hay también en el estudio un gran lienzo de tres metros y medio de alto y ocho metros y medio de largo, que se extiende de pared a pared y desde los baldosines del suelo hasta la techumbre.)

Allí están Dora Maar, que lo fotografía todo y Pablo Picasso, que a veces adopta posturas inverosímiles para siluetearlo todo. El espectador, que conoce la obra de Picasso, se dará inmediata cuenta de que el pintor trabaja en el cuadro que luego se llamará *Guernica.*

DORA. ¿Por qué te has decidido a aceptar este encargo, Pablo?
PABLO. El conflicto español es la lucha de los reaccionarios contra el pueblo y contra la libertad. Toda mi vida de artista no ha sido más que una constante guerra contra la reacción y contra la muerte del arte. Bien, por hoy he terminado... Vamos a pasear, al zoo... Necesito ver a los monos... Vamos al jardín de plantas...
DORA. Pablo, veo una conexión entre esos monos y las distorsiones de tu «época azul», como las piernas alargadas y los dedos y las actitudes agachadas de miedo...
PABLO. Sí, has acertado... Ciertamente que entre los arlequines del período del circo el mono aparece como uno de la familia y luego vuelve a aparecer trepando en el telón de *Parade.*

Escena V

(El mismo estudio. El *Guernica* ya está terminado y, por sus dimensiones, es difícil de transportar. Dora Maar hace fotografías, mientras él termina de perfilar los fondos, la parte baja del cuadro.)
PABLO. He aquí, concluido, mi trabajo. No sé si servirá para algo ni yo, la verdad, sabía lo que iba a hacer. Si se sabe exactamente lo que se va a hacer, ¿por qué hacerlo? Puesto que se sabe, ya no tiene interés. Es mejor hacer otra cosa.
(Dora Maar, que sigue con su trabajo, haciendo fotografías, no responde a lo que en realidad es un monólogo de Picasso...) He repetido en este lienzo la Historia... No sé, en este momento, si es un reproche a los horrores de la guerra o si, dentro de algún tiempo, será un monumento a esa guerra... Por eso quiero huir de este cuadro, de aquí mismo, cuando antes... Ahora te toca a ti el turno, la hora de guardar las cámaras. A partir de ahora me ocuparé únicamente de ti como modelo... Dora Maar, ninfa acuática, ave quimérica... Yo no podré describir ni pintar nunca tu presencia inteligente, que me ha nutrido de inspiración...
(La pareja se acerca lentamente. Se abraza. Se besa. Desaparece por uno de los laterales. El Picasso espiritual y el espectador o lector lo habrán entendido perfectamente: ha dejado paso al hombre, que, pese a su avanzada edad, se muestra pronto al amor carnal en todo instante. Puede el director de escena, que en este caso es el lector de este tomo y lomo, adornar con música, flores, poesía romántica este momento en el que el rosa se une al amarillo. Así ha de concluir esta escena gozosa. Junto a la tragedia que representa *Guernica,* y el director o lector han de darles la lectura que prefieran, renace el amor, el engendrador de nuevos seres que han de sustituir a los desaparecidos. Picasso, cuantas veces se enamora, se siente verdaderamente enamorado.)

Escena VI

(Como en una secuencia cinematográfica, volvemos a este estudio, lleno de cuadros y ya sin el *Guernica.* Que es, reproducido, lo que le traen unos oficiales de la S S. En el momento de un breve diálogo es cuando nuestros personajes aparecen en escena.)
OFICIAL S S. (Muestra a Picasso la reproducción del *Guernica.*) ¿Usted ha hecho esto?
PABLO. (Lo mira. Devolviéndoselo al oficial, le responde:) No. ¡Ustedes lo han hecho!

(Los oficiales, con corrección, se cuadran militarmente, lo saludan y se marchan del estudio. Dora permanece al fondo y en sus ojos se ve reflejado primero el miedo por la presencia de esas gentes extrañas y después el orgullo, la satisfacción por la respuesta del que es su compañero.)

DORA. Me siento orgullosa de ti... Pero ¿crees necesario jugarte la vida?

PABLO. ¿Qué imaginan que es un artista? ¿Un cretino únicamente dotado de ojos, si se trata de un pintor, de oídos si se trata de un músico, o con la cabeza llena de liras si es un poeta, o músculos o sólo músculos cuando es un boxeador?

DORA. Un artista debe ser un artista. Y un hombre...

PABLO. Y también un ser político, aguda y constantemente atento a las cosas desoladoras, apasionantes o deliciosas que hay en el mundo. El artista se moldea completamente, por entero, a semejanza de esas cosas. ¿Cómo puede uno aislarse de los otros hombres y de la vida que le aportan a uno con tanta abundancia? ¿En nombre de qué actitud displicente, de qué torre de marfil puede hacerse? No, la pintura no existe con la simple finalidad de decorar las paredes de las casas. La pintura es un medio de hacer la guerra defensiva y ofensiva contra el enemigo...

DORA. Ellos pudieron detenerte...

PABLO. No tienen fuerza moral para hacerlo...

DORA. No debiste...

PABLO. (Cortante). ¿Y debía, como Judas, que negara a Cristo, negar mi obra? Ellos saben que al tomar conciencia de esta magnífica epopeya, algo fuerte y nuevo va a nacer en el alma de los artistas, no cabe duda la repercusión que ha de tener en su obra... Esta contribución de los más puros valores humanos a un arte que renace será una de las grandes conquistas del pueblo español...

DORA. Pero la guerra...

PABLO. Ellos saben que en *Guernica* expreso, como en todas mis recientes obras, mi horror por la casta militar que ha hundido a España en un océano de dolor y muerte...

DORA. (Le acerca una carta. Picasso rehúye cogerla. Le pide a ella que la lea.) Te escribe Joaquín Peinado... Tu amigo Sabartès, al que defendiste cuando yo le pedí que él y su mujer abandonasen tu casa, nuestra casa ya, le ha dicho (Lee). «Picasso es avaro, exhibicionista, no piensa más que hacerse publicidad, pega a las mujeres, deja a su madre y a su familia de Barcelona sin dinero cuando poseen cientos de sus cuadros que les ha prohibido vender...»

PABLO. ¿Qué es lo que ha hecho Sabartès en toda su vida? Nada. (Pausa.) Me tiene a mí...

Escena VII

(De nuevo Mougins. Picasso aparece, en la terraza del hotel que ya conocemos, con un mono. Le hace muchos arrumacos, y Dora, histérica, se levanta y le da la espalda.)

DORA. No soporto más a ese maldito mono...

PABLO. (Complacido con la grotesca escena de celos de Dora, le hace más arrumacos al simio, que tira del pelo a Dora. Dora se vuelve, indignada, le va a pegar al mono y Pablo le sujeta la mano. Pero el mono le muerde en un dedo a él. Paul Éluard interviene.)

PAUL. Un rey de Grecia fue mordido, como tú, por un mono... en los huevos y se murió como consecuencia del mordisco. (Ríe. Pablo pone cara de asustado. El mono ha vuelto a abrazarse a su cuello.)
PABLO. ¿Que murió como consecuencia de un mordisco? (Trata de apartar al mono.) Has ganado tú, Dora... Que Marcel devuelva el mono inmediatamente. (A Paul, lleno de aprensión.) ¿Crees que habrá por aquí un médico que me pueda examinar la mordedura?
(Esta escena, entre cómica y grotesca, es esencial en esta representación de los amores de Dora Maar y Pablo Picasso.)

Escena VIII

(Interior del piso que ocupa en Mougins la pareja. Trabajan allí, como criadas, dos hermanas españolas. Una de ellas, Inés, es muy bella. Pablo le pide que pose.)
PABLO. Ya está bien, Inés... gracias... (Se acerca a ella mostrándole lo que ha hecho en el bloc. Ella lo mira complacida.) Para usted, Inés...
INÉS. Gra...
(No puede concluir de expresar su gratitud porque, en ese momento, el gran fauno Pablo Picasso se abalanza sobre ella. La besa. La echa sobre una especie de catre que hay en el improvisado estudio. Hacen el amor, apagando la luz. La luz se enciende. Y, en la habitación, aparece Dora Maar. Los dos, Pablo e Inés, la miran, temerosa ella, complacido él. Dora se va. Inés trata de huir de esa situación. Pablo la retiene y, de nuevo, la besa.)

Escena IX

(Es el estudio parisino de Picasso, en el cual trabaja. Sabartès, como tantas otras veces, ha vuelto a reaparecer.)
SABARTÈS. (Contempla un cuadro una y otra vez. Se da cuenta de que Pablo está abstraído concluyendo otra obra. Sabartès quiere hacerse notar del pintor, que todavía no le ha perdonado lo que ha dicho de él a Peinado.) ¿Lo has terminado?
PABLO. ¿Tú has visto alguna vez un cuadro terminado? Ni un cuadro ni otra cosa. ¡Qué estupidez! Terminar significa acabar con algo, con un objeto o con lo que sea, matarlo en definitiva, darle la puntilla, arrancarle el alma. Darle el «golpe de gracia» es lo más desagradable no solamente para la obra, sino para el autor...
SABARTÈS. No te imaginaba trabajando... Yo pensaba que estabas sufriendo...
PABLO. Lo uno y lo otro. Me puse a dibujar para distraerme, esperando que me trajesen el desayuno. Me lo trajeron y yo seguía dibujando; así es que se me enfrió... Pero el dolor sigue ahí, no me deja ni un solo momento...

Escena X

(Estamos en la ciudad de Royan, en 1944. Picasso se pasea con Dora y con el perro *Kazbek*, frente al mar, con un decorado viscontiano, de *belle époque*. Villas de *modern style* y mezclas de gótico, de bizantino. Todo un *collage* de los que a él le gustan. Es la pura decadencia en la que se recrea. Picasso —aclaramos al lector de las acotaciones de esta tragicomedia—, vivía en el hotel del Tigre con Dora Maar. Mientras Marie-Thérèse, que ahora reaparece, se alojaba en la villa «Gerbier de

Jons», con su hija Maya. Sabartès, con un periódico en la mano y muy preocupado, interrumpe el paseo amoroso de la pareja. Muestra el periódico a Pablo, que lo lee, sin prestarle demasiada atención.)

SABARTÈS. ¿Tú crees que seremos bombardeados?

PABLO. (Después de una risotada.) Solamente a ti se te podía haber ocurrido una cosa así. Lo que están haciendo no es bombardear, sino excavaciones para encontrar trincheras. En cuanto encuentren una, se la llevarán al museo; y si no hay un museo para eso, seguro que construirán uno... Son bombardeos culturales, no te preocupes...

(Avanza Sabartès ante el público o ante el lector. Como el Arlequín de las viejas comedias, tratando de parecerse al que ha pintado su amigo Pablo Picasso, hace una inclinación y dice:)

SABARTÈS. ¿Hasta cuándo puede sostenerse esta situación, peor que los desastres de la guerra? Picasso va, en la misma ciudad, de amante en amante... Marie-Thérèse ha sido sustituida por Dora Maar, pero también cuenta en el corazón... y en la cama, del genio... Estoy temiendo lo peor... Ayer mismo Marie-Thérèse vio cómo Dora iba en el coche al lado de Pablo... Él tuvo que convencerla de que se trataba de una refugiada española... Y un día Marie-Thérèse, en Les Voilers, vio la puerta entreabierta y entró. Vio una paleta...

MARIE-THÉRÈSE. ¿Sabe usted quién ha dejado esta paleta aquí?

Señorita ROLAND. Lo ignoro...

MARIE-THÉRÈSE. ¿No ha visto subir a nadie?

Señorita ROLAND. A nadie...

(Hace mutis Marie-Thérèse. Entra Dora Maar y recoge su paleta y hace mutis también.)

Escena XI

(El estudio parisino de Picasso.)

SABARTÈS. Pablo no rompió definitivamente con las dos mujeres. Además, diabólico, cuando encargaba al modisto un vestido para una de ellas, al día siguiente encargaba otro casi igual para la otra... Pero, atención, que esta tarde puede ser muy interesante...

(Marie-Thérèse irrumpe, más que entra, en el estudio. Busca a Pablo Picasso, que al fin aparece en escena.)

MARIE-THÉRÈSE. Pablo, ¿qué sabes de tu divorcio? Dado el tiempo que hace que me has prometido casarte conmigo, creo que ha llegado la hora de que tomes en serio lo de tu separación de Olga...

PABLO. ¿No crees que va a resultar demasiado ridículo que un hombre de mi edad se case de nuevo? Y, además, estamos en guerra, que lo complica todo...

(Entra Dora. Se sorprende de ver allí a la que ya sabe que es su rival.)

DORA. Pero, vamos a ver, Pablo. Tú me quieres a mí. Al menos eso dices. ¿De verdad me quieres?

PABLO. (Poniendo su mano en el cuello de Marie-Thérèse.) Dora Maar..., tú sabes perfectamente que la única mujer a quien amo es a Marie-Thérèse Walter. ¡Y aquí la tienes!

MARIE-THÉRÈSE. (Enfurecida, crecida por lo que ha dicho Pablo, se dirige a Dora violentamente:) ¡Váyase!

DORA. No quiero...

MARIE-THÉRÈSE. Le he ordenado que se vaya...

DORA. ¡No quiero!

(Se van la una hacia la otra. Pablo Picasso no hace nada para separarlas. Se propinan mutuos bofetones, se agarran de los pelos. Es Marie-Thérèse la que sale airosa de esta contienda en la que la derrotada tiene que marcharse.)

PABLO. (A Marie-Thérèse.) Tú sabes cuánto te quiero. (La besa. Le muestra unos lingotes de oro.) Todos estos lingotes de oro, si a mí me pasase algo, te los llevarías a tu casa... Son tuyos...

MARIE-THÉRÈSE. Ahora mismo los cambiaría por un poco de jabón...

Escena XII

(Interior de un popular restaurante frecuentado por famosos. Se llama El Catalán. Varias mesas ocupadas. En una, Pablo Picasso, Dora Maar, Marie-Laure de Noalis y un amigo. En la más cercana, el actor Alain Cuny con dos hermosas mujeres.)

PABLO. Bien, Cuny: ¿no vas a presentarme a tus amigas?

CUNY. Françoise es la inteligencia... Y Geneviève, la belleza. ¿No te recuerda a una de esas figuras de los mármoles clásicos?

PABLO. Hablas como un actor. ¿Cómo describirías a la mujer inteligente?

GENEVIÈVE. Françoise es una virgen florentina...

CUNY. Pero no de clase corriente.

PABLO. Mucho más interesante si no es de clase corriente. Pero ¿qué es lo que hacen tus dos refugiadas de la historia del arte?

GENEVIÈVE. Somos pintoras...

PICASSO. (Mientras suelta una estentórea, una grandiosa carcajada.) Eso es lo más gracioso que he escuchado hoy. Las mujeres que tienen el aspecto de ustedes no pueden ser pintoras... Bueno, pues resulta que yo soy colega de ustedes... no una mujer guapa, sino un pintor... Si se dignan venir a mi estudio, podrán ver alguno de mis cuadros...

FRANÇOISE. ¿Cuándo?

PABLO. Mañana. O pasado. ¡Cuando ustedes quieran!

FRANÇOISE. Esta semana es imposible... Quizá la siguiente...

PABLO. ¿Tan ocupadas están?

FRANÇOISE. Mucho. Geneviève es discípula de Maillol, en Banyuls... Está pasando sus vacaciones en París conmigo... Ahora estamos exponiendo nuestros cuadros en la rue Bipssy d'Anglass... Si usted quiere visitarla...

PABLO. Encantado...

(Dora Maar, como adivinando algo, presintiéndolo todo acaso, permanece silenciosa. Cuny se levanta y con él las muchachas. Se van. Pablo se las queda mirando. Situación tensa con su compañera. Él se escuda en una servilleta en la que empieza a pintar. Y así, tensa, lenta, parsimoniosamente cae el

TELÓN

La mujer flor

FRANÇOISE GILOT (I)

> Si tú puedes alcanzar una completa intensidad el primer día, el amor acabaría ese mismo día.
>
> PABLO PICASSO

«No tengo nada que declarar. No quiero decir nada. Vivo feliz con mi marido...» No pudo evitar «la mujer flor» que aquel 8 de abril de 1973 llamasen a su domicilio norteamericano, en el cual vive con su marido, un conocido premio Nobel, los periodistas de todo el mundo. Pablo había muerto, al mediodía de ese domingo, domingo intenso de lluvia. Una verdadera tempestad se había ensañado con la Costa Azul. Era una mañana plomiza, que invitaba al sueño y a la nostalgia. Era, el de aquel domingo, un amanecer morriñoso, como los que a Pablo tanto le gustaban de La Coruña. «No, no tengo nada que declarar. Han dicho que ha muerto...» A las once cuarenta de la mañana. Ésa es, al menos, la versión oficial. Aunque su muerte, como muchos puntos de su vida, puntos quizá claros para otros, quedará siempre en el misterio, en la oscuridad. La gripe sufrida el anterior invierno le dejó tremendamente débil. Los médicos sabían que estaba «enfermo de cuidado». Eso era todo. Él seguía trabajando, como siempre. Y trabajaría hasta momentos antes de morirse. La noche del 7 de abril cenó con su mujer, su última mujer, y con Armand Antebi, su abogado, y madame Antebi. Ambos habían sido testigos de su boda. Después de la cena se retiró al estudio, en donde trabajó hasta las siete de la mañana del día siguiente. De un día que iba a constituir una conmoción primero, una efemérides después, para el mundo entero. «Lo encontraron muerto...» «No, presenciaron su muerte...» También aquí quedarán como válidas las contradicciones. ¿No ha sido un hombre metido totalmente en la controversia artística y humana? Los doctores Rance y Andrieu apenas pudieron hacer otra cosa que certificar su muerte. «Sólo queda la esperanza de evitarle los dolores. No hay nada que hacer», dijo a los que le rodeaban el cardiólogo llegado de París. Pablo, curioso siempre, contempla el instrumental del médico. Un solterón al que Pablo aconsejó: «Haces mal en no casarte. ¡Es útil!» Se levantó por última vez para afeitarse. Volvió a la cama y comenzó a delirar. Hablaba constantemente de Apollinaire. ¿Por qué se ha añadido un misterio más, el de su muerte, al misterio de su vida? ¿Acaso su compañera, enloquecida, había vuelto a secuestrar a su marido, ya sin vida? Fue avisado Paolo, el hijo mayor habido con Olga en su primer matrimonio. Intentaron entrar sus hijos Maya, Claude y Paloma, a los que se les cerraron las puertas. Paulo, primer hijo de Paolo y nieto de Pablo, quiso ver a su abuelo muerto. Le negaron la entrada. En una crisis nerviosa ingirió una botella de lejía que, días después, le produciría la muerte. Murió, entre tremendos dolores, en un hospital de Antibes.

Cuentan que velaron su cadáver un notario, Nougan, y el abogado Antibe. Miguel, su secretario, un personaje digno de novela kafkiana, un santanderino exiliado en Francia después de la guerra civil española. El doctor Jean Claude Rance, que diagnosticó la muerte como consecuencia de una congestión pulmonar seguida de un fallo cardiaco. Jacques Barra, jardinero y amigo del pintor fallecido. Y su mujer, naturalmente. Nada se habla de Paulo ni de Kattie, la hija de la última mujer del pintor, de la secuestradora de sus últimos años de vida y de su voluntad.

Dicen que él, en una de las pocas ocasiones en las que habló de su muerte, pidió ser enterrado en Mougins, en su finca, debajo de un pino. Legalmente no fue posible cumplir su última voluntad, y el día 10 era trasladado al castillo de Vaurvenargues. Presentes Jacqueline, un sacerdote católico y los concejales comunistas de la localidad. Sobre el túmulo se colocó una estatua de su colección particular. Una figura de dos metros de altura, que él hizo en 1934 y se fundió en bronce varios años más tarde. Desde el túmulo puede contemplarse el paisaje que se conoce como «vista de Cézanne», la montaña de Sainte-Victoire.

«Les agradecería que no me molestasen más. No van a conseguir de mí ni una sola declaración. Sí, siento su muerte, siento cualquier muerte.»

Tal vez de no haber escrito aquel libro de «memorias» que tanto le molestó a él, solamente pasaría a la historia como «la mujer flor». Era el primer mes de su vida en común, en casa del pintor. Difícilmente se alejaba del estudio. Miraba atentamente todo lo que él hacía, sin decir ni una sola palabra. La miró fijamente y comenzó a dibujarla. Al cabo de algún tiempo rompió sus apuntes afirmando que no había nada que hacer, que eran rematadamente malos. Abandonó el trabajo y al día siguiente le pidió que se desnudase para intentar un nuevo retrato. La contempló, desnuda, puesta en pie, con los brazos caídos. No tocó el lápiz ni el papel. Solamente la observaba. De pronto le dijo que se había dado cuenta de lo que necesitaba hacer. Le pidió que se vistiese y le advirtió que no sería necesario que posase más. El tiempo en el que la modelo permaneció de pie, casi inmóvil, delante de su retratista había transcurrido rápidamente para los dos. Aunque en realidad pasaron sesenta minutos. Pablo pintó incesantemente a la modelo en la postura que había adoptado ante él. Un lunar diminuto bajo su ojo izquierdo y la ceja derecha parecía un acento circunflejo. Ya no necesitaba que posase más, pero ella presenciaría todo el nacimiento, evolución y conclusión de un retrato que se haría célebre en el mundo. Trabajó durante varios meses en el cuadro, que alternaba con naturalezas muertas. Jamás usaba la paleta. Recubría una mesa con periódicos y sobre ellos colocaba botes de trementina llenos de pinceles. Mezclaba pequeñas cantidades de colores sobre el papel, que también servía para que enjugase los pinceles. En latas de tomate vacías, colocadas a sus pies, las pinturas, los colores que previamente había mezclado. Tres, cuatro horas delante del caballete y sin fatigarse. Flexionaba su torso, subía y bajaba para meter los pinceles en los botes de pintura. «Creo que este ejercicio es superior a cualquier gimnasia y debido a ellos tengo una musculatura tan fuerte y esta flexibilidad de cintura. Tocad, tocad mis piernas. ¿Verdad que parecen las de un atleta? Creo que este trabajo es el que me permite vivir tantos años, el que hace que generalmente los pintores mueran muy viejos. Cuando voy a trabajar dejo el cuerpo fuera de esa puerta del estudio, de la misma manera que los musulmanes dejan sus babuchas a la entrada de las mezquitas.»

Solamente tomaba descanso sobre una mecedora, cruzando sus piernas y en actitud meditativa, observando la evolución del cuadro que estaba pintando. Pocos minutos después volvía al trabajo. Si notaba que no podía hacer nada nuevo en él iba a otro lienzo, a uno de los muchos que tenía sin terminar. Aquél era su verdadero descanso. *La mujer flor* se iba convirtiendo en un retrato realista. Pablo protestó: «Un retrato de este estilo realista no serías tú, no te representaría en absoluto.» No la veía sentada porque «tú no perteneces al tipo pasivo, te veo de pie». Y así alargaba la figura. Hasta que, recordando que Matisse había pintado a esta modelo con los cabellos rojos, decidió que tomasen forma de hoja y que el retrato fuese floral. «Aunque tienes un rostro muy oval, lo que necesito con objeto de mostrar su luz y expresión es hacer un óvalo amplio. Compensaré su largura dándole un color frío, azul; será como una pequeña uña azul.»

Y pintó una hoja de papel con color azul celeste. Recortó formas ovales que según él correspondían a la cabeza. Una vez que hubo terminado de recortar pintó en cada una de ellas señales al parecer correspondientes a los ojos, a la nariz, a la boca. Las sujetó con alfileres sobre el lienzo, dándoles el movimiento que requerían y a él le complacían. Cuando aplicó la última forma dijo que aquel sí, aquel era el verdadero retrato de «la mujer flor». Con un carboncillo marcó los contornos y comenzó a pintar lo mismo que estaba dibujando en los papeles. Hizo más estrecho el torso, ya pintado. Y, cuando sobre la mano derecha colocó una forma circular cortada por una línea horizontal, dio una explicación convincente:

«Esa mano sostiene nuestro planeta, mitad tierra y mitad agua, siguiendo la tradición de los cuadros clásicos en los que el sujeto sostiene un globo terráqueo. Pongo eso ahí para que consuene con los círculos de los pechos. Como no existe nada que sea simétrico, los dos senos tampoco lo son. Cada mujer tiene dos piernas, dos brazos y dos pechos que en la vida real pueden ser más o menos simétricos, pero que en pintura no deben poseer ninguna similitud. En un cuadro naturalista es el gesto de un brazo o del otro el que los diferencia. Están pintados de acuerdo con lo que hacen. Los individualizo por medio de la diferenciación que les doy, y así parece que no existe entre los dos relación alguna. De estas diferentes formas uno puede deducir que hay un gesto. Pero no es el gesto el que determina la forma. La forma existe por sí misma. Aquí yo he hecho un círculo para el extremo del brazo derecho porque el brazo izquierdo termina en un triángulo y ya sabemos que un brazo derecho es completamente diferente del izquierdo, lo mismo que lo es un círculo de un triángulo. Y el círculo de la mano derecha rima con la forma circular del pecho. En la vida real un brazo tiene más relación con el otro que con un seno, pero eso nada tiene que ver con la pintura. Ese brazo derecho sale entre los cabellos, como si se estuviese cayendo. Y una forma que cae nunca es bella. No está en armonía con tal ritmo de tu naturaleza. Necesito encontrar alguna cosa que se sostenga en el aire. Dibujaré el brazo extendido desde el tallo, el centro del cuerpo y terminaré en un círculo... Ya está... y ahora, una mujer, sostiene a todo el mundo: el cielo y la tierra en su mano. El cabello está dividido de manera equilibrada con ese moño colgado sobre el lado derecho. Habrá que hacerlo desaparecer. Quiero un equilibrio al que uno pueda agarrarse y sostenerse, pero no un equilibrio prefabricado como éste, que está ahí esperando a que uno llegue a buscarlo... Lo deseo como el del prestidigitador que alcanza una de sus pelotitas. Me gusta una naturaleza sin proporciones fijas, sino libres y flexibles. De niño un sueño me atemorizaba al máximo. Mis brazos y mis piernas adquirían un enorme tamaño y desaparecían en otra dirección. Todas las personas que me rodeaban sufrían idénticas transformaciones. Se convertían en diminutas o en tremendamente deformes... ¡Ya está el retrato terminado! Las tres cuartas partes de la raza humana tiene aspecto de animales. Tú no, tú eres como una planta que está creciendo y me pregunto cómo se me ocurrió la idea de que pertenezcas al reino vegetal y no al animal... La pintura es poesía, y siempre se escribe en verso con rimas plásticas, nunca en prosa. Las rimas plásticas son formas que armonizan unas con otras proporcionando asonancias mediante otras formas o bien, a través de espacios que las rodean, también, algunas veces, expresando su simbolismo, aunque éste no debe ser demasiado manifiesto.»

Las paredes desnudas. Dos cuadros de Pablo sobre una de ellas. Debajo un catre, cubierto con una manta policroma, una labor de artesanía peruana acaso. Pablo, con las piernas cruzadas, una de sus poses favoritas y el brazo derecho sosteniendo la barbilla. Contempla desde una ficticia lejanía fotográfica a «la mujer flor», con los cabellos sueltos y la mirada perdida en vaya usted a saber dónde.

«Pero ¿es posible que ahora, precisamente ahora, no tenga nada que decir?» Ahora, precisamente ahora, no tiene nada que decir. «Da la sensación de que la muerte del genio no le ha afectado en absoluto.» Tampoco lee lo que se escribe. Ni precisa recurrir a su «escandaloso» libro, dictado a un escritor amigo, para que sus recuerdos le vengan a la memoria. El científico pasa la jornada en el laboratorio. Aquella mañana de domingo —aún no ha llegado la noticia—, se dispone a salir con su mujer. Puede ser que en el coche escuchen que se cerraron aquellos ojos que a ella también tanto le habían impresionado. Ella cambia el dial. No hacen el menor comentario. «¿Nada que decir?» Nada, nada, nada, nada, nada, nada, nada, nada, nada, nada, nada, nada, nada, nada, nada, nada...

¡Nada y tantas cosas!

FRANÇOISE GILOT (II)

Ninguna mujer deja a un hombre como yo.

PABLO PICASSO

PABLO. Bien, Cuny. ¿No vas a presentarme a tus amigas?
CUNY. Françoise es la inteligencia. Y Geneviève, la belleza. ¿No te recuerda a una de esas figuras de los mármoles clásicos?
PABLO. Hablas como un actor. ¿Cómo describirías a la mujer inteligente?
GENEVIÈVE. Françoise es una virgen florentina...
CUNY. Pero no de clase corriente.
PABLO. Mucho más interesante si no es de clase corriente. Pero ¿qué es lo que hacen tus dos refugiadas de la historia del arte?
GENEVIÈVE. Somos pintoras...

Françoise tenía veintiún años cuando conoció a Pablo Picasso en El Catalán. Era el mes de mayo de 1943. No podía suponer que ella estaba destinada a cerrar un capítulo femenino que Pablo había comenzado a vivir con Dora Maar en 1936. Tenía muy cerca a Dora y, como mujer observadora y pintora, se fijó en sus ojos «mezcla de tonos marrón y verde» y llamó su atención su rigidez. Hablaba y gesticulaba poco. Françoise recuerda, para describirla, una frase francesa: «Se llevaba a sí misma como si fuese cargada con el santo sacramento.»

Comprendió inmediatamente que el pintor «actuaba» para ellas. Sabía que lo conocían y era el centro de atención y atracción de aquellos lugares a los que llegaba.

Françoise y su más íntima amiga, Geneviève, vieron salir a los ocupantes de la mesa de al lado. Dora se enfundó en un abrigo de piel de anchas hombreras. Calzaba zapatos de suelas de madera y altos tacones. Pablo se puso zamarra y una boina negra.

Solamente tardaron unas horas las dos muchachas para aceptar el ofrecimiento que les había hecho Pablo Picasso para que le visitasen en su estudio del Grans-Augustins. El cancerbero era Jaume Sabartès:

—¿Tienen ustedes hora concertada?

—Sí...

La pregunta era rutinaria y la respuesta esperada, porque no había una mujer hermosa en el mundo entero que no tuviese cita con Picasso a la hora y día en que a ella se le antojase.

Françoise se admiró de la belleza de un cuadro original de Matisse, y Sabartès la reprendió:

—Aquí solamente está Picasso.

Que fue el que les mostró todo su laberíntico «desván de Barrault», como se conocía el estudio por parte de la vecindad. En lo que puso mayor atención fue en un grifo del lavadero, que abrió y, entusiasmado, les dijo si no les parecía maravilloso que, a pesar de la guerra, saliese de él agua caliente. Después las invitó a bañarse cuando les apeteciese. Era, ciertamente, un generoso ofrecimiento en tiempos de carestía de todo lo más necesario, entre otras cosas el agua y no digamos el agua caliente. Pero lo que a las dos muchachas les interesaba era ver su obra y no escuchar las excelencias de aquel grifo, ni mucho menos el método eficaz para fabricar resina, que fue lo que les explicó a continuación. Hasta que, al fin, las condujo al estudio. Las despidió con una invitación a volver allí, «pero no como peregrinos a La Meca, sino porque les agradó, porque encuentran mi compañía interesante o porque quieren relacionarse directamente conmigo. Si únicamente quieren ver mis cuadros, será mucho mejor que vayan directamente a un museo.»

Por su parte Picasso, sin avisarlas, fue a visitar la galería en la que exponían sus cuadros las muchachas. Lo reconoció la encargada de la sala, que le vio entrar silenciosamente y salir sin hacer la menor crítica ni comentario. Así es que Françoise y Geneviève volvieron al estudio una semana después, sin encontrar el menor obstáculo por parte del cancerbero, el refunfuñón Sabartès. Le llevaban un regalo, un tiesto de cineraria. «Nadie trae flores a un viejo como yo.»

—Aquí está la belleza seguida de la inteligencia —comentó Françoise, haciendo que su amiga se le adelantase.

En esta ocasión les mostró una gran cantidad de cuadros. No se atrevían a preguntarle su opinión sobre la exposición de ellas, hasta que fue el propio Picasso el que les dijo que la había visitado. «Debe usted trabajar duro, todos los días, porque posee grandes dotes para el dibujo», le dijo a Françoise, mientras a Geneviève se limitó a decirle que había encontrado un buen maestro en Maillol. «Un buen catalán se merece otro.»

Duda Françoise si ella había sido polo de atracción para Picasso. Que, según pensaba, se había fijado más en la exuberancia de Geneviève. Una morena y una rubia, pero no «hijas del pueblo de Madrid», como les cantiñearía Pablo en una ocasión, recordando sin duda alguna *La verbena de la Paloma,* zarzuela española que lo entusiasmaba.

Picasso dominaba los resortes del «donjuanismo». «Estoy conociendo seres humanos que ya había pintado anteriormente», dijo refiriéndose a las dos amigas. Y no faltaba a la verdad, porque él lo había pintado ya todo. Comenzaba a reencontrarse con sus personajes, perdidos en alguno de sus cuadros y en su biografía. Pocos como él quemaban etapas con tanta facilidad.

En una de sus visitas, ya en solitario, Picasso la llevó a una habitación de pequeñas dimensiones, con la excusa de regalarle unos tubos de pintura. Todo eran disculpas para quedarse solo con ella y comenzar su tarea de seducción. Un día le secó personalmente los cabellos, porque los traía mojados, ya que había llovido fuertemente durante el trayecto entre su casa y la de Picasso, que ella hizo en bicicleta. Otras veces la llevaba a su «pequeño museo», en donde conservaba los más diversos objetos, algunos de los cuales él había tallado con la ayuda de una pequeña navaja.

Allí comenzó a «lanzarse» el viejo seductor. Primero cogió la melena de Françoise entre sus manos y, después, caminó con ella cogida de la cintura. Continuó enseñándole todas las herramientas y otros utensilios que utilizaba para su trabajo y descubriéndole sus secretos. De pronto acercó su boca a la de ella y la besó. «No, no me importa que lo hayas hecho», susurró Françoise. La respuesta, lejos de alegrar a Pablo, casi le ofendió. Según él, Françoise debiera haberse resistido, «¿porque puedo pensar que conseguiría de ti todo lo que me apeteciese?» Ella le animó a que siguiese adelante. «¿Estás enamorada de mí?» La pregunta quedó sin respuesta, ni negativa ni afirmativa. Sencillamente, Françoise reconoció que se encontraba a gusto a su lado.

A Picasso, en aquella entrevista y en las sucesivas, le desconcertó el comportamiento de Françoise y hasta se mostró tímido, reservado, con ella. Hasta que se decidió a llevarla a su dormitorio, en donde le preguntó si había leído al marqués de Sade. «No me interesa. No acepto ni el papel de víctima ni el de verdugo», le respondió al pintor.

Mostrándola desde la parte alta del estudio una panorámica del Sena, posó sus manos sobre los senos de ella.

¿Quién era Françoise Gilot, el nuevo amor de Picasso? Una muchacha llena de dudas, soñadora, insomne, que dedicaba las noches a leer, hija de un ingeniero agrónomo, creador de diversos negocios relacionados con la industria química. En más de una ocasión había aconsejado a su hija que se dejase de volar y que pisase la tierra con pies de plomo. Ella se había decidido a ser pintora y tuvo como profesor al húngaro Rozsda, alternando sus estudios de pintura con la licenciatura en la Sorbona. Durante tres años estuvo enamorada de un chico de su misma edad, con el que intentó «pasar la barrera de la virginidad», pero el muchacho se asustó y le declaró que no estaba enamorado de ella. Después Françoise decidió independizarse, dejar los estudios, cosa que comunicó a su padre por escrito. Éste, encolerizado, le pidió que rectificase. Françoise escapó a casa de su abuela y allí la fueron a buscar sus padres. Él le propinó una soberana paliza. Acudió la abuela materna, que decidió que se quedase en su casa hasta que llegase un médico. De nuevo rugió el padre, amenazándolas con encerrarlas a las dos y de cortar la espita del dinero a ambas. El padre envió su hija a un psiquiatra para inhabilitarla. El médico no encontró nada anormal en ella. La siguió llevando a diferentes psiquiatras, pero ella salía no solamente triunfante, sino más segura de cada una de aquellas difíciles pruebas a la que la sometían unos especialistas elegidos y pagados por su padre. Ya casi independiente, en casa de su abuela y sin dinero, tuvo que recurrir a dar clases de equitación, deporte en el que ella era una experta.

Aquel verano se fue a veranear con Geneviève y, meses después, se reencontraba con Picasso, con el cual ya tenía una enorme confianza. A la gran amistad y confianza siguió el amor. En su estudio le fue presentando a los más importantes personajes del momento, algunos como Malraux. Allí llegó Jean Cocteau, llevando a su amado *Jeannot* —Jean Marais—, que iba a estrenar *Andrómaca,* de Racine, para cuya obra el escritor pedía al pintor que diseñase un cetro para el muchacho. Picasso los envió a comprar un mango de escoba, sobre el que Picasso grabaría, con un atizador de hierro candente, un decorado abstracto.

Pronto se ganó Françoise la inquina de «la mujer más celosa de Picasso»; es decir, Sabartès. Trató de llamar la atención del pintor sobre el constante cambio de trajes de la muchacha, insinuando algo sucio. Picasso lo reprendió: «Cuídese de sus asuntos. No entiende nada de nada. Carece de la suficiente inteligencia para darse cuenta de que esta muchacha está caminando sobre un alambre y, además, profundamente dormida. ¿Quiere usted despertarla? ¿Desea que se caiga de esa altura? Usted no nos entiende a los sonámbulos. Y lo que tampoco comprende es el hecho de que me gusta esa muchacha. Y me gustaría igual si se tratara de un muchacho. En realidad, ella es un poco parecida a Rimbaud. Así que guárdese para usted sus sombríos pensamientos. Váyase a trabajar un poco.»

Y, según relato de la propia Françoise, cuyas palabras algunos se permitieron poner en entredicho cuando estalló el escándalo de su libro de «memorias», Picasso exclamó: «¡Qué tesoro de incomprensión! En la vida lanzas una pelota, esperas que al llegar a la pared puedas recogerla. Confías en que tus amigos te proporcionen esa pared. Y nunca son como una pared, sino como viejas sábanas mojadas y la pelota que tú lanzas tropieza con ellas y se cae al suelo. Jamás vuelve a tus manos.»

Picasso no podía reprimir su condición de histrión. Ha sido uno de los mejores actores que he conocido y tuve ocasión de decírselo a él y también a Françoise, antes de leer su libro.[1] Había llegado el momento de hacer melodrama y, compungido, sentenció: «Sospecho que me moriré sin que nadie me haya amado de verdad.»

Después de escuchar palabras irónicas de ella, le pidió que se quedase con él para siempre. Incluso le hizo un plan de vida para que, durante el día, desapareciese del mundo. Por las noches los dos saldrían a pasear, juntos, como una pareja de enamorados. Y, a continuación, le pidió que lo visitase por las tardes, horas en las que Sabartès desaparecía. Sabartès lo molestaba, pero lo necesitaba. Era como el grito de esa conciencia cuyas voces se pretenden apagar para no escuchar verdades que resultan duras. Sabartès era el eterno espíritu de contradicción. Recuerdo una cena en Chez Félix, de Cannes, a la que asistió él, junto con Jacqueline y Pablo Picasso, María Teresa León y Rafael Alberti. Se pasó todo el tiempo refunfuñando, o de lo que hablábamos o de los platos que le servían. Había en Picasso hacia él una especie de distanciamiento y acercamiento, un ánimo contradictorio. Parecía no hacerle caso y, sin embargo, lo necesitaba. Digamos, con todos los respetos al nombre de aquel catalán que vivió en función de Picasso, que lo tenía como al bufón de aquellas cortes de Europa que trataba a patadas, pero al que en el fondo necesitaba y hasta admiraba de alguna manera.

Le prometió enseñarle a hacer grabado y ella apareció sugestivamente vestida. La primera lección consistía en mostrarle grabados suyos. Ante una representación del Minotauro, eterna obsesión picassiana, le dijo que las mujeres son tan extrañas que incluso son capaces de amar a un monstruo.

Después le explicó que los pintores viven un poco fuera de la realidad, pero al menos viven una vida mucho más ordenada que los escultores.

1. *Vida con Picasso,* escrito en colaboración con Carlton Lake (1964). Libro que ha sido, como ya se ha explicado reiteradamente en este texto, la manzana de la discordia, el factor desencadenante de que Picasso se alejase no solamente de Françoise Gilot sino de los hijos de ambos.

Picasso, marido del mayor número de mujeres que le sea posible sostener, es también un padre que ama a sus hijos. Aunque luego, como se demostraría con el paso del tiempo, no se preocuparía de su educación, de su futuro y los dejase ir a su aire.

Paulo, Pablo, era un hombre simpático, muy extrovertido, que no se había interesado jamás por la obra de su padre, salvo por el valor económico que representaba. Nadie hubiese adivinado en él a aquel dulce y tierno modelo, al niño de tantos cuadros de Picasso.

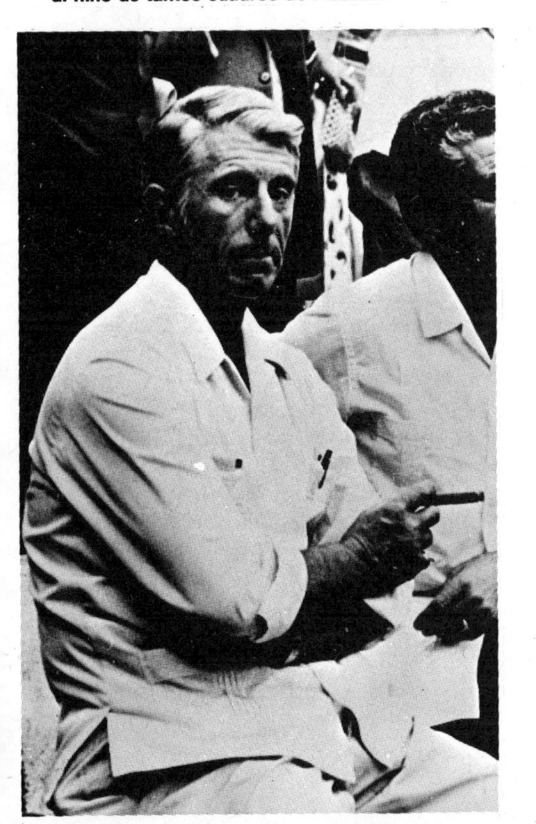

Claude era más rebelde y amigo de las discusiones. «Eres el hijo perfecto de una mujer que siempre dice "no"», le decía su padre.

Los escultores se hallan en excesivo contacto con la realidad. No están seguros del camino que han de emprender en su trabajo. No tiene que extrañarnos que su estilo sea tan ambiguo. Son como Dios, que también es un artista. Inventó la jirafa, el elefante y el gato. Carece de estilo real. Siempre está probando otras cosas.

En otra ocasión la desnudó con el pretexto de que le sirviese de modelo. La tendió sobre la cama y él se puso a su lado. Así empezaba la relación entre los dos que iba a tener frutos importantes.

Le dijo, dulcemente: «Me agradaría ser capaz de detener el tiempo en estos momentos, y mantener las cosas tal y como están ahora, porque siento que este instante es un verdadero comienzo. Tenemos a nuestra disposición una cantidad definida, pero desconocida de experiencia. Tan pronto le dé la vuelta al reloj, comenzará a correr la arena y, una vez iniciado su deslizamiento, no se la podrá detener hasta su total extinción. Por eso quisiera retenerla en su comienzo. Debemos hacer un mínimo de gestos, pronunciar un mínimo de palabras, incluso vernos lo menos posible si eso ha de prorrogar la situación. Ignoramos lo que hay ante nosotros, así es que debemos adoptar las más grandes precauciones para no destruir la belleza de lo que ahora tenemos. Todo existe en cantidad limitada, especialmente la felicidad. Si un amor ha de llegar a serlo todo, está escrito en alguna parte, enteramente, hasta su duración y contenido. Si tú pudieras alcanzar una completa intensidad el primer día, el amor acabaría ese mismo día. Y así, cuando desees algo con tanto afán que te gustaría prolongar su duración, debes extremar tu cuidado en no exigir demasiado, o al menos impedir que lo que tanto anhelas no llegue a desarrollarse en una gran extensión y en el más grande de los períodos.»

Al llegar a este punto debo aclarar que, con esta larga parrafada, volví una tarde a recorrer el filo de la navaja picassiana. Mi experiencia, larga en el trato con el pintor malagueño, me había aconsejado rechazar todas las frases lapidarias que se le atribuían. El largo párrafo en el que se recrea Françoise Gilot cuando trata el tema, es realmente bello. Posiblemente la distancia cronológica le haga unir en un solo discurso las palabras, no muy abundantes por cierto, con las que Pablo Picasso le declaró su amor.

Si he dicho antes que recorrí ese filo, recientemente afilado por la aparición del libro, es porque me permití escribir en una cuartilla todas esas palabras y leérselas a Picasso. Su mal carácter estaba en plena ebullición y era peligroso cuanto se relacionase con el tema. Así de sencillo, lo más rápidamente que me fue posible le acerqué la cuartilla. «¿Quieres leerme lo que está escrito, gallego?» Se lo leí, aprovechando que Jacqueline nos había dejado solos, a la hora del té, con el pretexto de buscar algo. Supongo que ella esperaba que me acordase de su petición y le hablase de los hijos y de su poco amor a un padre que, según ella, se había desvivido por ellos. A Jacqueline todavía le faltaba por salvar el escollo de Pablo. Si se decidía el padre a cerrar a su hijo las puertas de «Notre-Dame-de-Vie», su triunfo sería completo

—Dice cosas bonitas ese párrafo. ¿De quién es? —me preguntó, quizá esperando la respuesta.

—Tuyo —le contesté secamente.

—A veces el autor no reconoce sus obras. Pero, como comprenderás, ya que me conoces, yo soy incapaz de decir una parrafada tan larga, salvo que la escriba. Pero tal cúmulo de cosas, como quien recita un monólogo de una obra teatral, no las podía decir ni a una mujer ni a nadie. Ni siquiera a mí mismo.

Picasso no era un hombre de frases rotundas, lapidarias. Si hablaba o pintaba para la eternidad, si escribía o esculpía para la posteridad, no estaba consciente de ello. Y no le preocupaba ese futuro tan lejano porque quizá sabía que lo que otros llaman posteridad él lo había alcanzado en vida. Era la estatua de sí mismo.

Siempre me autorizaba a publicar mis entrevistas con él. Solamente me ponía una condición: «Tú pones en orden mis ideas. Pero nada de "máquinas reproductoras" ni saques el bloc de notas porque, entonces, tendré la sensación de que te estoy dictando, no habrá diálogo entre los dos.»

Traté de convencerlo de que, aunque alguien hubiese recompuesto sus frases, uniéndolas como en un *puzzle*, haciendo un gran *collage* con ellas, él estaba presente, nadie más que Picasso hubiese podido decirle esas cosas... a una mujer, añadí casi inconscientemente.

—¿A una mujer? ¿A qué mujer? —Y cambió su expresión.

Me tranquilicé porque sabía que no había leído el libro de Françoise. Pero me preguntó:

—¿De dónde sacaste esta cuartilla?

—De varias de esas frases que se te atribuyen. Un día las escribiré y...

Me arrancó materialmente el papel de mis manos. Creí que iba a destruirlo. Ahora fue él quien lo leyó, con una cantinela, como recitándolo:

—No está mal. Puede ser... Todo eso, separado y no de un tirón, vale, puede ser mío; es mío sin duda alguna —concluyó.

No era el momento de identificar aquellas frases y cambiamos de tema. Picasso era hombre de grandes intuiciones y, momentos antes de que regresase Jacqueline, se volvió a irritar:

—No estoy dispuesto a pasar por alto la faena de esa mujer. Ya he llamado a mis abogados... ¿Has leído el libro?

—No —me vi obligado a mentirle.

—Ni lo leas si eres amigo mío. No dice más que barbaridades.

Él tampoco lo había leído, como he aclarado en estas páginas. Él también hacía caso al consejo que me había dado a mí, porque Pablo Picasso era sin duda alguna el mejor amigo que tenía Picasso y por la única persona por la que era capaz de sacrificarse.

Aquella tarde, Picasso se despidió de Françoise, pidiéndole que no se viesen tan a menudo.

«Si las alas de la mariposa han de mantener su lustre, no debes tocarlas. No podemos abusar de algo que puede traer luz a nuestras dos vidas. Contigo me parece una ventana que se está abriendo.»

Françoise, contagiada por las novelas rosa que también había leído, cierra el capítulo con el que abría otro nuevo en su vida con una frase redonda: «Aquél era un día gris del mes de febrero, pero lo recuerdo como lleno de luz de verano.»

Yo, instintivamente, recordé uno de aquellos boleros de moda, que a Picasso le gustaba oír de vez en cuando y hasta los ponía en su «aparato reproductor», graciosa y equívoca manera de llamar al tocadiscos, al que otras veces llamaba el «picú»:

Desde el día en que te vi,
la vida para mí,
es de color de rosa.
Y hoy me siento tan feliz,
que cualquier tarde gris
tiene color de rosa.

Picasso se había agarrado a una juventud cronológicamente perdida. Quizá por eso necesitaba hacer mayores alardes de fortaleza física. Léautaud escribe en su diario, refiriéndose al encuentro con su amigo en la calle Jacob, en la que se saludaron: «Se ha dejado crecer el pelo hasta el cuello del abrigo, un pelo ya blanco, aunque no tiene en absoluto cara de viejo. De espaldas, sí, puede tomársele por tal, curiosa idea. Nunca me había fijado en lo bajo que es Picasso. Tiene un rostro encantador y chispeante, de guasona expresión.»

A él se le escucha en numerosas ocasiones una curiosa versión, a su madre debida, sobre su personalidad: «Si llegas a ser soldado, serás general. Si cuando seas mayor te haces sacerdote, llegarás a ser papa. —Luego añadía—: Pero me hice pintor y terminé siendo Picasso.»

Cuando terminó la segunda guerra mundial y París fue liberado, acudió a visitarlo Ernest Hemingway. No lo encontró en su estudio de Grands-Augustins. La mujer que atendía la casa, le dijo que había salido, pero que si deseaba dejar algún recado para el maestro ella lo recogería, como hacía en otras ocasiones. Hemingway se dirigió al *jeep* que tenía aparcado al lado de la puerta y regresó con una caja llena de granadas. En el envase escribió: «Para Picasso, de Hemingway.» La mujer se negó a meter dentro de casa aquel peligroso obsequio, fina atención del bárbaro norteamericano al salvaje español.

Laurent Casanova, comunista, fue acogido por Michel Leiris, para huir de la persecución de la Gestapo. Con él se reunían varios amigos, sobre los que ejerció indudable influencia. Y fue así como Pablo Picasso llegó a afiliarse al Partido Comunista. Explicó su decisión no solamente tomada por influencia de Casanova, sino de Paul Éluard y Louis Aragon, diciendo: «Ingresé en el partido como una persona que va a la fuente.»

Terminada la guerra comenzó la ascensión de Pablo Picasso, que ya se había consolidado como un personaje universal y aparecía en las portadas de los semanarios, los diarios y todas las publicaciones del mundo. Puede decirse, pues, que Françoise Gilot disfrutó de la hora radiante del que iba a ser su compañero en los años sucesivos.

Pablo había conseguido, además, un harén caro y complicado. Ha montado su propia comedia magistralmente. En esa época aún comparte tres amores, más que sucesivos simultáneos: Marie-Thérèse Walter, junto a la cual y a su hija, Maya, pasa todos los jueves. Dora Maar, que oficialmente continúa siendo su amante y su modelo. Y Françoise Gilot. Sí, últimamente también aparecería Geneviève Laporte, «la chica de los miércoles». Ya se siente un sultán, aunque sus mujeres le acarrean más de un quebradero de cabeza. Porque Olga, que sigue negándose a la separación, lo trastorna con sus constantes obsesiones. Pero es la madre de su hijo mayor, Pablo, con el que no quiere perder el contacto. Picasso, marido del mayor número de mujeres que le sea posible sostener, es también un padre que ama a sus hijos. Aunque luego, como se demostraría con el paso del tiempo, no se preocuparía de su educación, de su futuro y los dejase ir a su aire.

Las tres mujeres —Geneviève es un caso aparte— se creen la auténtica mujer de Picasso. No fantasean porque es él quien se lo hace creer así. Juega a los equívocos y se divierte con su situación, que a la única persona que no divierte, aparte de a las protagonistas femeninas de la comedia de enredos, es a Sabartès, que le augura los más tristes desenlaces. Sabartès tiene espíritu de agorero y todo lo que sale de su boca son negros presentimientos.

Picasso se sabe maestro de las mujeres que le rodean. Quizá las únicas dificultades que tuvo con Dora Maar se debieran a la preparación extraordinaria de ella. A que no dependía del «monstruo sagrado», ya que su ambiente y sus amigos eran los mismos que los de Pablo. Con Françoise, aunque fuese una muchacha de cierta cultura, era distinto. Podía enseñarla y, sobre todo, deslumbrarla. Picasso vuelve a sus recuerdos, más ricos en aventuras y desventuras que el presente, y por eso le habla de sus amigos de entonces y la lleva a visitar el Bateau-Lavoir, en donde él tuvo su estudio. Le va mostrando el domicilio que fue de Modigliani, en donde trabajaba Juan Gris, la habitación de Max Jacob, que tenía como víctima propiciatoria a Apollinaire.

Mostró a su nueva amante el lugar de su período azul. Para volver a él, solamente era preciso abrir una puerta. «En esta fuente conocí a Fernande Olivier.

En los primeros tiempos de unión surgieron muchas discusiones por desamor del temperamento demasiado fuerte de Picasso, que le advertía a ella: «No debes creer que yo llegue a estar eternamente unido a ti.» O: «No creas que significas algo para mí. Me gusta mi independencia.» Tenía siempre respuesta en Françoise, que le contestaba que ella también amaba su propia independencia y que quería disfrutar de ella. Llegaban los tiempos de humillación: «No sé por qué te he pedido que vinieses. Para mí sería más divertido ir a un burdel. Estás estropeando mi vida.» «No hay nada tan parecido a un perro de lanas como otro perro de lanas, y eso también puede aplicarse a las mujeres.» «Nadie tiene importancia en lo que a mí concierne. Las demás personas son como esas pequeñísimas partículas de polvo que flotan bajo la luz del sol. Solamente se necesita echar mano a una buena escoba para que desaparezcan.»

La reacción de Françoise no se hizo esperar. Desapareció del mundo de Picasso durante tres meses. Volvió a telefonearlo después de la exposición de Dora Maar, en la primavera de 1945. En el reencuentro la cogió de la mano. Estaba preocupado. Había visitado en su casa a Dora Maar y no la encontró. Apareció algún tiempo después con los cabellos en desorden y su vestido rasgado. Explicó que un hombre la había atacado y le robó su perro maltés, que Pablo le había regalado. Y hacía unas noches, un policía la había encontrado vagando por las cercanías de Pont-Neuf, en idénticas condiciones en que la vio Pablo en aquella ocasión. También explicó que un hombre la había atacado y se llevó su bicicleta. Que apareció apoyada contra un muro, sin que nadie la hubiese tocado. ¿Quería llamar la atención de Picasso, un tanto alejado de ella? Días después, cuando iban a ir a cenar, ella le hizo duros reproches sobre la inmoralidad de su vida. Estaba arrebatada, como en un ataque de misticismo, que en ella sí habían acentuado progresivamente. «Debes aprovechar el tiempo que te quede de vida para arrepentirte —le gritó—, porque como artista puede que seas extraordinario, pero como persona moralmente hablando no sirves para nada. Trabaja por tu propia salvación en la forma que más creas conveniente.»

Durante la cena, en la que se tocaron otros temas, la actitud y modo de hablar de Dora Maar resultaban muy extraños, no se entendía a lo que pretendía referirse. Pablo llamó a Éluard para explicarle la situación y ella los sorprendió: «Postraos a mis pies, pareja de herejes. Yo poseo la revelación de la voz interior y veo tal como es el pasado, el presente y el futuro. Si seguís viviendo como hasta ahora, os sobrevendrá una terrible maldición.»

Picasso llamó al doctor Lacan para que la psicoanalizase. Éluard le echó la culpa a su amigo de lo que le estaba sucediendo a Dora. «La has hecho una desgraciada, Pablo.» Éste se defendió culpándolo a él y a todos los surrealistas, que, según él, habían provocado su desbarajuste. «Nadie se derrumba así, en pedazos, sin que exista alguna causa interna. Es como un fuego que está latente y al menor soplo de viento se activa.» Le respondió que los líderes del surrealismo como él, Aragon, Breton, Dalí, habían sobrevivido. ¿Y qué ocurrió con los demás surrealistas? Crevel se suicidó, Artaud se volvió loco. «Como ideología no hicisteis más que sembrar desastres», lo acusó.

Picasso estaba evidentemente preocupado, sentía una conciencia que lo acusaba, aunque él encontrase razones para refutarse a sí mismo en sus reproches.

Dora Maar reapareció, semanas después y tras el tratamiento médico, bastante recuperada. Picasso le prometió llevarla de vacaciones al Midi y ella se refugió en su pintura. Pablo continuaba con su juego de mujeres.

Françoise se fue a veranear a Bretaña, cuando recibió la llamada de Pablo, que le había alquilado unas habitaciones, para que se trasladase a Golfe-Jean. «Ven pronto, que estoy terriblemente aburrido», le había escrito. Françoise se disculpó y continuó tranquilamente sus vacaciones para no perturbar las de Pablo ni las de Dora Maar, que parecía estar repuesta de su ocasional trastorno. Volvieron a París y no se vieron de nuevo hasta el mes de noviembre, fecha en la que ella volvería al estudio de Grands-Augustins, ya convencida de que nada podía hacer en favor de las relaciones de su amante con Dora Maar, que estaban deterioradas y a punto de romperse.

Pablo la recibió haciendo litografías y le dijo que había pensado que no volvería a verla más. Ella vio dos retratos de mujeres. Le dijo que no estaba seguro si había tomado como modelo a Dora o a Geneviève.

Françoise cayó por las escaleras de casa de su abuela y se fracturó un brazo. Permaneció diez días en el hospital, en donde le operaron el codo. Pablo le envió una azalea gigante, con lazos azules y rosa. Al salir del hospital se fue al Midi y Pablo le dio la dirección de Louis Fort, que tenía sus prensas de mano, y a mí me podía ser útil para aprender alguna cosa. Invitó a Geneviève para que pasase una temporada con ella. Comunicó a Pablo sus progresos y éste apareció a la puerta de la casa, conducido por Marcel.

—¿Por qué has venido? —le preguntó Françoise.

—Porque no entiendo cómo has podido escribirme diciéndome que te sentías feliz sin mí —le respondió, mientras la abrazaba.

La pareja vivía en las habitaciones alquiladas y envió a Geneviève a vivir a Chez Marcel. Pablo, aparentemente, no mostraba ninguna simpatía por la muchacha, y en una de las salidas de Françoise aprovechó para tener una entrevista con ella. Françoise los encontró juntos, ella encolerizada y pidiéndole a su amiga hablar aparte las dos.

—Seré yo quien hable —se interpuso Pablo.

Françoise se la llevó, adivinando lo que había sucedido. Geneviève le preguntó:

—¿Cómo puedes vivir con semejante monstruo?

—Monstruo, ¿por qué?

—Verás, no te lo digo por lo que hizo o por lo que intentó hacer, sino por la forma de intentarlo. Me trajo a vuestra casa cuando te dejamos en Antibes y me dijo que me iba a dar una lección de grabado. Después añadió que iba a aprovechar tu ausencia para hacer el amor conmigo. Me echó sobre la cama y me gritó que me iba a hacer un hijo, que era lo que yo estaba necesitando.

«Ya me imagino la sarta de mentiras que te habrá dicho esa mujer», fueron las palabras con las que Pablo recibió a Françoise a su regreso a la casa.

—Conozco desde hace años a Geneviève y sé que no me miente —le replicó.

—¿Sí? Pues te diré que fue ella la que trató de seducirme nada más irte tú. Y, además, me has dejado plantado para irte con ella y escuchar y creer sus mentiras. Sé que sólo existe una explicación y es que entre vosotras dos hay relaciones poco normales...

Françoise se echó a reír. Le llamó «jesuita puro». Pablo se irritó y después se fue calmando. Le reprochó que lo dejase solo, sabiendo que la necesitaba y a él le quedaban pocos años de vida. Así la fue convenciendo y permitió que su amiga se fuese a Montpellier.

A partir de ese momento todo parecía ir bien entre la pareja. Hicieron varias visitas, entre ellas a Matisse. De regreso Pablo propuso a Françoise que se fuese a vivir con él definitivamente. Debía abandonar a su abuela así, de pronto, porque estaba seguro que ella la necesitaba menos a su lado. Françoise trató de defenderse, de rebatir la propuesta de abandono de la abuela, que a ella le parecía brutal:

«Puede que cueste un alto precio actuar en esta forma —le respondió Pablo—, pero hay momentos en la vida en los que no podemos permitirnos el lujo de elegir. Si tienes una necesidad que domina a todas las demás, debes de actuar urgentemente. No hay pureza total y absoluta a no ser la de la negativa o la de la opción. Al aceptar una pasión que uno considera extremadamente importante y en la que acepta para sí mismo una parte de tragedia, se traspasan las leyes usuales con derecho a actuar de una forma que jamás haría si las circunstancias fuesen ordinarias.»

Siguió sus razonamientos para convencerla de que adoptase la decisión que él le había pedido: «Puede decirse que una persona tiene derecho a alcanzar una pequeña porción de felicidad a costa de otra. Siempre nos encontramos en medio de una mezcla del bien y del mal. El bien de una persona siempre estará en conflicto con el de otra. En cierta medida elegir a una persona significa matar a otra. Y así uno ha de tener el valor del cirujano o del asesino y aceptar la parte de culpabilidad que eso nos proporciona. En ciertas situaciones uno no puede ser un ángel.»

Aludió además que en la vida todo tiene su precio y los valores positivos lo pagan con lo negativo. «No verás nunca algo grande que no lleve algo horrible que lo acompañe. El genio de Einstein conduce a Hiroshima.»

Ya más distendidamente la llamó «ángel del infierno. Y, como yo soy el diablo, te has convertido en uno de mis súbditos. Creo que te marcaré con hierro candente».

De regreso a París, Pablo acudió a casa de la abuela de Françoise con un ramo de rosas rojas. Ella estaba sin arreglar. Françoise se fue al cuarto de baño y Pablo escuchó una voz que se le antojó masculina:

—No te preocupes. Se trata de mi abuela —lo tranquilizó la muchacha.

—Me gustaría conocerla —dijo él.

Sus deseos se cumplieron porque, cuando los dos salían a la calle, se la encontraron en el rellano de la escalera. Hablaba en tono fuerte y su voz podía parecer masculina. Pablo, divertido, le dijo en voz baja a Françoise:

—Acabo de encontrar al gran maestro, alemán, de orquesta.

A la abuela le mereció una buena opinión:

—Nunca he visto a un hombre de piel tan suave. Es como una pieza de mármol pulido. Es duro y sólido como una estatua.

Françoise seguía negándose a vivir con él, salvo que terminase sus relaciones con Dora Maar. Pablo le dijo que ya no había nada entre los dos y que estaba dispuesto a demostrárselo delante de ambas. Ella se negó, pero en una exposición coincidieron las dos mujeres. Pablo las invitó a cenar. Las llevó a Chez Francis. La cena discurrió entre ingeniosidades e ironías. Pablo le explicó a Dora que Françoise era maravillosa y al final la invitó a que se fuese sola a casa porque «ya eres una muchacha mayor de edad». A lo que Dora replicó que estaba de acuerdo y que él necesitaba ya el apoyo de la juventud.

Los tres volvieron a encontrarse en el café de Flore. Él saludó jubiloso a Dora y le preguntó si se acordaba de Françoise. De aquel nuevo encuentro, «casual», salió la cita para mantener una entrevista, los tres, en casa de Dora Maar. Allí Pablo le explicó que Françoise no quería vivir con él porque tenía la sensación de que se interponía entre las relaciones con Dora y Pablo. «Le he dicho que todo acabó entre tú y yo y te agradecería que fueses tú quien se lo confirmase.»

Dora respondió que sí, que ya no había nada entre ellos y que no tenía que responsabilizarse de ser la causa de esa ruptura. Pero a partir de ahí, observando el aspecto de chiquilla de la mujer que oficialmente la iba a sustituir, le dijo que no era preciso que se tomase tantas precauciones para embarcarse en algo que sabía, sobradamente, que no le iba a durar. Acto seguido acusó a Pablo de no haber querido jamás a nadie, «ni siquiera sabes amar». «No estás en condiciones de decirme si sé amar o no», fue la respuesta y la despedida de Picasso, al que Françoise acompañó hasta el metro de Pont-Neuf. Al cruzar el puente del Sena que los conducía a la boca de metro, ella le reprochó el trato que había dado a Dora en aquella conversación.

«Lo hice por ti, para que te des cuenta que en mi vida no hay nadie más importante que tú. Y encima me lo reprochas. Ahora mismo te voy a arrojar al río, porque es lo que te mereces.» La asió con sus brazos, la sujetó contra la barandilla. Ella le instó a que lo hiciese, si eso lo complacía. Cuando se vio libre, echó a correr y lo dejó solo en el puente.

Aquél podía parecer el episodio final de un amor que empezó tortuosamente, lleno de complicaciones, del juego picaresco de Picasso y de infidelidades por parte de él. Pero Françoise se confiesa enamorada, sin importarle la diferencia de edad ni el carácter casi imposible del hombre que la había seducido.

Según confesaría más tarde Françoise, la reunión en casa de Dora Maar y la discusión que siguió a la misma pudieron ser la causa de una definitiva ruptura de relaciones. Pero el amor y tal vez la costumbre habían arraigado en ambos. Pablo Picasso se sentía solo y solía decir, refiriéndose a los que lo rodeaban, que le parecían como las gallinas: «Me aman porque los alimento. Pero ¿quién me alimenta a mí?»

Un día de mayo de 1946 Pablo vuelve a la carga y pide, una vez más, a Françoise que se vaya a vivir con él. Ella reaccionó con estruendosas carcajadas, actitud que exacerbó todavía más al artista. Le volvió a reprochar que solamente se preocupaba por su abuela y que, tarde o temprano, aparecería un hombre que la arrancase de ella.

Estos razonamientos fueron los que la decidieron a quedarse para siempre en casa del pintor. Escribió dos cartas, dictadas por Picasso. Una iba dirigida a su madre y otra a su abuela. No les daba su nueva dirección, pero les prometía frecuentes noticias. De esa manera se puso fin a una situación tensa. Pero comenzaba otro período muy difícil en las relaciones de ambos, la convivencia entre una mujer todavía muy joven y un sesentón con muchas experiencias amorosas y también con numerosas etapas quemadas que ya eran parte de su biografía.

Françoise trabajaba en la casa, y cuando no lo hacía le servía de modelo a su compañero. Rompió unos bocetos que no le gustaron y la mandó marchar porque ya tenía en su memoria, y para siempre, el rostro de la muchacha. A la que pronto llamaría, en una de sus obras más conocidas, *La mujer flor*. Françoise se limitaba a verlo trabajar.

Le explicaría a Françoise la razón por la que la había convertido en una flor: «Todos somos animales y las tres cuartas partes de la raza humana tiene aspecto de tales. Tú no; tú eres como una planta que está creciendo, y ahora me pregunto cómo se me habrá ocurrido la idea de que puedas pertenecer al mundo vegetal y no al animal. Nunca me sentí impulsado a retratar a nadie de esta forma. Ese cuadro eres tú.»

Le iba explicando a su compañera los secretos de su pintura, de su forma de hacer. Palabras que han quedado escritas en la historia del arte: «Cuando pintas una cabeza todo va bien. Pero el pintar la totalidad de la figura humana, casi siempre la cabeza, lo estropea todo. Si no le imprimes algún detalle sigue pareciendo un huevo; logras un maniquí y no una figura humana. Y, si por otra parte, detallas demasiado la cabeza, eso estropea la luz tanto en pintura como en escultura. En lugar de luz obtienes sombra que produce agujeros en tu composición, impidiendo al ojo circular libremente por donde desea. Una de las posibilidades que se abren ante uno es mantener el volumen completo de la cabeza, en sus proporciones normales, o incluso ligeramente mayores, y añadir, para no molestar mucho, los hábitos del espectador corriente, un mínimo de pequeños signos gráficos, muy juntos, para los ojos, la nariz, la boca, y así sucesivamente. Esto proporciona al espectador las necesarias referencias en cuanto concierne a los varios rasgos funcionales. En esa forma no pierdes nada en luminosidad, ganas ventajas en la composición total del cuadro, y añades un elemento de sorpresa. El espectador que se interesa por los problemas clásicos, inmediatamente comprenderá por qué has hecho esto. Y el interés que tiene. Sin embargo, para el espectador profano en pintura todo esto será terriblemente revolucionario e incomprensible y exclamará: "¿Cómo puede un hombre colocar ahí dos puntos que indican el lugar de los ojos, un botón para la nariz y una pequeña línea para la boca?"»

Unía su arte con la poesía, que continuaba latente en él y era su constante tentación. Sabía que sin poesía todo esfuerzo artístico quedaría deshumanizado y resultaría inútil. También sobre este tema mantuvimos largas conversaciones. «Poesía o nada», solía afirmar. «Poesía y todo», completaba su frase.

«La pintura por poesía y siempre se escribe en verso con rimas plásticas, nunca en prosa. Las rimas plásticas son formas que armonizan una con otras proporcionando asonancias mediante otras formas, o bien, a través del espacio que las rodea, también, algunas veces, expresando su simbolismo, aunque éste no debe ser demasiado manifiesto. ¿Qué relación pueden tener los puerros con el cráneo? Plásticamente, mucha. No se puede seguir pintando el cráneo y las tibias cruzadas como tampoco se puede seguir rimando "amor" con "color". Así pues, al pintar esos puerros que hacen recordar las tibias sin forzar demasiado tu imaginación y sin que las tibias se vean tan claramente.»

Françoise, al ser pintora, es el testigo más válido, aparte de Dora Maar, de la evolución artística de Picasso y la que mejor podía dialogar con él sobre sus métodos de trabajo. Le explicaba casi todos sus secretos y le respondía a su sugerencia de que se alejase del mundo interior, que según ella le entorpecía, diciéndole que necesitaba esas relaciones, que no podía prescindir de esas gentes, aunque sabía que su pintura procedía de su mundo interior. Ponía como ejemplo a Braque, que podía «pasar» de los demás, y así se convirtió en un «diablo afortunado». «Pinto exactamente igual como otros que escriben su autobiografía. Los cuadros terminados son las páginas de mi diario. Tengo mucho que decir y me queda poco tiempo para decirlo.»

Asistieron a una exposición de Dora Maar, y fue allí en donde decidió Picasso que el verano lo pasarían en la casa que él había regalado a su ex compañera: «que se sentirá muy satisfecha si nos vamos a disfrutar de ella». Así es que se trasladaron a Ménerbes, pueblo fortificado, mirador del valle de Cavaillon. La casa, de cuatro plantas, daba la sensación de que solamente tenía una, mirada por su parte anterior. Las edificaciones de ese pueblo asemejan a las «casas colgadas» de Cuenca y están construidas excavadas en la roca.

Descansaban en el pueblo y al anochecer se escuchaban los toques de trompeta que hacían añorar a Picasso la que él había dejado en su estudio parisino. Todos los días tenía la costumbre de tocar la trompeta, que le servía como de descanso de sus otras actividades. El 14 de julio en el pueblo, conmemorando el día de la Bastilla, se hace un alarde de cornetería. Los músicos avanzaban entre antorchas, con el torso desnudo, y Picasso experimentó una de las mayores emociones de su vida.

En una ocasión, dada la abundancia de escorpiones, le dijo a su compañera que como el escorpión era el signo zodiacal de él, le haría una corona de escorpiones. Esos animales eran los que más temor le daban a Françoise. Esto, unido a la incomodidad moral que le suponía vivir en la casa de su antecesora, y escuchar cada mañana cómo Pablo le leía las cartas amorosas que le seguía enviando Marie-Thérèse, la decidieron a marchar y acaso definitivamente. Un amigo le había ofrecido un puesto de profesora de dibujo en Túnez. Trató de escapar por la carretera, sin dinero y esperando hacer autostop. Poco había caminado cuando el coche de Picasso, conducido por Marcel, le dio alcance. Françoise le explicó que no quería permanecer en el pueblo ni en la casa ni un momento más. Todo iba a terminar, como en una novela rosa, con la declaración amorosa de Pablo, que, en presencia de su expectante conductor, volvió a llorarle a una mujer. «Lo que necesitas es tener un hijo. Te devolverá a la naturaleza y dejarás de estar en deuda con el mundo.»

Rebatió todas las teorías de Françoise contra la idea de tener un hijo. Sin la maternidad, según Picasso, nunca llegaría a saber lo que es ser mujer.

Continuaron sus vacaciones en Golfe-Jean, y fue allí cuando Picasso recibió el ofrecimiento de trabajar en una planta del castillo de los Grimaldi, en Antibes, en donde hoy se encuentra un importante museo lleno de obras del pintor español. Él ya lo había querido comprar al ejército, que prefirió vendérselo a la ciudad. Pablo recibió al conservador y le prometió que no solamente trabajaría en su obra, sino que se preocuparía de la decoración del museo, prácticamente vacío de obras de arte. En la primera visita que hicieron a aquel lugar Pablo y su compañera, llevó del brazo a ésta a una iglesia cercana y allí tomaron los dos agua bendita. «Vas a jurar aquí que me querrás siempre», le exigió a la muchacha. ¿Por qué hacerla jurar allí, y no en otro lugar? También lo explicó diciendo que quizá había algo superior en las iglesias.

El hoy museo de Antibes se fue enriqueciendo con la obra picassiana y totalmente gratis. *La mujer comiendo erizos* fue la primera aportación.

Aparecen de nuevo Paul Éluard y su mujer, Nusch, que como todas las mujeres del poeta, habían tenido relaciones más sexuales que amorosas con Pablo. El poeta tomaba aquellos escarceos como una prueba de amistad de Picasso hacia él. Digamos que lo invitaba a gozar de las mujeres que lo acompañaban, desde Gala a Dominique, haciendo un alto en Nusch. Picasso, siempre en cínico, explica ese devaneo como un favor a su íntimo amigo. «Fue una prueba de amistad, así Paul se sentía feliz. No me gustaría que pensase que despreciaba a sus mujeres, que no me gustaban. ¡No me lo hubiese perdonado jamás!»

«Admiro mucho a ese muchacho, sé que es un gran pintor y el último renacentista. Si me preguntas por las razones que hacen que no le reciba, no te sabría contestar, quizá no tengan explicación. Pasa casi todos los veranos por Cannes, me llama y dice que quiere saludarme. Bueno, pues ordeno decir que no estoy. Después siento remordimientos. No, no puedo hacer un razonamiento de mi actitud», me dijo Picasso en una ocasión.

«Yo, cada vez que paso por la Costa Azul, solicito ver a Picasso. Sé que me quiere y yo lo quiero a él. Pero nunca consigo hablar con él. Me dicen que está ausente y jamás hablamos ni por teléfono. Francamente, no entiendo esa actitud. Pero yo persistiré, mientras vivamos los dos, en mi recalcitrante actitud de llamarle», fue la respuesta que me dio Dalí a las explicaciones que, unos meses antes, yo había recibido de Picasso.

Mas el trasfondo hay que buscarlo en la mujer. Lo que no le perdonó jamás Picasso fue que lo convirtiese en burlador burlado con respecto a Gala. Al arrebatársela al poeta, su amigo, se la arrebataba también a él. Éluard jamás dejó de hacer públicas manifestaciones de su amor a Gala, que extendió a Dalí. Su correspondencia con la que fue su mujer, en un epistolario [2] que está lleno de exposición de penurias económicas y de peticiones de ayuda, amparándose en la hija de ambos, Cécile, son la mejor prueba de esa persistencia en el amor a la mujer que lo había abandonado.

He aquí un ejemplo de esa persistencia, muchas veces hasta la reiteración, de su correspondencia. En París, en febrero de 1931, cuando él es ya el marido de Nusch, se dirige a Gala:

«Gracias, mi niña adorada, por estas dos postales, sobre todo de la mujer que tanto amo. Tus cartas me gustan muchísimo. Acababa de soñar, la noche pasada, que Nusch no quería ir a Tahití, donde íbamos todos, cuando recibí la carta en la que nos propones ir.

»¿Por qué no me mandas si hace tanto calor, fotos tuyas, desnuda? Tengo gran necesidad de ellas. Estoy impaciente por verte, porque no he envejecido. Tengo la edad de la primavera ante tu belleza, ante tu espíritu desnudo. Me gustaría ver esa galigrafía. He ingresado dos mil francos en la cuenta de Dalí, producto de la subasta Portier. Belleir no va a vender los dibujos. Solicita devolvérnoslos.

»Escribe a Char. Hôtel des 3 moulins. Está muy desmoralizado.

»Ojalá me escribas desnuda y te pases las cartas por todo el cuerpo.

»Puedo hacer todo lo que me pidas. Voluptuosamente.

2. Paul Éluard, *Cartas a Gala. 1924-1984*, Marginales, Tusquets editores, editada por Gallimard, Lettres a Gala, en 1984.

»Saludos fraternales a Dalí.» [3]

En 1946 se rompe la amistad de Picasso con Breton, cuando éste regresa de América y le reprocha al que fuera su gran amigo, desaprobando su ingreso en el Partido Comunista ni su posición con respecto a la purga de intelectuales después de la liberación de París. Picasso insiste en darle la mano, que Breton le retira. Lo lamenta el pintor, que asegura que coloca la amistad muy por encima de los ideales políticos. Breton, tras una tensa discusión, le dice que no piensa verlo nunca más, tras advertirle que se equivocó al colocarse en las manos de Paul Éluard.

Es tensa su amistad con Braque, harto de soportar las ironías de Picasso que, como es sabido, con su ingenio hizo correr una frase de su autoría: «Braque es solamente madame Picasso.»

Picasso tenía su presa en la jaula, como solía hacer con los animales que le gustaban, como el búho que le regalaron en Antibes. Françoise estaba en una infernal jaula dorada, pero ya había conseguido que se la reconociese como la acompañante oficial del pintor y, de alguna manera, como su verdadera mujer. Nada tenían que ver sus escarceos, sin los que Pablo no hubiese vivido. Porque simultáneamente a esta relación se registran algunas más, que merecerán capítulo aparte. Si se pierde Geneviève, la amiga de Françoise, que la conoció al mismo tiempo que ella, aparece Geneviève Laporte, que se autocalificó de «el amor secreto de Picasso». Pablo es un hombre tremendamente conservador y guarda como pocos las formas. Puede permitirse el lujo de tener y hasta mantener a una o a varias queridas. Pero toda la consideración y los ritos matrimoniales han de respetarse y han de dirigirse a la mujer que vive en su casa.

Quería que Françoise, a la que llamaba «parte de mi vida», conociese todos sus secretos, incluso las cuentas bancarias. Razón por la que le hizo acompañarle al BNCI, en el bulevar des Italiaens. Bajaron a los sótanos, que a ella le recordaron Sing-sing. Él, pese a la resistencia de Françoise, estaba dispuesto a poner al descubierto todos sus papeles «secretos». Un guardián dijo una frase desafortunada que a Françoise le desagradó en extremo: «Señor Picasso, es usted un hombre de suerte. Cada vez viene aquí con una mujer más joven, mientras que los otros traen a la misma, cada año más envejecida.»

En las cámaras de seguridad, divididas en dos partes, Picasso guardaba cuadros de Matisse, Cézanne, Renoir, Braque, Miró y también su producción. Generalmente él no firmaba sus cuadros, una vez concluidos, si no tenían un destino concreto, sin duda alguna para evitar robos de los mismos, que no tendrían valor si no se reconocía la firma.

Pablo, enfermo de úlcera desde el año 1920, era un tremendo aprensivo. Cuando sentía dolores de estómago, los atribuía a un cáncer. Acusaba a su médico, el doctor Guttman, de no interesarse por su salud y sí por su obra pictórica. Pasaba de la crisis de salud a la de la moral, a la de la supuesta incomprensión por parte de todo el mundo, muy especialmente

3. Al parecer a esta carta le falta la firma. Son innumerables las misivas que Éluard escribe a su amada Gala en este tono. En algunas le da cuenta que ha vendido dibujos de Picasso, de Dalí y otros artistas de su colección, para sobrevivir. De Picasso recibe amistad, pero no ayuda económica, a la que no es proclive el genial artista español.

por su familia, que, según él, lo atosigaba. Únicamente el trabajo, al que dedicaba toda la tarde después de haberse levantado tarde por la mañana, le quitaba de sus supuestas enfermedades, le apaciguaba sus iras producidas principalmente por Olga, su mujer y por su hijo Paulo, del que un día me dijo: «Pablo únicamente se interesa por los coches. Él necesita cambiar de modelos todos los meses. Los vende, y si no le alcanza el dinero viene a casa a darme el consabido sablazo. Y luego sus separaciones matrimoniales. Cuento con él una vez al mes, le doy su dinero y vuelve a marcharse.»

Paulo, Pablo, era un hombre simpático, muy extrovertido, que no se había interesado jamás por la obra de su padre, salvo por el valor económico que representaba. Nadie hubiese adivinado en él a aquel dulce y tierno modelo, al niño de tantos cuadros de Picasso.

Un nuevo giro en la vida de la pareja lo marca el nacimiento de Claude, el 15 de mayo de 1947. Era el primer hijo de ellos y el tercero de Pablo. Resulta anecdótico que al ingresar Françoise en la clínica todavía no había llegado el doctor Lamazey y fue atendida por dos enfermeras con los apellidos de Ingres y Rousseau, respectivamente. Se desechó el nombre de Pablo, puesto que el pintor ya tenía otro hijo con el mismo nombre. Y eligieron el de Claude, porque Claude así se llamaba el profesor de Watteau, que además se apellidaba Gillot.

Sabartès no mostraba muchas simpatías por Françoise y menos gracia le hacía el pequeño Claude, que le chafaba toda su ceremonia de la recepción a los visitantes, irrumpiendo en la sala y diciéndole al que esperaba: «Mi papá le verá muy pronto, en cuanto salga de la cama y se vista.»

Cuttoli, uno de sus amigos, que no se molestaba que «festejase» con su mujer, intentó que Picasso hiciese donación de las obras que había pintado en el castillo de Antibes al museo. Y, además, tuvo la osadía de proponerle que se nacionalizase francés para así poder divorciarse con más facilidad de Olga y casarse con Françoise, madre de su hijo Claude. De nuevo las furias del genio se desataron y estuvo a punto de echar a su invitado de la mesa ante la cual comían. Primero le respondió con un «No doy, recibo» a la primera de las proposiciones. Y, en cuanto a la de nacionalizarse francés, fue mucho más rotundo: «Represento a la España del exilio y, además, no tengo la menor intención de someter mi vida a las leyes que gobiernan al mísero mundo de ustedes, los pequeños burgueses.» Al ver que habían dejado de comer les preguntó si los alimentos que les habían servido no les parecían lo suficientemente buenos y añadió que había que ver las cosas que se «tragaba» cuando iba a comer a casa del matrimonio. No obtuvo respuesta, lo cual hizo aumentar su reacción histérica, tirando al mar el plato en el que estaba comiendo.

El primer vuelo de Pablo Picasso surgiría con motivo de una invitación que le hicieron los polacos a él y a Paul Éluard. Se hizo acompañar por el chófer, Marcel Boudin. Durante ese tiempo solamente se comunicaba con Françoise telegráficamente y cambiándole cada día el apellido, además de firmar Picasso. Al «¿Te alegras de verme?», que fue la pre-

Convirtió a la muchacha de «cola de caballo» en su modelo circunstancial y con ese motivo trataba de despertar los celos de Françoise.

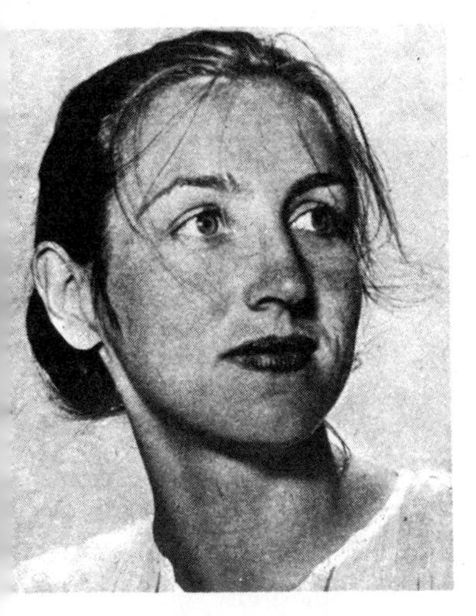

Vi a Françoise en numerosas ocasiones, siempre coincidiendo con la estancia de los chicos en alguna de las residencias de su padre. Era una mujer de indudable belleza, vital a pesar de los padecimientos de que hablaba siempre, serena, ponderada.

Puede llamársele (a Geneviève Laporte) **«la chica de los miércoles», porque ése era el día de la semana en la que la ingenua colegiala se encontraba con Pablo, o «la muchacha de las chocolatinas», que tal era el premio, chocolate americano, con el que la compensaba su amigo.**

gunta que le hizo Pablo, a modo de saludo cuando regresó a La Galloise, ella le respondió con una bofetada. Ella se encerró en su habitación con su hijo Claude. La reconciliación llegó al día siguiente cuando Pablo le entregó un abrigo de cuero, que había comprado en Varsovia, y otra prenda para su hijo.

Françoise esperaba a su segundo hijo y el tocólogo le aconsejó que se internase. Era el 19 de abril de 1949. Picasso estaba muy entregado al Congreso de la Paz que se celebraba en la sala Pleyel. Además, en esa reunión internacional se daba «suelta» a su famosa Paloma de la Paz, que, como he aclarado oportunamente, era un pichón, elegido por Louis Aragon. Y otra Paloma vino al mundo a las ocho de la tarde. Fue el padre quien decidió el nombre: Paloma.

La convivencia en Vallauris era a veces apacible y en ocasiones plena de ingenuos incidentes, por los motivos más insospechados, como la aparición de una cabra que les había tocado en una especie de tómbola. «La quiero mucho más que a ti —repetía a Françoise—. La quiero como a uno de mis hijos.» Otras veces los conflictos surgían porque ella le pedía que se hiciese ropa nueva o porque durante el embarazo se había puesto un viejo traje de Pablo.

El regalo de la cabra a unos gitanos provocó otro incidente entre la pareja. «Has entregado el tesoro de mi corazón a unos repugnantes gitanos. Con esa cabra se han llevado mi suerte.»

Picasso era muy supersticioso y cultivaba todas las supercherías que había aprendido en España. Era de mala suerte romper un espejo, que se cayese un salero, dejar el sombrero sobre la cama o abrir el paraguas bajo techado. Si una de estas cosas sucedía tenían que ponerse a dar vueltas por la casa, con los dedos cruzados y diciendo: «¡Lagarto, lagarto!»

He tenido la oportunidad de ser testigo de alguna de estas supersticiones, pero ya en tiempos de su unión con Jacqueline. Recorríamos diversos lugares tocando madera. Pero no era el resultado de que hubiésemos caído en el «delito» de citar algún objeto, cosa o persona que resultase gafe. Sencillamente bastaba el hecho de hablar de la buena salud de alguien, sobre todo si se refería al dueño de la casa. Se adelantaba Jacqueline ordenando: «¡Toquemos madera, toquemos madera!...»

Otra de las cosas que podía acarrearle mala suerte era que alguien poseyese un trozo de una uña o una mecha de pelo de la persona a la que pretendía perjudicar. Por tanto unía este miedo a la pereza que le producía ir a cortarse el pelo. Así contrató a Arias, un español exiliado que vivía en Vallauris, que estaba destinado a amortajar al pintor años más tarde. Arias no era únicamente su barbero, sino el hombre-carretón que le embestía cuantas veces Pablo tuviese ganas de «torear».

De vez en cuando se producía algún incidente entre las mujeres de Picasso. Los principales los provocaba Olga, completamente enloquecida, que lo perseguía de un lugar a otro. Marie-Thérèse tampoco se resignaba a perderlo y, en una de las visitas que hizo a La Galloise, para que viese a su hija Maya, increpó a Françoise, a la que llamó usurpadora.

«Misa por la mañana, corrida de toros por la tarde y casa de putas por la noche» era, según Pablo, el lema de los españoles. Él se conformaba con el segundo de los ritos y la preparación de la asistencia a una corrida duraba toda la semana. Jamás se decidía a decir cuántas personas irían con él a la barrera. La excitación crecía si el que toreaba era Luis Miguel Dominguín, sobre todo a raíz de la amistad que se inició entre ambos. Llegó a ser tanta la pasión por el torero que, en una ocasión al ser cogido Luis Miguel en la plaza de Valencia, Pablo se preparó para ir a visitarlo. Impensadamente hubiese supuesto el regreso de Picasso a España. Una de sus indecisiones impidió este desplazamiento. Ninguna molestia le hubiesen causado en la frontera española, por cuanto Franco, a decir de Dominguín, había dado órdenes de que si Picasso se presentaba en cualquiera de las fronteras españolas se le permitiese pasar a él y a sus acompañantes sin ningún otro requisito.

Tenía constantes roces con su hijo Paulo, que armaba escándalos por la noche totalmente ebrio. En una ocasión quiso arrojar a una chica por un balcón y fue detenido por la policía, que en consideración al nombre de Picasso lo puso en libertad. Picasso arrojó sobre el chico sus zapatos y cuanto objetos tenía a mano. Paulo trataba de explicarle que se había limitado a seguir los consejos del marqués de Sade. Parte de los impactos los recibió también Françoise, a la que Pablo le decía que, al ser su esposa, de alguna manera era la madre del chico. En una ocasión el barón de Rotschild visitó a la familia y se asombró de que una mujer tan joven tuviese un hijo tan mayor. Paulo le respondió que lo había tenido un poco prematuramente, incluso años antes de haber nacido la madre.

Pablo llamaba a su hijo Claude *l'argent*. Se preocupaba por todo lo que le podía pasar, y una madrugada, alarmado, le dijo a Françoise: «El dinero está muerto. No se le oye respirar.»

Había otro dinero. Era el que Pablo llevaba consigo en un cofrecito rojo, de cuero, de Hermes, en donde guardaba cinco o seis millones de francos que, según él, era el precio de un paquete de cigarrillos. De vez en cuando quería contarlo para saber si seguía allí en su totalidad. Hacía que Françoise lo contase. Aquello era un pasatiempo para los dos porque uno y otro se equivocaban. Al parecer él quería llegar a alcanzar la perfección de Charlot en *Monsieur Verdoux*. Empleaban más de una hora en esta ceremonia, y cuando Picasso se sentía cansado, no importaba si habían salido bien las cuentas, lo volvía a guardar en el cofre dándose por satisfecho. Solamente había una llave que lo podía abrir, y esa llave la poseía él.

Ésa, como otras ingenuas anécdotas, fue tomada como muestra de tacañería, de miseria tipo prestamista, por parte de los que calentaron la cabeza a Picasso para tratar de demostrarle que debía perseguir a muerte a la que había sido su compañera por revelar tan atroces «secretos». Secretos que para cuantos lo conocíamos habían dejado de serlo. En alguna ocasión pude presenciar escenas parecidas, como el hecho de esconder los pinceles, que luego no encontraría nunca, para que no se los hurtasen. O dar una llave para que Jacqueline cogiese de una nevera una botella de refrescante. Eran únicamente manías de un viejo que lo había pasado mal en su juventud y que tenía pesadillas en las que le volvían a aparecer los fantasmas de aquellos tiempos.

El cuarto hijo de Picasso, Paloma, apenas les causaba ninguna preocupación. Dormía a pierna suelta y su padre solía decir que así debían ser todas las mujeres. «Deberían dormir, como Paloma, hasta los veintiún años.» En cuanto a Claude, era más rebelde y amigo de las discusiones. «Eres el hijo perfecto de una mujer que siempre dice "no", le decía su padre.»

Françoise, que no deja de pintar ni un solo momento, y que para Claude lo hace mejor que Pablo, recibió una oferta de Kahnweiler, que quería quedarse con varios de sus cuadros. Obtuvo éxito con la venta de esos lienzos, y años después le duplicó la cantidad que le pagaba por ellos. Así, celebró una exposición de dibujos en 1951 y al año siguiente otra, de mayor proporciones, en la galería de su marchante. Picasso estaba entusiasmado con el triunfo de su compañera y, tras ver la exposición la víspera de la inauguración, la convenció de que no merecía la pena que volviese ese día, entre otras cosas porque su presencia distraería la atención que se debía prestar a los cuadros por ella firmados.

También le aconsejó que no se presentase demasiado temprano en la galería y, para hacer tiempo, la llevó a un cine en donde se proyectaba *El holandés errante*, película en la que había escenas de toros a cargo de Mario Cabré, un matador español que había destacado con la capa y que alternaba su profesión con la de poeta, actor teatral y cinematográfico. El filme, que no les complació, venía precedido de la historia de amor que habían vivido en España, en la Costa Brava concretamente, el torero y la actriz Ava Gardner.

Pablo confiaba en la gente que lo rodeaba, muy especialmente en el chófer, Marcel, que era el que incluso le aconsejaba en materias artísticas. Se queja de que gasta demasiado dinero en vestuario y se pone a sí mismo como ejemplo de sobriedad, ya que va siempre con el traje viejo. «Eso está bien para usted, que es el amo. Pero no estaría bien visto que el chófer apareciese abriéndole la puerta y mal trajeado.» Y, naturalmente, siempre lo convencía. Hasta que un día chocó con el coche, que él utilizaba para llevar de paseo a su mujer y al resto de su familia. Picasso no se lo perdonó y decidió despedirlo. Marcel protestó de la dureza de la decisión, alegando los años de servicio que llevaba a su lado. «Pero haga usted lo que quiera, porque si sigue así todo el mundo huirá de su lado, incluso Françoise.»

Por el momento no se cumplía el pronóstico, sino que ella fue la que sustituyó a Marcel al volante del nuevo coche, un Hotchkiss. No le gustaba conducir y le aconsejó que ocupase ese puesto Paulo, que no se dedicaba absolutamente a otra cosa que a gastar el dinero que le proporcionaba su padre.

La pareja inicia la recta final de sus relaciones cuando él hace escapadas sin contar con ella, prescinde de su compañía en las corridas de toros y regresa al día siguiente. La acusa de espiarle porque espera su vuelta en la ventana y le hace saber, violentamente, que él es libre para entrar y salir cuantas veces le dé la gana. Françoise comenzó a llorar y lloraba, según ella confesaba, la mayor parte del día. Era evidente que Picasso se había cansado de ella, había quemado una etapa más, un período de años que era el límite de su resistencia al lado de una mujer. Para justificar su desinterés por ella le decía que cuando la conoció era una Venus y que se había convertido en un Cristo romántico al que se le podían contar las costillas. «Y así es evidente que no me interesas.» U otras lindezas como compararla a una escoba. «Las escobas no tienen atractivo para nadie y menos para mí.»

Si Picasso iba a París la dejaba ocupada en diversos menesteres. Durante uno de esos viajes Françoise recibió un telegrama de su madre en el que le daba cuenta de la gravedad de la abuela. Se trasladó a París para ver a su abuela, a la que veló toda la noche. Como el tren que la reintegraría a su casa no salía hasta la tarde dudó si visitar a Pablo. No lo hizo para evitar una posible reacción colérica de él. De vuelta a Valloris le escribió a Pablo dándole cuenta de lo que había sucedido. Le respondió Zette Leiris diciéndole que Pablo se había molestado por aquella actitud y que su deber era ir a verlo a él, pero que lo había postergado por otras personas. La reprendió cuando él volvió a La Galloise. Comprendió el terror de ella a los frecuentes ataques de cólera de él, que se disculpó: «Enfadarme es algo que forma parte de mi naturaleza. Tú debías saber mejor que nadie que en ese estado digo cosas que no siento. Quiero que cuando te diga algo desagradable, tú te excites y me lo digas a mí. No lo consigo nunca. Me gustaría que alguna vez siguieses mi juego.»

Todavía durarían dos años más las relaciones, muchas veces tensas, entre ambos. El mismo Pablo le dio la clave de la derrota de las mujeres que le habían antecedido compartiendo su vida. El fracaso de Olga fue por sus exigencias. La otra cara de esa moneda era Marie-Thérèse, que jamás pidió nada y no pudo sobrevivir a su derrota. Dora Maar era intelectualmente la mejor dotada. Y el fracaso llegó cuando menos se esperaba.

«Cualquier clase de amor no puede durar más que un período determinado», le había dicho Picasso en más de una ocasión. No era una simple frase, sino una advertencia para que no la cogiese desprevenida la situación límite en la que se encontraban ya, en opinión de Françoise, desde dos o tres años antes de romperse definitivamente las hostilidades.

Fue el propio Pablo el que le puso sobre aviso de una nueva aventura. Ya en 1944, cuando Françoise lo visitaba por las tardes, él le decía que no era la única chica que iba a verlo, que también lo hacía una muchacha muy inteligente, poetisa y estudiante de filosofía. «Además, cuando viene por las mañanas, me trae queso de Cantal.»

El olor de aquel queso volvió a dejarse sentir para el olfato de Françoise en enero de 1951, cuando Pablo prodigaba sus viajes a París dejándola a ella en la Costa Azul. Un día él le comunica que se iba a pasar dos semanas con Paul Éluard, que había llegado con su mujer a Saint-Tropez. Según madame Rémie, los periodistas le habían dicho que Picasso se entretenía allí con otra mujer. Y que junto con los Éluard y ella se proponían realizar un viaje a Túnez. A Françoise le invadieron sospechas que fueron a recaer sobre Dominique, la nueva esposa del poeta. Las sospechas podían tener fundamento, puesto que ya en dos ocasiones Éluard había cedido gentilmente sus anteriores mujeres a su amigo Picasso. ¿Cómo podía no hacer lo mismo con la tercera que, además, era joven y bella?

Al regreso de Pablo la tranquilizó jurándole que no existía otra mujer, que no había ocurrido nada. Más tarde la llevó a Saint-Tropez, para reunirse de nuevo con los Éluard, y Françoise quedó convencida de que Dominique no había tenido que ver nada con Pablo. De nuevo interviene madame Rémie, esta vez para decirle que ya sabía de qué mujer se trataba, pero que todo había terminado ya entre ellos. Era aquella muchacha que le llevaba al estudio el queso de Cantal.

Pablo rehuía el tema y cada vez que ella se lo planteaba intentaba tranquilizarla de nuevo diciéndole que nada ni nadie se había interpuesto en las relaciones de los dos. Así llegaron a un período de total tranquilidad. Un nuevo viaje de Pablo a París y una nueva negativa a llevarla con él, alegando que el invierno en París sería malo para ella y para los niños.

Françoise se fue a visitar a su amigo Matisse para hacerle confidencias y pedirle consejos. Obtuvo esta respuesta: «No hay nadie que sea indispensable para otra persona. Te imaginas que le eres necesaria o que se sentirá muy desgraciado si le dejas; pero si así lo haces, antes de tres meses habrá encontrado a quien te reemplace. Nadie sufrirá por tu ausencia. Ser enfermera para toda tu vida no es una manera agradable de vivir, salvo que seas incapaz de hacer algo más. Tú puedes decir muchas cosas al mundo y en eso es en lo que has de pensar ante todo.»

Françoise volvió a darle facilidades a Pablo para su separación, que él no aceptaba alegando que solamente estaría justificada si ella tuviese alguna otra persona en su vida.

Comenzó a mirarlo como a un anciano que había cumplido ya los setenta años. Consideró que su comportamiento era igual que el de un chico de su misma edad. «Tienes razón, todo va muy mal y mañana será aún peor.» «Cuando dentro de algún tiempo mires hacia atrás, te darás cuenta que el tiempo que hemos permanecido unidos ha sido el mejor de toda tu vida.» Pablo volvió a su estado de enfado y llegó a la furia. Amenazó con que iba a suicidarse. «No creo que lo hagas porque tienes demasiado miedo a la muerte y excesivo apego a la vida. Pero si te decides a hacerlo, yo no daré ni un solo paso para evitarlo.»

«Has perdido la montaña mágica», le replicó Picasso, que lamentaba que no fuese una niña dulce y gentil, una sonámbula «que caminaba sobre el borde del tejado sin darse cuenta.»

Le obsesionaba la juventud, como ya he escrito en otros capítulos de esta historia. Se había «plantado» en una edad determinada. Y en realidad le hubiese gustado hacer un pacto con el diablo para mantener la juventud. De ahí su afán de relacionarse siempre con gente joven, con mujeres que bien podían ser sus hijas, o sus nietas, porque estaba firmemente convencido de que era la única fórmula para mantener la propia juventud. De vez en cuando nos hablaba de las fórmulas «faústicas» y hasta del retrato de Dorian Grey. Él sin duda alguna hubiese pintado su autorretrato para que fuese envejeciendo en la caja fuerte de algún banco.

No soportaba la idea, a decir de Françoise, que le sobreviviese alguna mujer que había vivido con él. Y, sin embargo, ésa era su realidad. Creía que con la desaparición de esas mujeres él conservaría intacta su juventud. «Cada vez que cambio de mujer tengo la necesidad de quemar a la anterior. Así me desembarazo de todas. Y no estarán a mi alrededor para complicarme la vida. Al desaparecer una mujer y borrarse todo lo que ella ha representado se conserva la juventud. Tú, Françoise, eres una pobre enferma y estoy seguro que no durarás tanto como yo.»

Se producen varios escarceos en estos últimos tiempos de la relación entre los dos. Una de ellos, ya apuntado, era Sylvete David, novia de un inglés que diseñaba y construía sillas. Era tal el interés de Picasso por ella que comenzó a comprarle los objetos de su fabricación y llenó La Galloise de sillas, que no servían para nada porque, además, resultaban incomodísimas. Convirtió a la muchacha de «cola de caballo» en su modelo circunstancial, y con ese motivo trataba de despertar los celos de Françoise. Quería que se quejase de esa actitud y le recordaba que Marie-Thérèse se sentía la mujer más infeliz del mundo cuando él comenzó a pintar a Dora Maar.

Jacqueline Roque ya había aparecido en la vida de Pablo Picasso. Pero, como sucede siempre en las historias de amor que a él se refieren, no había desaparecido Françoise Gilot.

Ya era demasiado tarde para que Pablo la convenciese de que debían rehacer una vida totalmente deshecha. Ya no servían las bellas palabras que, dentro de su aparente tosquedad, le repetía una y otra vez al reencontrarse ambos: «Eres maravillosa. Absolutamente sublime. Esta vez tienes que quedarte. Eres la única persona con la que me divierto. Llevas contigo la auténtica atmósfera de la alegría y me moriré de aburrimiento si te vas.»

La separación estaba ya consumada. Vuelven a reencontrarse cuando ella le lleva a Claude y a Paloma a la Costa Azul. Pero en cuanto quedan solos ya cuentan los reproches más que los buenos recuerdos. Se echan en cara lo que cada uno debe al otro.

Y, en realidad, es grande la deuda contraída por los dos. Françoise despertó a la vida a su lado y emprendió una aventura que, aparte de peligrosa, se le antojó única, irrepetible. Era la aventura que traía consigo el enorme riesgo de compartir la vida con un hombre genial e insoportable. Como ella observa muy bien en su biografía, Pablo Picasso era un viejo que continuaba siendo infantil, porque no había madurado el niño que llevaba siempre dentro. Quizá de haberlo dejado atrás se convertiría en un artista convencional porque, aunque él repetía que no creía en la pintura de los niños, era el niño Pablo el que se inventaba nuevos juegos. Porque Pablo Picasso no ha pintado, no ha escrito, no ha esculpido, ni ha hecho grabados o cerámicas jamás. Todo era un pretexto para divertirse constantemente, necesitaba ocupar todo su tiempo en el juego, como solía hacerlo en la plaza malagueña, en la que nació y en la que aprendió sus primeros juegos e incluso fue intuyendo que sería un eterno amador de la mujer.

Vi a Françoise en numerosas ocasiones, siempre coincidiendo con la estancia de los chicos en alguna de las residencias de su padre. Era una mujer de indudable belleza, vital, a pesar de los padecimientos de que hablaba siempre, serena, ponderada. Picasso y Jacqueline la trataban con familiaridad, aunque entre las dos mujeres existía una evidente tensión.

Fui, con una tarjeta de Jacqueline, a Cannes, a la tienda de Madoura para adquirir unas cerámicas. Me preguntaron si seguía en La Californie, junto a los Picasso, «esa mujer». Se referían a Françoise, cuya deserción del mundo de Picasso fue aprovechada por los Rémie para que entrase Jacqueline Roque en el carrusel entre mágico y diabólico que configura la vida amorosa de Picasso.

Françoise Gilot se casó con el doctor Salk, descubridor de la vacuna contra la poliomielitis, y se confesaba completamente feliz y realizada. Por eso, cuando le comunicaron la muerte de Picasso, no se inmutó, ni quiso hacer otras declaraciones que unas breves frases en las que decía que lamentaba la desaparición de tan gran artista, como lamentaría la muerte de cualquier otra persona a la que hubiese conocido.

El amor entre los dos continuó latente. Separaron sus cuerpos y llegaron a ese odio frontero con el amor que, en su caso, formaba parte de ese amor. Un amor que Picasso perpetuó en cuantos retratos hizo de ella y que tuvo su eclosión en el momento en que apareció *La mujer flor.*

Queso Cantal: «La chica de los miércoles»

GENEVIÈVE LAPORTE

El amor es un lenguaje. Si lo hablas con todo el mundo, acabas cayendo en una torre de Babel. ¡Y no te aclaras!

PABLO PICASSO

¡La chica de los miércoles!

«Yo era alumna del liceo Fénelon. París se había visto liberada, recientemente, de la ocupación alemana. Varias colegialas hacíamos un periódico titulado *Voix de Fénelon*. Se celebraba el Salón de Otoño y un grupo de fascistas descolgó lienzos de Picasso y los arrojó por la ventana. Nuestra vehemencia ayudaba a una creciente indignación y acordamos que en el próximo número de nuestra publicación se desagraviase al pintor español haciéndole una entrevista. Sorteamos entre todas para saber quién debería entrevistarlo. Ninguna de nosotras quería ir a verlo porque tenía fama de tratar mal a los periodistas o de no recibirlos. Como presidenta del grupo tuve que asumir la responsabilidad de intentar la entrevista. No estaba lejos su estudio de nuestro liceo. Llamé a la puerta de un primer piso y la muchacha, Inés, me envió al segundo. Allí, me abrió la puerta un hombre flaco, de nariz puntiaguda, sobre la que cabalgaban unas gafas. Estaba cubierto con una gorra. Le expliqué todos mis deseos. Él me escuchó para cortarme: «Resulta que yo no soy el que buscaba» Días después supe que se trataba de su secretario español Sabartès. Me citó para el día siguiente, al mediodía... «Entre. Él le recibirá inmediatamente...» «Esta adolescente es la resistente de la que le he hablado.» «Me gusta que una muchacha me entreviste para sus compañeras.» Me lleva a una habitación inmensa, llena de esculturas. Me invita a sentarme a su lado, en un banco de jardín. Cuando le hago una pregunta sobre arte moderno, provoco en él un gran furor. Me enseña unas reproducciones. Me inquiere con su mirada. «No comprendo.» Vuelve a indignarse. «¡Comprender! ¿Desde cuándo un cuadro es una demostración matemática? No está destinado a explicar sino a suscitar emociones en el alma del que lo contempla. Hay que evitar que un hombre se quede indiferente ante una obra de arte, que pase lanzando una ojeada al descuido... Lo que hay que conseguir es que vibre, que se emocione, que cree a su vez, mediante la imaginación, a menos que lo haga de una manera efectiva. Hay que despertar de su sopor al espectador, hay que sacudirlo, cogerlo del cuello, que adquiera conciencia del mundo en que vive y, para eso, primero hay que sacarlo de ahí... Estamos viviendo sobre un malentendido entre el artista y los demás hombres. Algunas nociones seguirán ancladas en la mente de muchos, por ejemplo, que la pintura sólo ha de representar lo bello. Eso supone, sin embargo, restringir curiosamente el esfuerzo, y eso, aun prescindiendo de lo relativo que es ese "bello" que dicen que en realidad está hecho de convencionalismos, la época, el lugar, la educación, la edad, el gusto personal... El arte, sea cual sea, debe comprometer al ser por entero, obligarlo a que se entregue sin restricción alguna. Natural ante la belleza es uno de los medios, una de las emociones capaces de alcanzar ese objetivo, pero no es la única... Ante todo hay que evitar que el alma quede estática, pues el reposo es atributo de los bajos fondos, el limo se inmoviliza mientras que un torrente límpido posee impulsos fogosos y puros. En fin, ¿no aceptáis en literatura la novela realista? ¿Creéis que si un pintor suscita en un hombre el sentido de la grandeza, habrá acertado menos que si lo hubiera convertido en un esteta? Pero, sobre todo, proteged vuestra imaginación, que es un don de la juventud que se pierde demasiado aprisa; dejad que os ayude a conservar ese tesoro que transforma un sillín y un manillar en un toro, un pedazo de cielo entre dos tejados en una inmensidad azulada.»

Después Pablo me pidió que cuando apareciese el artículo se lo llevase personalmente. Volvimos al estudio en el que, como todos los días, aparecían muchos visitantes. Odéon 28-44 era su teléfono, que a partir de entonces yo marcaría tantas veces. Volví con la publicación dentro de mi cartera de colegiala. El propio Picasso me abrió la puerta y, siguiendo el rito, me hizo entrar en la primera habitación y después en la segunda. Nos sentamos en el banco, como en la anterior ocasión. Yo estaba como asustada y no se me ocurrió sacar el periódico de la cartera. Él tampoco me lo pidió. Me regaló una barra de chocolate americano, algo impagable en aquel otoño de 1944. A él se lo daban los soldados norteamericanos que solicitaban visitar su estudio.

Picasso me volvió a dar cita para el próximo miércoles. «Llame dos veces. Yo sólo recibo por la mañana. Por la tarde trabajo y no recibo a nadie.»

Desde entonces yo me iba a convertir en «la chica de los miércoles».

Una tarde me invitó a subir al desván, en donde tenía su inmenso taller. En el segundo cuarto, su cama cubierta con una piel de toro blanca, con manchas oscuras. Me dijo: «Cuando yo era joven y veía a los pintores "llegados", me decía que jamás me gustaría ser un tío que viese su fotografía todos los días en los periódicos. Siempre he procurado evitar la celebridad porque me gusta demasiado la miseria. Por eso he hecho caras con la nariz al revés, para dar asco a la gente. No me ha servido de nada. La gente se empeñó en decir "eso es bonito". Y lo más bonito, a veces, es lo más espantoso, y lo sabrían si fuesen capaces de darse cuenta.»

Hemos llegado a un punto en el que, una vez más, las cartas se ponen boca arriba. Tenemos que volver la vista a las sospechas de Françoise Gilot, ya madre de dos hijos e instalada con Picasso en la Costa Azul, cuando sospecha que Pablo vive una aventura femenina en Saint-Tropez, en donde dice irse a reunir con los Éluard, con demasiada frecuencia. Recuerda que durante la primavera de 1944 le dijo: «Tú no eres la única muchacha que viene a verme. Hay otras más. Por ejemplo, una chica que estudia filosofía y escribe poesía. Es muy inteligente. Y además, muy considerada. Cuando viene, muy a menudo, lo hace por las mañanas y me trae queso de Cantal.»

¿Se había reencontrado con Cantal, como le llamaban ella y sus amigos? Françoise lo sospecha debido a los constantes viajes que a principios de 1951 hace Pablo a París. Después anuncia que desea pasar dos semanas solo en Saint-Tropez. Recordemos que es madame Rémie quien confía a Françoise que en esa ciudad veraniega Pablo, se encuentra con otra mujer y que los periodistas estuvieron a punto de darle publicidad. Después es la misma madame Rémie, la ceramista, la que la tranquiliza: «Ya sé de quién se trata. Pero todo ha terminado ya entre ellos. Puedes estar tranquila.»

Aun creyendo a su confidente, Françoise protesta cuando regresa Pablo. Que cínicamente lo niega todo: «Siempre que una pareja discute, la culpa es de ambos. No ha sucedido nada, pero si hubiese ocurrido, sería culpa tuya porque tú lo has permitido en la misma medida que yo, al menos con tu actitud pasiva.»

«Queso de Cantal» se quita la careta al confesarse públicamente, en un libro más de pequeñas anécdotas, algunas muy interesantes, que de testimonio [1] al descubrirse como «el amor secreto de Picasso». No habla para nada, en cambio, de su regalo al pintor, del queso de Cantal. Puede llamársele, pues, «la chica de los miércoles», porque ése era el día de la semana en la que la ingenua colegiala se encontraba con Pablo o «la muchacha de las chocolatinas», que tal era el premio, chocolate americano, con el que la compensaba su amigo.

Y aquí llegamos a otra de las complicaciones habituales en Picasso. Aunque «la fija» fuese Françoise, todavía no habían desaparecido de su vida ni de sus relaciones Marie-Thérèse ni Dora Maar, y también con la razón perdida, como ocurrió temporalmente con Dora, la sombra de Olga gravitando sobre él y sus mujeres. Indudablemente mantuvo relaciones, aunque esporádicas, con Geneviève, la amiga íntima de Françoise, con la que protagonizó un desagradable incidente durante sus vacaciones, como ya quedó apuntado. Y había otra Geneviève más en concordia que en discordia: «Queso de Cantal», «la muchacha de los miércoles». Luego, el sueño de convertirse en sultán con harén se había cumplido también en Picasso. Cinco mujeres —Dora, Marie-Thérèse, Françoise y las dos Geneviève —con las que mantenía relaciones amorosas. Y Olga, la sexta coincidente, con la que todo había concluido definitivamente. Los harenes suelen habitar bajo el mismo techo. En este caso quien compartía la vida cotidiana era la favorita, aunque esas cinco mu-

1. Geneviève Laporte, *El amor secreto de Picasso* (*Si tard le soir*... en el título original), editado el 1973.

jeres llegaron a encontrarse en alguna de las casas o estudios de Pablo Picasso. Ningún autor francés, especializado en las comedias de vodevil, de enredo, había llegado a imaginar tanto. Para ellos era fórmula bien sabida la del triángulo. Pero el hexágono no había entrado jamás en sus cálculos.

Y una vez llegados a este punto aclaratorio —la reiteración que puede observarse en algunos capítulos es precisa para entender la historia—, sigamos con sus relaciones con Geneviève Laporte. Si en su vida amorosa coinciden algunos nombres, como la Carmiña gallega y la Carmen malagueña, también hay «genovevismo» reiterado en ellas. Dentro su órbita, de Cantal, estamos.

Son las relaciones de ambos intermitentes, no tienen la continuidad que las otras. Sin embargo debemos clasificarlas dentro del decenio 1944-1954. Observe el curiosísimo lector que una gran parte de los períodos amorosos picassianos se cuentan por décadas. Diez años es la cifra tope para conservar una mujer a su lado. Solamente se salió de esa norma, por mayor suma de tiempo, Jacqueline Roque. Pero no olvidemos que «su última mujer» no alcanza un período de esplendor físico de Picasso.

Ya hemos explicado, con palabras que pudieran ser las suyas, el comienzo de las relaciones, al principio de este capítulo. Picasso mantiene, al mismo tiempo, relaciones íntimas con tres menores, cuando menos para las leyes francesas. No es extraño que Françoise, quizá en un arranque de despecho, haya escrito que su padre pudo denunciar a Picasso por corrupción de menores. No pienso que a él le importase ese hecho demasiado, ni que tan siquiera le preocupase, porque jamás pidió la documentación a las mujeres que se acercaron a él. Tampoco las forzó, no las violó en el sentido leguleyo de tales términos. Si un día tratábamos con él el tema de la minoría de edad, nos remitía a los juicios de Sancho Panza, mientras duró su sabio gobierno en la ínsula Barataria. Historia que a Picasso le gustaba escuchar o contar con sus aditamentos y fantasías. Tratábase de la dama que denuncia a su violador:

«—¡Justicia, señor gobernador, justicia; y si no la hallo en la tierra la iré a buscar al cielo! Señor gobernador de mi ánima, este mal hombre me ha cogido en la mitad dese campo, y se ha aprovechado de mi cuerpo como si fuera trapo mal lavado, y, ¡desdichada de mí!, me ha llevado lo que yo tenía guardado más de veinte y tres años ha, defendiéndolo de moros y cristianos...»

Pide Sancho al violador supuesto que le dé su bolsa llena de monedas. Y exige al buen hombre que salga tras la mujer y le quite la bolsa.

«—Y ¿háosla quitado?» —preguntó el gobernador cuando ella vuelve a su presencia.

»—¿Cómo quitar? —respondió la mujer—. Antes me dejara yo quitar la vida que me quiten la bolsa. ¡Bonita es la niña! ¡Otros gatos me han de echar a las barbas, que no este desventurado asqueroso!...»

Después de las pruebas, Sancho vuelve a intervenir y sentencia:

«—Hermana mía, si el mismo aliento y valor que habéis mostrado para defender esta bolsa la mostrárades, y aun la mitad menos, para defender vuestro cuerpo, las fuerzas de Hércules no os hicieran mella. Andad con Dios, y mucho de enhorabuena, y no paréis en toda esta ínsula, ni en seis leguas a la redonda so pena de doscientos azotes. ¡Andad luego, digo, churrillera, desvergonzada y embaucadora!»

Pablo Picasso creía ciegamente en la justicia natural, en la lógica, en la que hubiese impartido Sancho Panza. Pero París no era, por desgracia la ínsula Barataria. Y mucho temió su Sancho enjuto y desinflado y desteñido, el señor Sabartès, que aquellas aventuras le acarreasen a su dueño y señor terribles consecuencias. Él era la conciencia, el antecedente más ilustre de Pepito Grillo y el agorero y pregonero de malas nuevas aún no habidas, por lo que quitaba de sus casillas a Pablo Picasso.

—Hoy vamos a comer con Sabartès —me anunció una mañana.

—¡Qué interesante! Tenía ganas de conocerlo —le respondí.

—¿Interesante? Ya verás que sombrón, ya me dirás si es interesante o no cuando lo conozcas. Gallego, te has empeñado en rodear de interés a gente que no merece la pena. Cuando me anunciaste que ibas a conocer personalmente a Miró te dije que no merecía la pena, que era tonto perdido, que con él no podrías mantener una conversación. Bueno, pues ahora te sucederá lo mismo.

Aclararé que era cierto lo que decía Picasso en cuanto a mis deseos de conocer de cerca a Joan Miró. Siguiendo sus consejos y los de Salvador Dalí, que se refirieron al pintor catalán en idénticos términos, desistí de mis gestiones. Hasta que, con motivo de un aniversario de Rafael Alberti, en Roma, fue el poeta español quien me lo presentó, en su exposición y en un palacio de la vieja ciudad, que se abría como sala de exposiciones en homenaje a Alberti. Miró exponía en otra sala y me invitó al cóctel-cena de inauguración. Mas estas son andanzas, que aunque surjan en mis recuerdos como una uva sigue a otra arrancada del racimo, reservo para otras aventuras de adentramiento en otros seres humanos que han representado, mucho o poco, pero algo en la historia de la humanidad.

La joven colegiala dejó su virginidad, si de verdad con ella llegó a la casa de Grands-Augustins, sobre la piel de toro del austero lecho de Pablo. No sería la primera a la que el viejo avezado en lances parecidos, colocase en el dulce camino del amor, de saber degustar los placeres de la vida. La alumna del colegio Fénelon le había pedido consejo. «¿Qué me aconseja que haga cuando tenga veinte años?» Y, pícaro, le respondió el pintor: «Si encuentras a un buen mozo, ámalo.»

Picasso, cuando ella se lo recuerda en Saint-Tropez, muchos años más tarde, se extraña: «¿Eso te aconsejé yo? Sin duda sería porque pensaría en mí. Ya sabes: si nunca me mirase a un espejo, no me enteraría de que envejezco.»

Y fue cuando le dio su consejo más reciente, al que ya nos hemos referido: «El amor es un lenguaje... Si lo hablas con todo el mundo, acabas cayendo en una torre de Babel y no te aclaras.»

Estaba decepcionado de todas sus experiencias conyugales y lo resumía en pocas palabras: «Ya podemos ir hablando de amor, que llega el día en que la cosa no funciona. Es cuando hay que pagar la factura de la lavandería.»

Pablo sabe que tiene ante sí a una niña y aprovecha la ocasión para aniñarse y practicar sus juegos favoritos, que son el circo, los toros y el teatro. Le pide que haga teatro para él. «Por ejemplo, Molière.»

—De acuerdo, pero si tú asumes un papel y me das la réplica —le dice Geneviève.

Él se niega y lo justifica diciendo que su acento no es el adecuado. Luego, una pregunta capciosa y a la vez ingenua: «¿Cómo crees que llevando en Francia más tiempo que tú yo tengo acento y tú no?» Ríen. Y él, a cambio de rechazar el papel de la comedia que ella va a recitar, le canta una copla:

Todas las mujeres tienen
en el pecho dos melones.
Y un poquito más abajo,
la funda de mi... pistola.
La cucaracha, la cucaracha,
ya no puede caminar,
porque no tiene, porque le faltan,
las dos patitas de atrás.

Hay un evidente error en la transcripción de esos versos populares, adaptada con diversos versos, por parte de Geneviève. Quizá quiso que no apareciesen tan bruscas las palabras de Pablo. Le escuché esa misma canción hasta la saciedad. El auditorio era diverso y a veces estaban presentes varias mujeres. Pablo, al llegar al verso de «la funda de mi...» hacía una pausa, eran los suspensivos habituales en él cuando se levantaba un silencio expectante... Esperaba que le acompañásemos en el taco. Si nadie se adelantaba ni se sumaba al coro, es cuando decía: «La funda de mis cojones.»

Pablo le hace constantemente retratos, que le regala, pero le advierte: «Si alguno de tus amigos te dice que los "dibujitos" que te hago tienen valor, rómpeselos en su cara.»

Lógicamente, aquellos «dibujitos» podían llegar a valer una fortuna y él era el primero en reconocerlo, en gozarse de que unas líneas salidas de su mano prodigiosa se convirtiesen en oro, «como todo lo que toco. Y así ocurre que lo que me rodea no se resiste a esa transformación. Ahí está el ejemplo de los Rèmie en su alfarería Madoura. Yo hice no solamente su fortuna sino la de todo Vallauris».

Junto a esas frases espontáneas, que puede parecer una autosuficiencia, una presunción, tiene la humildad de manifestar: «Si las cosas que me gustan se compraran, el agua, el sol, el amor, ya hace tiempo que estaría arruinado.»

Después de estas afirmaciones Geneviève le atribuye otras, de las que sale ella misma bien parada: «De todas las mujeres que he tenido en mi vida, eres a la que menos le he dado. Me gustaría darte oro no por su valor, sino porque es el símbolo del amor. El oro es el sol... A mí no me parecería mal que una mujer me quisiera por mi dinero. Lo que cuenta es que ella quiera al hombre con el que está, y no veo por qué vale más querer por unas napias que por el dinero.»

También, para seguir el hilo del relato de Geneviève, hay que dar si no como buenas, al menos como ilustrativas algunas otras afirmaciones de cuya veracidad no podría responsabilizarme. Pero conociendo a Picasso, contradictorio al máximo, puede ser posible que dijese de Françoise Gi-

¿Cómo era Jacqueline? Un amigo la describe como «muy pequeña, más baja que Picasso, pulida y acicalada». Suplía en supuesta admiración al artista su poca cultura, su falta de conocimientos.

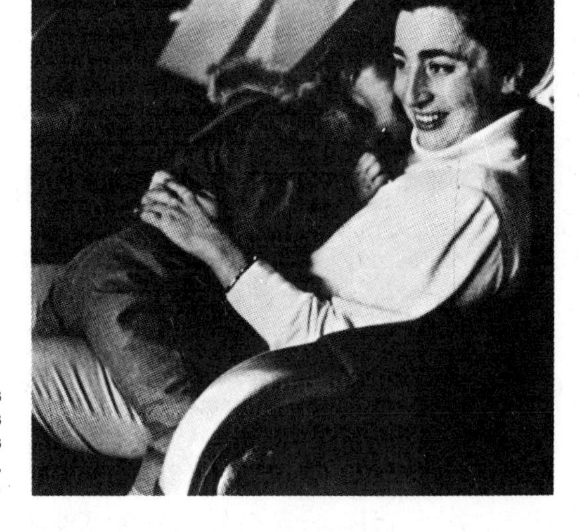

Se crea un entorno familiar del que son protagonistas primero sus hijos Paloma y Claude y los hijos de los Dominguín. Jacqueline los trata como a hijos propios y quisiera encargarse de su educación.
(En la foto, Jacqueline con Miguelito Bosé.)

Picasso y Jacqueline buscan un nuevo hogar y lo encuentran en Mougins, a tres kilómetros de Vallauris y muy cerca de Cannes. (...) Verdaderamente han encontrado una «fortaleza» en la que podrán evadirse de los visitantes.

lot: «Nunca la quise. Pero es como una copa llena de recuerdos. Se me han quitado las ganas de beberla. Tampoco tengo ganas de romperla. Entonces, ¿qué debo hacer?»

Esa frase expresa, sin lugar a dudas, el carácter, las indecisiones, el ahora quiero ahora no quiero, habituales en Pablo Picasso. Puede pasar de la alegría a la tristeza, de la melancolía a la eclosión de felicidad. Dice verdad, si tal ha dicho, al aseverar que no quiere beber de la copa, pero que tampoco desearía romperla. Él siempre pretendía conservarlo todo y parte de ese *todo* son sus mujeres: Olga, Marie-Thérèse, Dora, Françoise, las dos Geneviève y, pronto, Jacqueline.

Otra de las razones por las que no desea que la copa se rompa es porque, en el fondo y como él también dice de sí, quiere a todo el mundo: «Siempre me asustó apenar a los demás, quizá por cobardía.»

Y una de las maneras de no ser proclive a esos sentimientos de cariño es alejar a las personas de su lado. Nunca hubiese podido adoptar una actitud fría delante de sus hijos Claude o Paloma. Nada mejor que no verlos y, a veces en la soledad de su estudio, acompañado por sus fantásticas criaturas salidas del pincel, lloraba recordando a esos seres queridos que no podía tener a su lado. Pero Picasso era como un rey cuyo reinado estuviese hecho de renuncias. De no ser así, y él lo sabía bien, hubiese sido destronado. Tenía obligación de no dar rienda suelta a sus sentimientos.

Nadie como Geneviève se cree tan segura de sí mismo. De lo contrario, sobre todo conociendo al personaje, no se atrevería a decir: «Creo haber sido el único amor profundo y, verosímilmente, el último amor de Pablo Picasso.»

Pablo decía, con lágrimas en los ojos, que nunca había llorado por una mujer.

¿Finge o dice la verdad cuando habla de sus hijos, de los hijos en general?

Por una parte había asegurado que sería incapaz de estar con una mujer que hubiese tenido un hijo de otro hombre. A Françoise le dice que la solución de sus problemas está en concebir un hijo y son dos los que tiene con ella. ¿Puede decirle a Geneviève que él no quería tener hijos y fue Françoise la que se empeñó en tenerlos? La justifica diciendo que «así ella debía creer que nuestras cosas irían mejor».

«La chica de los miércoles» goza del privilegio de verle trabajar en su estudio, en «la cocina» del pintor, a la que él llama laboratorio, lugar de los mayores experimentos, algunos de los cuales salen bien y otros mal.

—¿Quién mejor que una mujer o un poeta para fijarse en los ojos de Picasso? «Siempre es todo ojos. No te quita los ojos. Se come las palabras con los ojos.»

¿Cómo eran los ojos de Picasso, sus poderosos ojos que hacían constante gimnasia con la mirada?

«Sus ojos, marrón nogal, taladran como si tocara con la mirada», los define ella.

Sus mujeres soslayan la explicación de cómo era Pablo a la hora de explayar su amor en *sexy*. Geneviève medio lo da a entender cuando asegura que «le deslumbra la posibilidad de que le invada el amor, hasta el punto de negarse, serenamente, a trabajar durante horas enteras. Se abandona al amor con humildad, colmado por la explosión de fervor que le arrebata».

Todo comenzó, según confesión de parte y en lo que a relación sexual se refiere, una noche de lluvia de 1951. Los dos reposaron sobre la piel de toro que cubría la cama y ambos comenzaron a tratarse de tú. «Deslumbrada, tambaleándome de felicidad, no tuve más remedio que abandonarle aquella noche.»

Él le confiesa sus propias contradicciones. «Al tiempo que me gusta lo que me pertenece, siento unas ganas locas de destruirlo. En amor es igual. El deseo que pueda tener de procrear es expresión de mi otro deseo que aspira a librarme de la mujer. Sé que un hijo es el final de mi amor por ella y que me liberará del sentimiento. Lo malo es que ese niño crea lazos de obligación moral.»

El Picasso ángel exterminador del amor, de la mujer, demuestra su sentido del humor, que era muy profundo en él —quizá por eso tardaba en exteriorizarlo—, y decía que «cuando un hombre mira cómo duerme una mujer, está intentando comprenderla. Si es la mujer la que observa cómo duerme un hombre, es que se está preguntando con qué salsa podrá devorarlo».

Trata de justificarse ante Paul Éluard, que es, junto con Dominique, quien hace de tapadera de su nuevo amor y elogia a Geneviève diciéndole que él ya conoce que sus amores han significado repugnancia y hasta sufrimiento. Porque se revuelven «dos cuerpos envueltos por alambradas espinosas, que se restriegan hasta desgarrarse. Con Geneviève todo ha sido dulzura, miel. Es una colmena sin abejas.»

¿Por qué aparece únicamente con intermitencias esta nueva mujer que, al parecer, llena su vida? Posiblemente, y aunque ella no le reconozca, Pablo tiembla después de haberle propuesto que se quede a vivir con él. ¿Qué hacer con Françoise? Por eso se libera y accede a que ella se marche a Estados Unidos a realizar un proyecto, no se sabe qué proyecto, puesto que no lo aclara. Lo que sí deja bien claro es que Picasso la ayudó económicamente a hacer este viaje, que lo separaría de ella durante seis años. Reaparece en 1951 y se pone en comunicación telefónica con Pablo, que le ruega que se presente inmediatamente en el estudio. ¿Y es allí cuando se consuman sus amores? No podemos dar crédito a esa afirmación de ella. Pablo no perdona a una mujer y es más que probable que la piel de toro supiese del desfloramiento de aquella ingenua criatura, menor de edad, del liceo.

Lo cierto es que el reencuentro es dulce, como esa miel sin abejas que tanto le gustaba a Pablo. Es decir: huía de las complicaciones. Buscaba la aventura amorosa, como don Juan, pero no aceptaba las incomodidades, los duelos y quebrantos que podía traer consigo. Picasso, la máxima facilidad para hacer todas sus cosas, no iba a buscar dificultades, altercados, peligros al realizar el amor con sus mujeres, que era la cumbre, la razón de su ser. Menos mal que, con su inmensa capacidad amorosa, tuvo tiempo para amar a los demás. Y tiempo, ese tiempo que para él era más grande que para el resto de los seres humanos.

Comentaba con unos amigos, mientras escribía este libro y sentía necesidad de contarles cosas de él para saber si despertaban su interés, el número de mujeres, «fijas», que habían permanecido durante largos períodos de tiempo a su lado. Creo que fue José Luis Salas el que me preguntó: «¿Y le quedaban horas para pintar?» Su capacidad de trabajo era infinita. Como lo era su capacidad de amar o, cuando menos, de interpretar el amor. Si no pudiese embadurnarse de pintura, si se le negase la posibilidad de tocar el lienzo, jamás pintaría. Si no lograse tocar físicamente a la mujer, jamás lo hubiésemos visto enamorado. El vitalista Picasso tenía necesidad de palpar con sus manos todo lo que amaba o todo lo que deseaba. No se puede hablar en él de un amor platónico, sino de amores inalcanzados o inalcanzables. Jamás una mujer le hubiese llevado a la muerte, como le ocurrió a su amigo Casagemas. La mujer era sólo una obsesión para Picasso, hasta que lograba la posesión. Es el mejor ejemplo de la comunión de un tremendo materialismo, expresado incluso en su afán de acumular riquezas, con la espiritualidad de un artista. Tenía razón al afirmar que, cuando entraba en el estudio, dejaba su cuerpo detrás de la puerta. Las babuchas del árabe eran abandonadas, porque él penetraba en su mezquita con los pies descalzos. Nadie, ni él mismo, se hubiese permitido profanar el templo en el que se rendía culto al arte, al espíritu. Las emociones amorosas, carnales, las dejaba a un lado. Difícilmente quería a la mujer, salvo que le sirviese de modelo, en el estudio. Le ocurría lo contrario con los niños. Sus hijos y los pequeños Lucía, Miguelito, Paola, podían entrar y salir a su antojo y hasta «ayudarle» a pintar y dejar colores sobre los lienzos aún vírgenes. Él los ayudaría a terminar su «obra». Por eso es explicable que los niños fuesen los que mejor captasen la magia de sus estudios. «¡Esto es la gloria!», exclamaría Miguelito Dominguín Bosé. Y en una criatura de muy pocos años no había predisposición a la adulación, al halago. Quizá fuesen los niños, aunque él no se diese cuenta de lo que significaban, su verdadero, su único amor. La prueba es que no rehúye a los suyos, que es un padrazo con Paulo, el primero, que se transfigura con Claude y le ilusiona la llegada de Paloma. ¿Hubiesen durado tanto tiempo sus relaciones con Marie-Thérèse si Maya no le empujase a su lado? No termina el nacimiento de un hijo —¿no deseado por él?— con su amor. Si acaso parte de esa capacidad amorosa se transfiere de la mujer a los niños. ¿No es eso «el otro amor»?

Incluso a la otra Geneviève, a la amiga de Françoise, en un momento de arrebato amoroso le propone «hacerle un hijo». Esa afirmación era su última arma, su arma secreta, con la que creía rendir a las mujeres que le eran esquivas. El amador exhibe todas sus habilidades para deslumbrar a la amada. He ahí lo *naif* de Pablo Picasso, el grande.

En la casa-estudio de Grands-Augustins, Geneviève presenció un hecho del que hemos hecho referencia. Picasso tenía carné del Partido Comunista. Ella le preguntó: «¿Has leído a Marx? ¿Eres marxista?» La respuesta supuso una rotunda negativa.

Llegó Aragon, que le había solicitado la paloma con destino al Movimiento de la Paz. Picasso le dejó revolver entre sus carpetas, hasta que, entusiasmado, exclamó el poeta: «¡Hermosas palomas! Eso, exactamente eso es lo que hace falta para la paz.»

En cuanto salió del estudio, con la «paloma» debajo del brazo, Picasso comenzó a reír: «¡Pobre Aragon! ¡Su paloma es un pichón! No entiende nada ni de palomas ni de pichones. ¡Vaya chiste el de la leyenda de la dulce paloma! No hay animales más crueles...»

Resulta curioso observar el paralelismo, incluso de conductas, entre Pablo Picasso y su queridísimo «enemigo» Salvador Dalí. En algunos momentos, como conducidos por un impulso diabólico, cultivan la crueldad. Es célebre la anécdota daliniana, vivida en París. Un hombre, ciego y en silla de ruedas, le pidió que le cruzase la calle. Dalí esperó el momento de mayor circulación, tomó carrerilla y empujó el carrito, que milagrosamente no fue alcanzado por aquellos automóviles que circulaban a toda velocidad.

En Saint-Tropez, acompañando a Geneviève, se les acercó un joven con un ramo de gladiolos en la mano. Saludó con entusiasmo al maestro y le dijo que era pintor y que le agradaría mostrarle sus obras, en un estudio cercano. «¿Y para qué son esas flores?», le preguntó Picasso. «Para pintarlas.» «¿Por qué pinta flores?» «Porque encuentro que huelen bien.» «¿Está usted casado?», fue la nueva pregunta, con respuesta afirmativa por parte del joven, que no esperaba escuchar esta propuesta de su admirado ídolo: «Tráigame a su mujer para que yo la jo... y luego ya olerá mi... y verá cómo huele mejor que las flores.»

No escarmentado, cuando la pareja comía en L'Escale langosta y bebía champaña, que fueron durante mucho tiempo la alimentación y bebida favoritas de Picasso, apareció de nuevo. El chico le volvió a insistir en que le diese algunos consejos, porque era austriaco y pasaba una temporada en Francia. «¿Dónde vive su padre?» «En Viena, maestro.» «En ese caso váyase a Viena, dele por el c... a su señor padre y luego hará pintura de la buena.»

Luego se lamentó presintiendo que «ese imbécil no seguirá mi consejo... Mira, Dora Maar, mientras estuvo loca pintó cosas buenas; cuando se curó, empezó a pintar cosas muy malas. Que es lo mismo que ocurre con los "poetas malditos", si se vuelven benditos, dejan de ser poetas.»

Tenía razón en sus sospechas Françoise. Pablo no iba a Saint-Tropez únicamente a pasar unos días con los Éluard sino con «queso de Cantal».

La convivencia era perfecta entre las dos parejas. Paul Éluard, nada sobrado de dinero, hacía que Picasso fuese a comprar las viandas del día. Lo dejaba ir completamente solo, y veía complacido cómo vacilaba delante de los escaparates, sentía una cierta timidez, pero acababa entrando. Después le solicitaban las cuentas, que Pablo era incapaz de hacer jamás. Pagaba lo que le pedían por las mercancías.

Éluard y su tercera mujer, Dominique, reñían con frecuencia. Un día ella cogió la puerta y desapareció. «¡La muy golfa! Se ha marchado llevándose mi dinero», se quejaba Paul. Y solicitaba algún dinero a su amigo para poder ir tras ella a París.

Geneviève y Pablo vivían en el Auberge Sarrazine, en La Garde-Feinet, y de vez en cuando visitaban a los Éluard en Saint-Tropez. Ella no esperaba una buena acogida por parte de los Éluard, buenos amigos de Françoise. Pero ellos estaban convencidos de que no existía solución para el problema de ambos y que terminarían separándose. La nueva amiga de Pablo les parecía bien. ¿Soluciones? Éluard definició bien las indecisiones y el carácter de Pablo: «Aunque tuvieras libertad para elegir, no habría solución que te dejase completamente feliz.»

Le hacía feliz, cuando menos provisionalmente, la joven Geneviève con la que viajaba a diversos lugares. La pareja llamaba la atención en los hoteles y restaurantes en los que no le reconocían a él. Que vestía como un desharrapado. Así, en el comedor del Bas-Brau, la gente parecía rehuirlos. Hasta que ella descubre a Jean Marais, rodeado de unos efebos. Pablo comenta: «Mira, le acompañan una media docena de Marais pequeñitos.» Al llegar a la altura de la mesa en la que comen los dos, es Picasso quien le grita: «¡Jeannot!» Se abrazan. Los demás clientes se asombran de ver al ídolo cinematográfico abrazando a aquel hombre. Hablan de Jean Cocteau, el íntimo amigo de Marais y amigo de Picasso. Se refieren a una película que iba a comenzar Yves Allégret, *Nez de cuir*. Y Marais, después de preguntar a Geneviève sobre sus dotes de caballista, le ofrece un papel. En realidad, el *rol* que le ofrecía a ella era para aparecer en el salón de un castillo, durante un baile. El actor cumplió su palabra y le envió el contrato. Al mirarlo, Picasso, altisonante, grandilocuente, divertido al fin y al cabo, exclamaba: «¡Yo, miserable gusano, enamorado de una gran estrella!»

La participación de ella terminó como el rosario de la aurora, porque una tarde, invitada por Marais, salió de los estudios. Aún le quedaban algunos planos que hacer. El director la despidió, con un duro telegrama. Picasso se rió con lo sucedido: «Tu carrera, comenzada bajo la égida de Picasso, se ha terminado por culpa de Jean Marais. ¿Cuántas mujeres podrían decir lo mismo?»

Geneviève todavía tenía un recurso artístico: la poesía. Sobre la que jamás le aconsejó Pablo, porque creía que uno es el mejor crítico de sí mismo. Además, suspiraba porque alguien escribiese mal. «Hoy los escritores se han limitado a desplazar algo las palabras respetando la sintaxis. Haría falta tener un perfecto conocimiento de la semántica y escribir mal.»

Geneviève, como toda persona que estuviese al lado del genio malagueño, conocía su amor por la fiesta de los toros, aunque no la compartía. No entraba en su cabeza que un hombre que había demostrado tanto amor por los animales pudiese entusiasmarse con un «deporte» en el que se los tortura.

«La muerte de los toros en el ruedo es mejor que la que reciben en el matadero, menos humillante.»

Las separaciones eran largas y fue Jean Cocteau quien descubrió que las relaciones no iban bien. Jean le había ilustrado un libro y un día le dijo:

—Me ha llamado el abominable hombre de las nieves... —Se refería a Picasso—. Ya no viene muy a menudo a París... ¿Hace tiempo que no lo ves? Deberías ir a verlo...

—No tengo ganas, me fastidia —fue la respuesta de Geneviève.

—A mí también. ¿Te das cuenta de lo que acabamos de decir? ¡Nos fastidia ver a Picasso! ¡Es monstruoso!

Volvieron a reunirse y de nuevo en Saint-Tropez, en el Auberge des Maures. Geneviève estaba con su marido, del que después se separaría, y con su perra. Esperaban a unos amigos. Quien entró fue Picasso, que al verla se precipitó hacia ella. La besó.

Después le presentó a su marido. «Es usted un buen mozo. Lo felicito por haberse casado con la bella y la bestia.»

Al terminar la comida, Pablo volvió hacia ella. La besó. Aquél había sido su último beso y el último encuentro de una pareja de la que, de no romper el silencio ella, pocas cosas se hubiesen sabido.

¿Un gran amor? Cuando la ruptura con Françoise era definitiva y Geneviève le preguntó si ya no la quería, Pablo le respondió: «Pero ¿qué te has figurado? Quiero decir que siento remordimientos con respecto a ti. Nunca los sentí por nadie, ¿sabes? Yo sí que hubiera tenido que irme antes, ir a buscarte antes...»

La invitó a ir a La Galloise y ella le contestó: «Primero, cambias las sábanas.» ¿Quería, como a ella le había asegurado Dominique Éluard, convertirla en su compañera?

«Es maravilloso pensar que cuando yo no esté aquí, habrá alguien que me ha querido, que guarde un buen recuerdo de mí para contar cosas justas de mí.»

Era una de las pocas veces que Pablo Picasso se refería a la posibilidad, para él remota, de desaparecer de la faz de la Tierra.

En Vallauris, con motivo de su setenta aniversario, le envió un ramo de flores a Geneviève como «recuerdo de todos los momentos. Vallauris. 25 de octubre de 1951».

Esos buenos momentos, aquel amor, quizá tuvieron mayor duración porque en la década en que se desarrolló se encontraron muy pocas veces.

El celestineo de madame Rèmie y las suspicacias de Françoise Gilot habían tenido confirmación. Dicen que cuando todo se había terminado. Precisamente, en el momento en que Geneviève se fue de Saint-Tropez. Quizá no estaba dispuesta a convertirse en la compañera de un hombre que hacía de sus amores algo tormentoso.

Tal vez Pablo se haya ido con el recuerdo de Geneviève, que, sin escandalizar, sin armar demasiado ruido, ha tenido la imperiosa necesidad de confesarse «el amor secreto de Picasso». Quizá el único secreto que no se llevó Pablo Ruiz Picasso fuera de este mundo.

También, a la hora de hacer la difícil historia de los amores de Picasso, hemos pasado ligeramente sobre unos años, largos y unas relaciones cortas. Una vez más ha sido Geneviève Laporte, para nosotros, lo que durante tanto tiempo había sido para Picasso: «la chica de los miércoles».

Bien venida, Jacqueline

JACQUELINE (II)

> Tout lasse, tout passe, tout casse et tout se remplace.

¡Bien venida, Jacqueline!

Un día del verano de 1946, en la playa de Golfe-Jean, Pablo y Françoise Gilot charlaban con un grupo de amigos, uno de los cuales le insinuó al pintor que debería probar fortuna con la cerámica. Aquella misma tarde la pareja, conducida por el chófer, se dirigió a Vallauris, pueblo situado en un valle rodeado de pinos. Pablo hizo notar a su compañera que allí olía a lavanda y jazmín. Se detuvieron para contemplar y coger las plantas aromáticas, base de una de las dos industrias de las que viven los habitantes del pueblo, la perfumería.

Una nube de humo negro que salía de las chimeneas de los hornos de cerámica, entonces la segunda industria del lugar, distrajo su atención del paisaje, de los extensos pinares y plantaciones de olivo. A Pablo le vino, instintivamente, el recuerdo de un paisaje en gris, sórdido, que conformaban las fábricas de los alrededores de Barcelona. Picasso, desde muy joven, fue construyendo su vida a base de recuerdos, yuxtaponiendo sus vivencias anteriores a las experiencias presentes.

Les habían recomendado que se dirigiesen a la cerámica Madoura, que atendía un matrimonio de unos cuarenta años, los Rèmie. Georges, el marido, los recibió cordialmente y puso a disposición de él los talleres de alfarería, que por aquel entonces ya destacaban como los más creativos de toda la ciudad, en donde, como ocurriría después, las cerámicas estaban pensadas para los turistas y no destacaban precisamente por su imaginación. Incluso cuando el pueblo, impulsado por Picasso, se convirtió en un centro de visita obligado para turistas imperaba el mal gusto. «¿Vamos a Madoura o quieres seguir contemplando estos horrores?», me había preguntado, bromeando, Jacqueline en una ocasión.

Pablo decoró dos platos de arcilla roja, con dibujos que representaban anguilas, peces y erizos de mar. La verdad es que no puso demasiado entusiasmo en aquella experiencia. Y cuando Picasso no se entusiasmaba con lo que estaba haciendo, aunque fuese un juego de niños, poco podía esperarse de él y menos una constancia en determinado juego o trabajo.

Acudieron a un restaurante a cenar algo y sobre el mantel Pablo se distrajo en dibujar, sin hacer comentarios sobre sus primeros contactos con la cerámica.

Al año siguiente la pareja, que ya llevaba un bebé consigo, volvió a instalarse en la casa del señor Fort, en Golfe-Jean. Esta vez habían llegado los cinco —Pablo, Françoise, el niño, una niñera y el chófer— en el Oldsmobile blanco descapotable que cambió por un cuadro, una naturaleza muerta en la que aparecía un gallo con el cuello cortado. Kootz fue el que resultó beneficiario de aquella transacción, tratos «de gitanos», que tanto le gustaban al malagueño.

Durante cuatro días vivieron, sin salir de él, en el actual museo de Antibes, en donde él terminó el tríptico *Ulises y las sirenas*. A Picasso le han echado siempre de sus castillos, de sus casas, sus propias obras. Ya no podían permanecer por más tiempo allí. Por otra parte ya habían comenzado las visitas que lo convirtieron en museo. Pablo y Françoise no querían ser objeto de curiosidad, así es que decidieron marcharse.

Estaban en la playa, con el niño y la niñera, cuando recibieron la visita de los Rèmie que les suplicaban que volviesen a su taller en donde les esperaba una sorpresa. «¿No tiene interés por conocer el resultado de las cerámicas que usted dibujó el año pasado?» Picado por su eterna curiosidad, la de un niño, y además por su falta de actividad, ya que solamente salía a la playa y a las corridas de toros, viajó de nuevo hasta allí. Se enfrentó a su obra, que había sido cocida y guardada como una reliquia. Según Françoise no estaba muy entusiasmado por lo que había visto; no obstante lo cual, se dispuso a emprender una nueva singladura, la de la cerámica. Prometió regresar y trabajar allí seriamente, siempre y cuando pusiesen a su disposición un técnico que le ayudase en una labor que para él era totalmente nueva.

Los Rèmie vieron el cielo abierto con aquella propuesta del pintor. No daban crédito a lo que habían escuchado, y Picasso tuvo que repetírselo de nuevo, temeroso de que no los sedujese su proposición. Los Rèmie eran unos luchadores, que vivían en Lyon y trabajaron en las fábricas de seda de aquella ciudad hasta que esta industria se arruinó. Pétain había aconsejado a la población urbana para que trabajase en el campo o se ocupase de pequeños oficios, de fomentar la artesanía. Madame Rèmie había trabajado de diseñadora en esas fábricas y trató de aplicar sus conocimientos artísticos a la cerámica. Fue su marido el que organizó el negocio, en el que empleó a cuatro obreros.

Françoise, como si presintiese lo que iba a suceder años más tarde merced a la intervención celestinesca de madame Rèmie no se mostró cómoda a su lado.

Aquel hombre, «pacífico, alto y ligeramente cargado de hombros», y su mujer, «delgada, de estatura mediana, cabellos y ojos castaños», serían a partir de entonces, y para siempre, colaboradores de un Picasso que llegó a asustarlos con sus audacias, para el que no existía la palabra «imposible». Picasso se lo había tomado en serio y, como siempre que se interesaba por algún tema, se volcó materialmente en la cerámica. Hasta tal punto que comenzó a hacer gestiones por su cuenta y al margen de aquellos modestos industriales. Fue personalmente a L'Hospied, para consultar en una factoría química sobre lo que precisaba saber para utilizar los esmaltes que él pensaba emplear en su trabajo.

Trataba con audacia los materiales ante el terror de los que le rodeaban. Aga, el alfarero jefe del taller, desechó un vaso y Pablo comenzó a modelarlo con los dedos. Apretó el cuello y el resto del vaso parecía un balón. Después lo presionó y lo transformó en una paloma. Sólo dio una curiosa y humorística explicación: «Para hacer una paloma hay que agarrarla primero por el cuello.» Y así empezaron a llenarse los anaqueles de palomas, toros, búhos, faunos, hombres con cuernos y barbudos. También respetaba los cacharros con formas provenzales, pero con la variante de que él los había decorado. Picasso había descubierto un nuevo juego y su gran obra siempre se hizo sólo jugando. Lo que no le apasionaba como un juego de su infancia, lo desechaba inmediatamente. «Lo importante es divertirse y divertir a los demás», era su lema y su constante vital. De haber creído que cualquier trabajo constituía una obligación, lo hubiese dejado inmediatamente: «Con el trabajo me ocurre como con las mujeres —le escuché en una ocasión—: si me aburre, lo dejo. Yo en realidad, con tantas mujeres en mi vida, he sido muy fiel con la que estaba en el momento de permanecer a su lado. Lo que no podía consentir es que me condenase al hastío.»

Con el juego de la cerámica Vallauris se convirtió en un pueblo rico al que acudían gente no solamente de Francia sino de todo el mundo. Madoura fue el gran centro de atracción, pero a su sombra vivían otras tiendas que se mantenían fieles al clasicismo. Sucedió también que otros artistas, espoleados por el genio, acudieron allí con objeto de desarrollar sus ideas. Lo que hacían eran «picassillos». Un día, a la vista de tantas imitaciones, le planteé un tema preocupante:

—Pablo, eres el máximo responsable de que no haya originalidad dentro de la pintura y de la escultura durante uno o dos siglos. Sí, hasta que aparezca alguien que no haya conocido la existencia de Pablo Picasso ni haya visto ninguna de sus obras. Con tu personalidad arrolladora te has entregado a la historia del arte como una de sus principales figuras de todos los tiempos. Pero has destruido la posibilidad de que surjan nuevos genios. Después de ti todo es Picasso sin Picasso.

Se reía de buena gana. Y me pedía que le repitiese una frase de Jacinto Benavente que a él le había entusiasmado: «Bienaventurados nuestros imitadores porque de ellos serán nuestros defectos.»

Lo cierto es que tras numerosas experiencias y exigencias suyas Vallauris había vuelto a recuperar su prestigio alfarero que obtuvo antes de la dominación romana. La clave era la arcilla roja que se encontraba en enormes depósitos. En galeras de madera, que salían de Golfe-Jean, se enviaban utensilios de cocina a toda la cuenca mediterránea. Había la creencia de que esa arcilla contenía oro. El significado de Vallauris es «Valle de Oro». La verdad es que sí, fue un valle de oro a partir de que Picasso se decidiese a trabajar allí y con más entusiasmo del que cabía esperar, hasta el punto de que su interés creciente por la cerámica lo apartó prácticamente de su actividad pictórica.

¡Bien venida, Jacqueline!

Las relaciones entre Pablo y Françoise se estaban acabando. Otras mujeres se habían interpuesto. Geneviève Laporte, «la muchacha de los miércoles», estaba lejana y él se refugió en otra de sus esporádicas mujeres: Sylvette David, novia de un muchacho inglés que fabricaba sillas en Vallauris. Ella se hizo modelo de Picasso ante la complacencia de su marido, que no desconocía lo proclive que era el pintor ante las damas que llevaba a su estudio. Françoise necesitaba ir a París para someterse a una intervención quirúrgica y aquello exasperaba a Pablo, que le chillaba frases como ésta: «Tu labor consiste en permanecer a mi lado, en dedicarte a mí y a los niños. Me tiene sin cuidado que eso te haga feliz o desgraciada. Si tu presencia aquí proporciona felicidad y estabilidad a otros, eso es lo único que debes pedir.» «Ninguna mujer deja a un hombre como yo», presumía cuando ella lo amenazaba con marcharse llevándose a los niños. Escribía cartas a su amigo Sabartès: «Ya no soy lo que era, nadie me ama.» Volvía a la carga con su compañera: «Vivimos en una época repugnantemente sentimental. Todo el mundo piensa en términos de felicidad y otros conceptos que no existen. Lo que necesitamos son madres romanas, que eran las verdaderas madres y mujeres.»

(En interpretación de Françoise Gilot, Pablo usaba mucho el término «romano» cuando se refería a personas sin sentimientos, que fácilmente confundía con el sentimentalismo.)

«No es necesario que las mujeres enfermen tan a menudo», le reprocha a Françoise cuando ésta sufría grandes hemorragias, dado que no se había recuperado después del parto de Paloma. Maya, hija del pintor y de Marie-Thérèse Walter, había pasado una temporada con su padre y gracias a ella se había tranquilizado un tanto la situación.

Además, había aparecido un nuevo personaje en el escenario variopinto picassiano. Era el verano de 1948 cuando Javier Vilató, sobrino de Picasso —hijo de su hermana Lola—, llegó a visitarlos junto con Matsie Hadjilázaros. Con ellos venía un amigo llamado Kostas, griego que estudiaba filosofía con Karl Jaspers en Basilea. Se vieron cinco o seis veces y una de ellas en París cuando Pablo preparaba los decorados para el ballet de Janine Charrat. Kostas declaró su amor a Françoise, y una vez que ella se separó definitivamente de Pablo tuvieron relaciones amorosas que apenas duraron tres meses. Ella no se podía liberar de la sombra de Pablo Picasso, al que había estado unida durante diez años.

¡Bien venida, Jacqueline!

Madame Rèmie se había convertido en falsa confidente de Françoise y le contaba todas las aventuras y escarceos amorosos de Picasso. Sin duda alguna, previendo lo que iba a suceder entre la pareja, preparaba su estrategia para conquistar definitivamente al genio. A fines del año 1952 llegó a Vallauris una prima de madame Rèmie, que iba a trabajar como vendedora en su tienda, puesto este eventual y por temporadas. Se trataba de Jacqueline Hutin: Jacqueline Roque era su apellido de soltera, que se acababa de divorciar de un hombre gris, cuya historia cada uno cuenta a su manera. Para unos era un ingeniero y según otros un funcionario de poca importancia. Su mujer, en trance y tramitación de divorcio, vivía sola, con su única hija, Kathy.

¿Cómo era Jacqueline? Un amigo la describe como «muy pequeña, más baja que Picasso, pulida y acicalada». Suplía en supuesta admiración al artista su poca cultura, su falta de conocimientos. Se dice que madame Rèmie le dio «cursos intensivos» sobre la personalidad de aquel hombre que había que conquistar por todos los medios. Picasso era proclive a la adulación y hacer manifestaciones de admiración era uno de los caminos más seguros para llegar a su corazón. El otro, bien conocido, consistía en la atracción de la hembra. Picasso tenía afán de protección y aquella mujer insignificante, débil, indefensa, necesitaba ser protegida. Él podía abarcarla moral y físicamente, cosa que no le había sucedido con otras mujeres. Jacqueline, de veintisiete años de edad, era muy joven para él, pero a Picasso tampoco le había importado demasiado la diferencia de edad; por el contrario, la buscaba, ya que desde su madurez prefería a la mujer muy joven. Pero que, al mismo tiempo, le hiciese de compañera y de madre. Picasso se entregaba al matriarcado, siempre poniendo condiciones. Era él quien mandaba, aunque aparentemente se dejase mandar por sus compañeras que, sobre todo Jacqueline, le servían de escudo ante su debilidad con respecto a los demás. Necesitaba, como en el *casting* de las películas, distribuir los papeles. Él sería permanentemente «el bueno» y ella «la mala», la sombra de Rebeca, película que a Pablo le había entusiasmado, hasta el punto de verla varias veces. «Una mujer tiene que ser así —decía—, pero más guapa, claro.»

Picasso había puesto sus ojos en ella, pero todavía no había superado la crisis a la que le condujo su ruptura con Françoise. Cambió totalmente su carácter y su forma de actuar. Como un muchacho más se divertía, recorría los clubs de Saint-Tropez, se le veía en las corridas de toros más que nunca. Al parecer mantenía la esperanza de reencontrar a Geneviève Laporte. Él sabía que a la muchacha le gustaba frecuentar esos lugares.

Los ojos azules de aquella chica, Jacqueline, ligeramente pecosa y con los pómulos altos, salientes, se fijaba con demasiada frecuencia en los ojos de Picasso. Mantenía poco tiempo su mirada tremenda, bajaba la vista y él la cogía por la barbilla y le hacía mirarle una vez más. ¿Jugaba con la timidez Jacqueline? ¿Era realmente tímida? No podía hacerse la fácil si de verdad quería conquistar el corazón, quizá sería mejor decir los impulsos fisiológicos, del hombre que había sido declarado objetivo a conquistar por madame Rèmie.

Jacqueline se había instalado, como decimos en otro capítulo de este libro, en una casa pequeña, entre Golfe-Jean y Jean-les-Pins. El lugar era conocido como «Le Ziquet», «la cabra pequeña». Cuando supo esta particularidad, Pablo Picasso comenzó a llamarle «madame Z», nombre con el que aparece en varios de sus retratos.

Coincide la presencia de Jacqueline con el último tiempo de relación del pintor con Françoise. A escondidas de ella él iba a Madoura para hablar con aquella atractiva mujer que, sin embargo, tenía una gran pega, ya que se había propuesto no mantener relación alguna con las mujeres que hubiesen tenido un hijo.

«Una no puede dejar a este pobre hombre solo y a su edad», había dicho para justificar que deseaba hacerse cargo de él.

Una vez que Pablo se quedó solo porque Françoise se decidió a marcharse a París, él se trasladó a la capital, en donde permaneció quince días tratando de arreglar la difícil, la ya imposible relación entre los dos. Cuando regresó a la Costa Azul se encontró con que Jacqueline, gentil y desinteresadamente, se había hecho cargo de todas sus cosas a las que quería poner en orden. «Pablo no es un hombre que sepa estar solo, siempre ha tenido a una mujer a su lado.»

«Françoise ha abandonado a Picasso porque no quiere vivir con un monumento histórico», fueron algunos de los titulares de los periódicos parisinos. La asediaban los periodistas deseando obtener confirmación de la ruptura y de sus causas.

Pronto aparece junto a Picasso, en las barreras de las plazas de toros, su nueva acompañante, Jacqueline. En Vallauris se había organizado una corrida en su honor. El ruedo, en la plaza principal, fue cubierto de arena. Incluso los árboles servían de localidad que ocupaban más los curiosos que los aficionados a la fiesta. Picasso era feliz y recibió a sus invitados —Jean Cocteau, Jacques Prèvert y André Verdet—, con más euforia que nunca. Picasso había tomado parte en la cabalgata que recorría el pueblo, subido en la parte trasera de un coche y tocando la trompeta. Con él, su hijo Pablo y Pierre Baudouin que, como hacen hoy los *punkis*, se había rapado media cabeza de la frente a la nuca.

Presidió la corrida Picasso, situando a su derecha a Jacqueline y a Jean Cocteau a la izquierda. También cerca de ellos sus hijos, Maya y Claude y Paloma, que habían ido a visitar a su padre. No faltó Françoise, que hizo de «alguacililla», cabalgando por la plaza y pidiendo las llaves. En Vallauris no se podía matar al toro y la corrida terminó convirtiéndose en una charlotada.

Después del éxito del festejo informal, Picasso se trasladó con Jacqueline y dos de los niños a Perpiñán, en donde fueron acogidos por el conde Jacques de Lazarme, en una casa del siglo XVII situada en el centro de la ciudad. Allí les ofrecieron la casa, sus grandes habitaciones, en las que podían vivir cómodamente y él instalar su estudio. Picasso presenciaba las corridas que se celebraban en Céret y se bañaba con Claude y con Paloma. Como es de suponer, se convirtió en el máximo personaje de la ciudad y la gente quería conocerlo, hablar con él, obtener su firma. Deseaban que se estableciese en aquella región, y para ello le ofrecieron el castillo de Colliure, que podía ser su nuevo estudio, como lo había sido el castillo o palacio Grimaldi, en Antibes. Entre otras propuestas que le hicieron estaba la de construir un Templo de la Paz, que desde la montaña asomaría a las dos fronteras, la francesa y la española. Era una manera de hacer patente su presencia en España. Todas estas ideas, que fomentaba Jacqueline para acercarse más a él, le parecieron magníficas. Lo que no sabían sus «patrocinadores» era que Pablo Picasso tenía grandes «arrancadas», de toro que se libera del toril y que, en medio de la plaza, de pronto se para, mansea. Al entusiasmo del momento, a la aceptación de todas aquellas propuestas, siguió un período de estancia en París, durante el cual se olvidó de todo y se planteó reanudar su habitual trabajo dentro de su estudio. Picasso era imprevisible y nadie podía asegurar que quince minutos después de exponer una idea no la rechazase con energía. Picasso creaba y se iba haciendo a sí mismo, como todo hombre vital, y él lo era al máximo, a cada instante.

Convive y hasta vive con Jacqueline, pero Françoise continúa obsesionándole. Ella adivina que en la residencia que ambos tienen en el Midi, en La Galloise, había estado viviendo Jacqueline. Lo descubre al ir a buscar sus ropas, colgadas en el armario, que habían sido utilizadas por otra persona. Le faltaban todos los automáticos del vestido de su traje de gitana que Pablo le había mandado traer de España. Era evidente que una mujer más gruesa lo había utilizado. Françoise ya había roto definitivamente sus relaciones con el griego Kostas, cosa que a Pablo le complació sobremanera: «Sabía que tú no podías llevarte bien con nadie que no sea yo.»

Después, por primera vez en mucho tiempo, se puso serio y empezó a dogmatizar: «Voy a hablarte como lo hace un filósofo viejo con otro joven. Cualquier cosa que intentes hacer de ahora en adelante será como revivir el pasado, que te lo arrojará al rostro, sí, todo lo que hemos pasado juntos, porque cada uno de nosotros lleva encima de sí el peso de pasadas experiencias, y eso no se puede apartar a un lado, así como por las buenas. Tú me amabas y, al llegar a mí, no importa de dónde, fresca y completamente libre, no te fue difícil mostrarte generosa. Todavía no has aprendido que poco a poco, a medida que la vida transcurre, nos va modelando de una manera definitiva. Por eso te dije que caminabas hacia el desierto, aunque tú creyeras que avanzabas hacia la comprensión y la comunicación. Durante nuestra convivencia imprimí en ti mi ansiedad de espíritu y sé que la asimilaste perfectamente. Por eso ahora, incluso si existiera una persona deseosa de dedicarse a ti por entero, como no se ha templado en el mismo fuego en que te has templado tú, no podría salvarte, al menos no podría hacerlo mucho más de lo que yo te he salvado a ti.»

Esas reflexiones no sirvieron de nada. Los dos sabían que toda su relación amorosa había terminado. Si acaso podría salvarse la amistad, que, según repetía él, es la recompensa del amor. Françoise decidió de nuevo poner tierra por medio y dejar el campo libre a la que ya le había sustituido: Jacqueline. No obstante, Pablo volvió a lamentar esa marcha de la mujer con la que había vivido diez años: «Es terrible que tengas que marcharte de nuevo. No puedo hablar, salvo contigo, de las cosas que de verdad me interesan. Mi soledad es mayor desde que te fuiste por primera vez. Seguramente las molestias que nos causó nuestra convivencia aún van a ser mayores a partir de que nos separemos definitivamente.»

Le pidió que fuese a visitar a madame Rèmie, que la recibió con frialdad y trató de convencerla de que por su causa había sufrido mucho «ese pobre hombre. Conseguirás que enferme. ¡Es vergonzosa tu conducta!».

Inmediatamente después le contó que en la vida de Picasso ya había otra mujer. Esa mujer era, sin duda alguna, Jacqueline, que visitaba La Galloise cuando Françoise iba allí con los niños y la invitaba a comer en su casa, junto con Pablo. Puede ser que Picasso pensase que su nueva aventura no se convertiría en una compañía definitiva. No era aquélla la primera vez que había vivido «romances» parecidos, que luego no trascendieron.

Ante la indignación de Jacqueline, las relaciones entre la pareja parecían tomar un nuevo rumbo hacia el arreglo.

Se trasladaron los tres —¿había nacido el «triángulo» de los vodeviles franceses que tanto lo divertían a él?— a Bandol y se hospedaron en un hotel, en el que Pablo insistió en que Françoise durmiera en la misma habitación que él, cosa que Jacqueline dijo que era inmoral. De ese encuentro surgió la idea de que Françoise pidiese las llaves en la corrida de Vallauris, a la que ya hemos hecho referencia. Se lo pidió el propio Pablo: «Tú te mereces marchar con todos los honores militares que se tributan al enemigo después de una guerra. Para mí el toro simboliza el máximo orgullo. El tuyo será el caballo. Quiero que nuestros dos símbolos se encuentren en esta ceremonia ritual.»

Madame Rèmie, creyendo que había perdido su guerra, sin darse cuenta que sólo era derrotada en estas batallitas, rabotadas finales de una relación amorosa, no se recataba en decir que no concebía cómo una mujer «que ha abandonado a nuestro gran y querido maestro» fuese la encargada del prólogo de la corrida que se iba a celebrar en honor del genio. Françoise, enterada de sus críticas, se dirigió a Madoura y mantuvo con ella un mordaz diálogo:

—Me alegraría que otra persona se encargase del despeje de la plaza. No me importaría cederle la montura a su prima Jacqueline. Lo que ocurre es que a mí me lo ha pedido Pablo. Y, además, es posible que a su prima la desmontase el caballo nada más iniciar el trote. Pero, si usted quiere, ¿por qué no prueba a montar en mi caballo?

El diálogo, esta vez con tintes melodramáticos, se reanudó en La Galloise la mañana del día señalado para la corrida. Jacqueline lloraba desconsoladamente dirigiéndose a la que todavía creía su oponente:

—Por favor, no salga usted a la plaza. La gente se reirá de mí, de nosotros. Ésta es una situación grotesca, completamente ridícula. Pablo, dile tú que ella no debe montar a caballo. ¿Te imaginas lo que dirán en los periódicos al día siguiente?

—¿A mí qué me importa lo que digan los periódicos? Siempre que se ocupan de mí dicen una sarta de imbecilidades.

—¡Es que esto parecerá un circo! —volvió a insistir Jacqueline, ante las palabras de Picasso, que volvió a replicarle:

—¿Es que ves algo de malo en un circo? A mí me gusta mucho la idea, y si a otros les desagrada yo me ca...

Jacqueline cambió de actitud. Tratando de usted al maestro, le dijo:

—¡Usted siempre tiene razón!

Terminado el festejo y antes de marcharse a Perpiñán, ciudad en la que se encontraría con madame Lazerme, a la que cortejaba, se despidió de Françoise diciéndole:

—Eres maravillosa, absolutamente sublime. Tienes que quedarte a mi lado porque eres la única persona con la que me divierto. Llevas contigo una atmósfera de alegría que yo necesito para seguir viviendo. ¿Te das cuenta de lo grotesco que resultaría que yo me muriese de aburrimiento?

Picasso se venga de la negativa de ella pintando dos cuadros en los que una mujer maltrata a un perro. El can está puesto de espaldas, en el suelo y la mujer lo tiene cogido por una pata delantera y otra trasera, mientras mira fijamente la cara de dolor y desesperación del animal. La mujer no es otra que Françoise Gilot y el perro es el que ha sucedido en la casa del pintor al desaparecido *Kazbet*, un bóxer llamado *Yan*. En el otro cuadro una gata famélica se dirige a un gallo que aletea y que no podrá defenderse puesto que tiene las patas atadas, que lo inmovilizan. Es el tiempo en que pinta, además de *Femme au chien*, un retrato de Stalin, petición de Louis Aragon con destino a *Les letres françaises*. El Partido Comunista censuró el retrato e hizo responsable de aquel «desmán» al pobre Aragon, que tuvo que aguantar sobre sus hombros la tormenta que se le vino encima.

¡Bien venida, Jacqueline!

Picasso y Jacqueline Roque iban a empezar una nueva vida y no les agradaba seguir viviendo en Le Galloise, que, además, era propiedad de Françoise. Así es que comenzaron a buscar una nueva casa no lejana a

«Le conocí acodado detrás de una barrera, en la plaza de toros de Fréjus. (...) Me estrechó la mano y no puedo decir el tiempo que duró el apretón porque yo no me separaba de su mirada. Mejor aún: su mirada me había apresado.» (Así explica Luis Miguel Dominguín el inicio de su amistad con Picasso.)

En enero de 1961 Jacqueline y Pablo fueron padrinos de Paola, tercera de los hijos de los Dominguín. El bautizo tuvo lugar en Cannes y se celebró por todo lo alto.

A Picasso lo que le hubiese gustado era ser torero. (...) El no vestirse de luces y colocarse enfrente de la fiera lo compensó asistiendo a las corridas, cultivando su amistad con la gente del toro y, en más de una ocasión, vistiendo la chaquetilla y la taleguilla.

Vallauris. Así llegaron a La Californie, una villa grande, de estilo del 1900. Una escalera de hierro forjado y molduras esculpidas aldededor de las ventanas. Lo que él buscaba no era un estudio sino una casa en la que vivir y seguir trabajando. Estéticamente, La Californie no era de su gusto, que incluso podría calificarse de vulgar. En su favor encontró las habitaciones de altos techos, amplios, con magnífica luz y que le servirían como estudio y residencia de su familia. También reunía las características de castillo fortificado por cuanto la alta verja de hierro, con una edícula para el guarda y una puerta sólida, hacían imposible el acceso de curiosos y de gentes a las que él no quería recibir. Jardines bastante amplios, arbolados con palmeras y un eucalipto gigantesco, lo aislaban de las casas vecinas. Además, desde allí se podía ver ese mar bienamado por el pintor y al que iba con relativa frecuencia. Así, quizá sin proponérselo, nacía su primera gran torre de marfil, su aislamiento casi definitivo y al mismo tiempo su prisión.

Jacqueline y él se dedicaron frenéticamente a poner orden en la nueva casa, desde quitar las cortinas, las alfombras, los grandes pianos que allí había y el mobiliario de los antiguos propietarios, unos industriales que procuraron vivir con una suntuosidad que al artista malagueño siempre le había molestado. Unas puertas con espejos, a la entrada, ya no se podían ver porque los ocultaban los cajones con diversos objetos traídos desde París. Comenzaron a llenar el piso con bronces, cerámicas, caballetes y bellos muebles como las sillas inglesas del siglo XIII, que al parecer había heredado de su padre. No permitió que Jacqueline llevase a cabo sus proyectos de decorar la casa porque aquello iba a convertirse en un taller. Todo estaba entremezclado: marcos sin lienzos, moldes de yeso, carátulas llegadas de los mares del Sur y del corazón de África, fotografías que se perdían entre los papeles, clavados en la pared como mariposas de coleccionista, en los que estaban escritos mensajes, teléfonos, direcciones. Todo había entrado a formar parte del desordenado orden que era el mundo picassiano. Solamente con ver aquella casa, su habitación compuesta por un ancho catre de matrimonio y las paredes casi desnudas, se le podía comprender a él y adivinar su difícil personalidad. Los sillones, que habían servido para descanso de habitantes y visitantes del taller de la rue de la Boetie estaban rajados y daban la sensación de almoneda. No fueron suficientes los tres años posteriores, en los que Jacqueline luchaba por poner orden, para que las cosas se alineasen como en una casa normal. Picasso abría, con la curiosidad de un chiquillo, los paquetes que le llegaban de sus anteriores casas y otros de diversos lugares del mundo. Los dejaba como estaban. Apenas colocaba algunos libros, casi todos referentes a él, en los anaqueles. «No los leo jamás. Si hablan tonterías de mí, me desespero; por tanto, quiero evitar pasar un mal rato. Si, por el contrario, aciertan, ¿para qué voy a leer cosas que yo sé sobre mí mejor que nadie? Otros libros y artículos que me envían hablan de mi obra, la descifran, y ésos sí que son graciosos, por pedantes. Llegan a conclusiones a las que no habría llegado yo jamás y explican al lector mis intenciones, cuando yo no he tenido más intención que expresar lo que veo, lo que siento, sin ofrecer más mensajes que los estéticos.»

Allí, con la numerosa correspondencia, le llegaba un periódico español al que, sin sacarle la franja, comenzaba a dar patadas, a jugar al fútbol con él por habitaciones y pasillos hasta que lo destrozaba totalmente: «¡Ya ha cumplido la única misión para la que vale! Porque leerlo es una tontería y limpiarse el culo con él no es posible, resulta demasiado áspero y podrían reproducirse los grabados en el trasero.» Seguía pateándolo y reía con aquella especie de travesura que se había convertido en su ejercicio diario.

Otras veces nos recibía allí con una careta puesta, maquillada su cara como un payaso, vestido de clown. Disfrutaba con sus disfraces, de los que se había enamorado en aquellos brillantes desfiles carnavalescos en los que participaba en La Coruña. Jacqueline le seguía el juego y junto con él emprendía una frenética búsqueda, muchas veces inútil, por toda la casa para encontrar algo que deslumbrase a los visitantes.

En La Californie estos *happening* solamente eran superados por la corrida fantástica. Claro que solamente se celebraba si llegaba el «toro», que no era otro que el barbero de Buitrago, Arias, exiliado después de la guerra civil española y que residía en Vallauris. Arias era un tipo singular, al que hoy se deidiza en España e incluso se le llegan a consultar cosas sobre Picasso. Con los dibujos y objetos que le regaló su amigo, el pintor, fundó un museo en su pueblo. Arias era llamado para «cortar el pelo y afeitar al maestro». También eso divertía al pintor, totalmente calvo y con cuatro pelos que era imposible poner en orden. Pero lo que verdaderamente lo fascinaba era el toreo de salón. Arias solía coger una silla de enea, con la que embestía. Pablo, con un capote que le había regalado su amigo Luis Miguel Dominguín, ensayaba los más diferentes pases. Jacqueline y los amigos lo jaleábamos. «¡Olé, olé torero!» Y Pablo iba creciéndose, olvidándose de todos los que lo rodeaban, creyéndose de verdad triunfador en el centro del anillo. Porque a él lo que le hubiese gustado era ser torero. Se sentía torero. Comentaba que su fascinación por los toros comenzó cuando, siendo un niño y en Málaga, le presentaron a un picador que lo sentó en sus rodillas. Después, y ello es curioso, se hizo «torero» en las plazas coruñesas. El no vestirse de luces y colocarse enfrente de la fiera lo compensó asistiendo a las corridas, cultivando su amistad con la gente del toro y, en más de una ocasión, vistiendo la chaquetilla y la taleguilla, auxiliado en tal ceremonia por su «mozo de estoques», Jacqueline Roque. Que era la que lo ponía al día de las corridas que se celebraban y la que le acompañaba a todos los festejos.

Era el de La Californie un desordenado orden o un orden desordenado en el que no se veía ni un atisbo de suciedad. Una marioneta siciliana de armadura dorada pendía de una de las lámparas. De detrás de los papelotes se escuchaban cantos de aves tropicales que habían quedado aisladas por todo aquel desbarajuste y reclamaban luz. Algunos cuadros de su colección particular, de Rousseau o de Max Ernst, cerámicas apiladas. Y entre tantos objetos, todos con una razón de estar en las habitaciones, lienzos pintados o a medio terminar, dibujos, litografías numeradas que le habían llevado para que él las firmase.

No fue necesario derribar tabiques porque las habitaciones de la planta baja estaban comunicadas por anchas puertas. Cuando abrían, en primavera y verano, las grandes ventanas, daba la sensación de que el jardín, los pinos, los eucaliptos entraban en la casa.

¿Qué hace Jacqueline? A partir de entonces no separarse de su hombre, al que mima y satisface en sus máximos y mínimos deseos. Si ella no está por allí juega Cathy, que se arrastra por los suelos y que se ganó el cariño de Picasso. Sus juguetes son *collages* que él acaba de terminar, muñecas y caballitos que ha hecho para ello con los más diversos materiales. La niña se sube a la cabra de bronce, para ella gigantesca, dialoga con el boceto del hombre del cordero que más tarde iría a parar, como donación del artista, a una plaza de Vallauris.

Jacqueline no solamente es su modelo favorita, sino la única, la que iría repitiendo a partir de entonces.

Le lleva de Madoura cerámicas para que él las pinte sin necesidad de desplazarse hasta el taller de Vallauris. Ella es la que se encarga también de que las estructuras escultóricas, que Picasso hace con los más insólitos objetos, sean trasladadas a París, en donde las fundirán en bronce. Confecciona para Jacqueline un collar de metal, utilizando para ello el torno de dentista y lo que consigue es sorprendente.

No siempre son apacibles, sino incluso borrascosas, las relaciones entre la nueva pareja. Puede decirse que la entrega de ella, su constancia, la lucha para conquistarlo definitivamente fueron las que hicieron rendir la plaza.

Cuando conoció a Jacqueline, Picasso tenía puestas sus miras en Geneviève, a la que tardó en encontrar y, sobre todo, en una muchacha bellísima, Rosita Hugué, hija del artista Manolo Hugué, por la cual el genio bebía los vientos. Dicen quienes fueron testigos de esas relaciones que a la muchacha no le hubiese costado ningún trabajo convertirse en la segunda mujer legítima de Picasso, que no había contraído nuevo matrimonio desde su separación de Olga. Se veían cuando Picasso viajaba a Perpiñán y se hospedaba en la casa de Lezerme, a cuya mujer también cortejaba. El cariño que Pablo había sentido por Rosita, a la que conoció de niña, evolucionó hacia el amor. La chica, que no deseaba consagrar su vida a una persona por la que sentía únicamente aprecio, se fue apartando de él paulatinamente. Picasso se dio cuenta de que la chiquilla, que también se había prestado a ser su modelo, no le hacía demasiado caso y no cubriría el hueco que dejó en sus costumbres, más que en sus sentimientos, Françoise. Todo el entusiasmo de Pablo por Colliure estaba cimentado en sus esperanzas de conquistar a Rosita.

Corrieron los rumores de un posible matrimonio de Picasso que tal vez lo llevaría a dejar la Costa Azul e instalarse en Cataluña. Los amigos y familiares, interesados en que eso no ocurriese, acudieron a la casa en la que se alojaba para tratar de disuadirlo.

Rosita no era en realidad hija de Manolo Hugué, el famoso escultor al que Picasso sacó de muchos apuros, sobre todo al conseguirle el contrato con Kahnweiler. Manolo y su mujer, la bretona Totole, la adoptaron. A medida que la niña creció Picasso se fijó en ella y extremó las atenciones hacia aquella hermosa mujer y hacia su madre, que no hubiese visto con malos ojos la unión de su hija con el que había sido uno de los mejores amigos de su marido. Las llevaba con él a las corridas de toros y a su lado se le notaba completamente feliz.

Una de las acompañantes de Pablo en aquella excursión que hicieron por el Rosellón fue Jacqueline, de manera eventual ligada a él. Picasso comentaba a sus amigos que se trataba de un pasatiempo más. La ruptura con su compañera y madre de dos de sus hijos, los desplantes de Geneviève y el cariño, pero no el amor de Rosita Hugué, le habían no solamente desbaratado sus proyectos de rehacer su vida, sino que le hirieron en lo más profundo de su orgullo.

Jacqueline comenzó a hacerle escenas de celos y provocó una violenta discusión. Bajó al comedor de la casa de la que eran huéspedes e hizo una encuesta entre los asombrados invitados, preguntándoles si consideraban que debía quedarse o irse. Nadie le respondió ni en un sentido ni en otro y ella se marchó, airada, a su casa con la amenaza de no volver a ver jamás a Pablo. Cuando todos estaban almorzando tranquilamente y Pablo comentaba con entusiasmo la discusión que había tenido con aquella mujer, de la que quería librarse, sonó el teléfono. Era Jacqueline, que habló unos minutos con Pablo. Éste volvió a la mesa, sin alterarse, y comunicó a sus amigos: «Está en Narbona. ¿No me va a dejar en paz esa estúpida de una puñetera vez?» Apenas había concluido el almuerzo cuando sonó una segunda llamada, en esta ocasión desde Béziers. Pablo volvió a dar explicaciones de aquella conversación telefónica, en la que se mostró muy duro con Jacqueline: «Resulta que ahora amenaza con suicidarse si no puede volver a Perpiñán. Le he dicho que haga lo que le dé la gana, pero a condición de dejarme a mí en paz.» Dicho y hecho: tiempo después aparecía allí la mujer, que dio esta explicación: «Me has dicho que hiciera lo que me diera la gana. Y, en consecuencia, me tienes otra vez aquí.» Se retiraron a sus habitaciones y no regresaron hasta la hora de cenar. Pablo aparecía furioso y no cambió ni una sola palabra con los invitados. Continuaron juntos los días siguientes, pero el comportamiento de él hacia ella era desagradable, enrarecía el ambiente. Jacqueline adoptó una postura sumisa, halagadora, de entrega total, y fue cuando comenzó a llamarle «mi Dios», «rey de España», mientras le hablaba en tercera persona y le besaba las manos.

Nadie suponía, a pesar de aquella entrega, que ambos regresasen juntos a Vallauris. Pablo se había dado por vencido, cedía ante aquella tremenda presión de una mujer que, al fin y al cabo, podía suponer el remanso, la paz, la tranquilidad para él en años de vejez. La pinta de nuevo y la presenta sin la altivez de los primeros cuadros, ahora la convierte en una mujer pequeña, regordeta, en una burguesa, en definitiva.

Los amigos notaron que había cambiado la actitud de Picasso hacia Jacqueline y lo atribuyeron a la sinceridad de ella, que de verdad buscaba una situación estable y no una simple aventura. Esta entrega jamás pudo ser puesta en entredicho y no la discuten ni los que fueron sus enemigos más encarnizados. Jacqueline se había poseído del espíritu de Picasso primero y después del artista, del hombre, que la necesitaría constantemente, que no podría separarse de su lado. Las crisis entre los dos eran frecuentes, pero ya sin demasiada importancia. Rosita se desvaneció de pronto, era como el amor imposible del don Juan español que se hubiese rendido ante la doña Inés que era la hija adoptiva de los Hugué. Había que ser realista, poner los pies en el suelo y salvar aquella crisis sentimental que repercutía en el trabajo. El trabajo era su fortaleza. A mí me animaba, delante de Jacqueline: «Sé que eres un gran trabajador. ¿Verdad que trabajas mucho? Lo mismo me ocurre a mí, pero no sé vivir de otra manera. No creas en la inspiración, que no existe. Cree en el trabajo que es con lo que se consigue todo. Mucha gente interpretó mal aquella frase mía de "yo no busco, encuentro". Efectivamente, no hay que buscar nada: todo se encuentra, pero no por casualidad, como puede hallarse un billete en la calle. Incluso para encontrar hay que ir por la calle y mirar al suelo. El encuentro suele llegar después del trabajo constante.»

Vuelve a trabajar inspirándose en Jacqueline, a la que convierte en la curvilínea *Jacqueline-odalisca*. Su geometría no es de este mundo.

A ella la entusiasman estos retratos, jamás pone la menor objeción. «Ahí está su retrato. Y, ahora, a parecerse, a parecerse.» Efectivamente, Jacqueline con el transcurso de los años llegó a parecerse a sus retratos.

Después de varios años de unión, el destino dio vía libre a ambos para el matrimonio, que llegaría más tarde. Olga murió en febrero de 1955 en la clínica de Cannes en la que estaba internada desde que su proceso cancerígeno se complicó con una parálisis facial. Pablo asistió al entierro de Olga y llevaría para siempre su alianza de casados.

A partir de que Pablo es libre para casarse, comienza la labor de Lucía y Luis Miguel Dominguín, cuyos hijos y la tata Reme pasan grandes temporadas en la casa, para que se casen. Pablo se resiste y ella sabe que su futuro depende de aquella decisión que, al fin, toma el pintor, aunque a regañadientes. «Qué te importa, Pablo. Si os lleváis mal, os separáis y ya está», bromea el torero. Lucía, más en mujer, le reprocha que viva así —«¿Quieres decir que en pecado?», le pregunta Pablo, riéndose—, sin que, si un día él desaparece, a ella le quede ningún derecho. «Todo pasará a tus hijos y dependerá de la generosidad de ellos el que le hagan caso y repartan con Jacqueline.»

Al fin Picasso se rinde y el 2 de marzo de 1961, el alcalde comunista de Vallauris sella el matrimonio civil de ambos. Muy pocas personas los acompañaron a la sencilla ceremonia. El alcalde, monsieur Derigon, es el que los casa y lo testifican el notario Antebi y su mujer, que son testigos de la boda y de sus grandes amigos. Los había llevado hasta allí y los devuelve a su domicilio Janot, el chófer. Descorchan una botella de champaña, que se reparten entre sus sirvientes, el chófer, el jardinero, nacido en el Piamonte, y su mujer, que hace las tareas del hogar.

No permanecerían demasiado tiempo en La Californie, a la que el «rastro» picassiano, su enorme producción artística y los objetos que le envían de todo el mundo, hacen insuficiente para seguir trabajando en ella. Buscan un nuevo hogar y lo encuentran en Mougens, a tres kilómetros de Vallauris y muy cerca de Cannes. El paisaje que le ofrece «Notre-Dame-de-Vie» le es muy familiar a Picasso porque en este pueblo había pasado varios veranos (años 1936, 1937 y 1938) con Dora Maar. Los acompañaba el matrimonio Éluard y vivieron en el hotel Vaste Horizon.

Allí se trasladarían poco a poco, tomándose mucho tiempo en el transporte de las cosas que creen indispensables. Verdaderamente han encontrado una «fortaleza» en la que podrán evadirse de los visitantes. El paisaje no puede ser más lírico. Un olivar y una hilera de cipreses son como una muralla que aísla «Notre-Dame-de-Vie», que recibe ese nombre de una capilla del siglo XVII, encaramada junto al viejo cementerio, sobre la villa de los Picasso. Allí se celebra anualmente una romería a la que ellos no asisten, pero que jamás se pierden porque desde las ceremonias religiosas a los festejos son retransmitidos por la televisión local.

La casa está llena de habitaciones, amplias y también bien iluminadas, que serán, en su totalidad, el inmenso taller de Pablo Picasso. Un zaguán abovedado da paso a la terraza, adornada con diversas esculturas y comedor ideal en tiempo bonancible. Doce años de vida le quedan, siempre dentro del mismo escenario, al mayor trabajador del mundo. Amanece trabajando y anochece con un bloc en sus manos. Solamente los seriales de televisión le distraerán de su constante labor.

—¿Por qué trabajas tanto? —le pregunta Jacqueline, que pretende que disminuya su ritmo de producción, sobre todo después de sus enfermedades y de haber sido sometido, sin darle publicidad alguna, a una intervención quirúrgica.

La respuesta no se hace esperar:

—Todavía no he dicho cuanto tengo que decir y no creo que me quede tiempo para decirlo todo.

Y, a partir de esa frase, de nuevo todos buscamos madera para tocar, para invocar la suerte y no solamente largos años de vida sino la inmortalidad.

Allí, en Mougins, haría parte de su última obra más importante, como *Las Meninas*. Durante su elaboración se produjo una anécdota muy curiosa a cargo de Arias, el barbero al que la pintura de su amigo le convencía menos que sus pases de pecho, dados a la silla que él llevaba en sus manos. Picasso lo invitó a pasar al estudio, en donde le preguntó:

—¿Qué te parece lo que estoy haciendo, Arias?

Arias miró una y otra vez y respondió sincero:

—¡Ay, don Pablo, que vamos de mal en peor!

¡Bien venida, Jacqueline!

En La Californie ya comienza la restricción de los visitantes y son los amigos más íntimos, siempre que no se hayan enfrentado frontalmente con la «reina de la casa», los que lo pueden ver. En la calle es cada día más difícil encontrárselo, aunque sale con alguna frecuencia de viaje, a almorzar o a cenar en los restaurantes preferidos por él.

Sin embargo se crea un entorno familiar del que son protagonistas primero sus hijos Paloma y Claude y los hijos de los Dominguín. Jacqueline los trata como a hijos propios y quisiera encargarse de su educación. Pablo y ella apadrinan a Paola, la niña menor, y la colman de atenciones.

—¿Y si un día me caso con ella? —preguntó Pablo.

—No puedes: os unen vínculos que lo impiden...

—¡Eso se verá más adelante!

Al hablar de «las mujeres de Picasso», no se pueden escribir sus nombres excluyendo a sus «otras mujeres», las que no tuvieron relaciones amorosas-carnales con él.

Entre esas mujeres que le pertenecieron de alguna manera hay que incluir algunos nombres, como el de la propia Lucía Bosé, Reme «la tata», Lucía y Paola González Bosé. Ellas, junto con su hermano Miguelito, saborearon intensamente el alimento espiritual que significaba Pablo Picasso y se vieron atendidos celosamente por Jacqueline, que, con Reme, era como otra de sus madres. Solían preguntarme los Picasso, cuando yo iba a visitarlos, por «nuestros niños». Y quizá lo que más les importó de la separación de los Dominguín fue que las visitas de «sus niños» se fueron distanciando hasta llegar al punto de que no volvieron a reencontrarse.

La relación con los Picasso nació, por parte de Luis Miguel, hace muchos años. El torero explica esta amistad: «Le conocí acodado detrás de una barrera, en la plaza de toros de Fréjus. "Fre...jú...jú...", que así lo pronuncian los hombres andaluces de nuestras cuadrillas. Más que mirar, hacía radiografías de todo y de todos aquellos en los que clavaba su mirada. Lo atravesaba todo con sus ojos. Me estrechó la mano y no puedo decir el tiempo que duró el apretón porque yo no me separaba de su mirada. Mejor aún: su mirada me había apresado.

»—Yo... yo había oído hablar de ti a los amigos...

»—Yo... yo también había oído hablar de usted, maestro...

»Y me quedé pasmado. No tan tranquilo, porque estaba deseando que se arrastrase el último toro, regresar a España y decir que había tenido sobre mi mano la mano de Picasso. No me acordé siquiera de lo conveniente que sería perpetuar en fotografía aquel momento. Para él, el apretón de manos de cada corrida. Para mí, la culminación de un deseo.»

Creo que no recuerdo ni el cartel de aquella tarde. Luis Miguel en él, naturalmente. Vi la corrida en los ojos de Picasso. Unos y otros le brindaban. Unos y otros fueron dos toreros, porque Luis Miguel se negaba a brindarle. «Todos lo hacen, ¡yo no!»

Luis Miguel era hosco, correctamente arisco a la pleitesía a Picasso. De no ser así, jamás hubiesen llegado a ser grandes amigos. Luis Miguel no aprovechó el fácil contacto, las facilidades que le daba Picasso para acceder a su amistad. Cosa que era fácil, aparentemente, para un torero. Cuando un día Picasso le dijo que le iba a hacer su retrato y que, a cambio de posar para él se lo regalaría, el torero respondió:

—No, Pablo, no hay prisa. Déjalo para dentro de unos años. ¡Así sabrás pintar mejor!

«Existía cariño y naturalidad en el diálogo. Recuerdo una anécdota que corresponde a otra corrida. No fue la de mi encuentro con los ojos y con la mano de Picasso. Cierto torero le había brindado porque le dijeron que era conveniente que lo hiciese "ar Picasso ece que creo que ez un tío mu güeno...". Mientras el torero instrumentaba su faena, el pintor la recogía en un papel. Al final, devolvió la montera y dentro de ella un dibujo. Ya en el hotel, después de la inevitable oración de gracias por haber salido con bien del trance, el matador hizo pedazos el dibujo:

»—¡Habráse visto el tacaño ése! Le brindo un toro en el que me juego la vida y me regala un papel pintarrajeado con unos mamarrachos.[1]

Volví a saludar a Picasso en algunas corridas más, todas celebradas en Francia. Continuaba la «guerra fría» entre él y Luis Miguel. Ningún brindis había hecho al pintor el torero madrileño. Hasta que un día las aguas del hielo hirvieron en la amistad. Picasso todavía era compañero de Françoise Gilot, que le había dado sus dos hijos, que frecuentemente acompañaban al padre a todas las corridas. Ella, en su libro de confidencias titulado *Vida con Picasso*, explica de una manera más literaria que real su encuentro con Luis Miguel Dominguín.

Françoise solía caminar completamente desnuda por la casa. Y así acudió a abrir una puerta. Escribe: «Una tarde, acababa de ducharme y salía del cuarto de baño para entrar en otra habitación, cuando oí un ruido. Creí que se trataba de los niños que regresaban de la playa. Me acerqué, pues, al umbral de la puerta, encontrándome, frente a frente,

1. El torero al que se refiere la anécdota es Agustín Parra, Parrita, pariente y compañero inseparable de Manolete. Años más tarde tuve la oportunidad de hablar con él y, no sin precauciones, le relaté lo que me habían contado. Parra dijo que sí, que le había brindado no uno sino varios toros. Que, efectivamente, le regaló un dibujo, pero que él lo supo apreciar y lo conserva todavía.

con el matador de toros Dominguín. No supe qué hacer. ¿Quedarme inmóvil, saludarle y recibirlo como cortés anfitriona? ¿Debía dar media vuelta y echarme a correr, aunque tal gesto resultase poco digno? Luego se me ocurrió que no debía hacer ninguna de las dos cosas. Dominguín me había visto ya de frente, era demasiado tarde para impedirlo. Pero no existía razón alguna para que le mostrase también mi trasero. Así pues, fui retrocediendo solemnemente y cerré la puerta. Cuando, ya vestida, regresé a la estancia que acababa de abandonar, Dominguín todavía estaba esperando y me sentí tan violenta vestida como antes desnuda. El hombre se disculpó cortésmente por no haber llamado a la puerta principal, pero explicó que había penetrado en la casa confiando encontrarse con Pablo. La puerta que daba a la terraza estaba abierta. Él entró, *et puis voilà*. Más tarde lo acompañé hasta el estudio de Pablo, en la rue du Fournas, y, ya de noche, cuando conté a Pablo lo ocurrido con el torero, se echó a reír diciendo: "No corrías ningún peligro con Dominguín. Después de todo, tú no eras un toro."»

—¡Quiero que Luis Miguel se retire de los toros. Pero sé que no debo pedírselo.

El comentario lo hace Lucía Bosé en la habitación en que estamos reunidos con Pablo y Jacqueline.

Pablo asiente. Y apoya la opinión de ella:

—¡Eres ya un viejo! Debes retirarte definitivamente. Ya no puedes ni con el capote.

Se lo dice Pablo, seriamente, a Luis Miguel. Luego hace un aparte con él. Tiene prisa por rectificar unas frases que solamente ha dicho para complacer a la mujer del torero.

—No te retires de los toros. El artista no debe retirarse nunca. Por eso yo no he dejado jamás de pintar y pintaré siempre. Si un artista se retira equivale a una renuncia a su propia vida. Como si, de pronto, quisiera desaparecer para siempre.

Luis Miguel trató de llevarle la contraria:

—Es muy fácil decir eso... Sobre todo no teniéndote que enfrentar a los toros, sino a los pinceles. Si torear fuese tan sencillo como lo que hacéis los pintores... Delante de un caballete no hay peligro de recibir una cornada...

—No, Luis Miguel. Es lo mismo. Tú tienes que torear hasta que tengas el pelo blanco, como lo hizo Domingo Ortega. Con el pelo blanco un torero queda mejor. ¡Sigue adelante!

(Éstos eran «consejos de invierno». Cuando no se torea. Al llegar el verano vuelve a preocuparse por su amigo. Al anunciar Luis Miguel su última reaparición le preguntó Picasso: «Pero ¿por qué lo haces? No lo creo oportuno...»)

A través de estas páginas han salido varias veces los nombres de la familia Dominguín. Puede colegirse ya su intimidad, la amistad entre las dos familias. Los niños de los Dominguín han pasado grandes temporadas en La Californie y «Notre-Dame-de-Vie». Picasso, con sus propias manos, decoró y pintó las paredes de las habitaciones destinadas a los chicos. En enero de 1961 Jacqueline y Pablo fueron padrinos de Paola, tercera de los hijos de los Dominguín. El bautizo tuvo lugar en Cannes y se celebró por todo lo alto. Picasso hizo dibujos de su ahijada y jamás dejó de preocuparse por ella y por sus hermanos.

Luis Miguel escribió también: «Pablo es un hombre muy difícil, como todo lo sencillo, como todo lo real. Resulta imposible saber cómo es, cómo son sus reacciones. Aunque estoy seguro que todas son muy humanas. En el sentido que lo humano tiene de bueno. Nuestras familias se reúnen con frecuencia. Nosotros pasamos largas horas hablando de muchas cosas. Yo me convierto, de pronto, en espectador de su trabajo, en oyente de la lectura de sus cuartillas que me parecen tan importantes como su "literatura plástica". Encontré en Pablo algo diferente al tan temido tópico, algo tan humano como esos personajes que podemos ver en la calle. He sido el único torero que, toreando en Francia, se resistió a brindarle un toro. Hoy soy también el hombre que ocupa algunas horas, menos de las que quisiera, en conversar con él, en gozar de su amistad, el que no quiso posar para él. Me parece que si yo torease para él y él pintase para mí perderíamos la amistad al meternos de lleno en el terreno profesional. Es curioso el pudor que he notado en Pablo, su timidez, cuando me ha mostrado algunas de sus obras más recientes. Por mi parte, siempre que ha venido a verme, después de la corrida, a la habitación de un hotel, he sentido más que pudor vergüenza. Respeto...»

Lucía Bosé trató siempre de usted a Pablo. Se profesaban una mutua y gran simpatía, pero se resiste a apearle el tratamiento, pese a que Jacqueline y Pablo se lo piden reiteradamente. «No es una cuestión de diferencia de edad. Es el respeto que me infunde el monstruo, esa gran figura... Nos olvidamos de su tremenda importancia. Haberle conocido, haber vivido en su casa, haber hablado con él, es un privilegio excepcional. Tan importante como si alguien nos pudiese decir que había sido amigo de Goya o de Velázquez...»

Jacqueline y Pablo permitieron que los niños fuesen dueños y señores de la casa. Lucía, la mayor de las chicas, pasó temporadas con los Picasso, estudió en Cannes cursos enteros de su bachillerato. Iba al colegio allí.

Se sentían como hermanos de Cathy, la hija de Jacqueline. Catherine, cuando era más chica, llamaba siempre «Pablito» a Picasso. Los hijos de los Dominguín le llamaron siempre Pablo. Yo he visto juntos a Cathy, Miguelito, Lucía, Claude y Paloma.

El cuarto de los niños era contiguo al del matrimonio Picasso. Pablo pintó en las paredes dibujos taurinos y diversos motivos infantiles. Dibujos que recuerdan a los que hacía Picasso cuando era niño: un padre de familia, barbianes, militares, quijotes, caballeros andaluces, toreros y toros llenos de realismo.

Los niños eran dueños de la casa entera. Y de sus jardines. Y de los tesoros guardados allí: la cabra embarazada, la diosa de bronce, las esculturas hechas con hierros. Los chicos comprenden, sin extrañeza, esas estatuas que cedieron sus formas clásicas para convertirse en la creación genial de un gran artista.

La pequeña Lucía hace carantoñas a la mona de hierro que carga con su retoño. Huye por el pequeño bosque sorteando las arpías de los ojos saltones, la lechuza, los desnudos prodigiosos. Allí, en ese ambiente, es donde no le importa exponer sus trabajos a Picasso. Él, que sintió siempre un gran pudor ante toda manifestación pública de su obra, no recela en mostrarla a los amigos.

«En el pasado rehusé, durante muchos años, exponer. E incluso me opuse a que fotografiasen mis cuadros. Pero al fin tenía que ceder; comprendí que debía mostrarlos y desnudarme como una puta. Es todo cuestión de valor. La puta que se desnuda también tiene valor. La gente no sabe lo que tiene cuando es dueña de un cuadro mío. Cada cuadro es una botella llena de mi sangre. Eso es lo que posee.»

Reme, «la tata», es una de las mujeres de Picasso. Reme, de una belleza ya madura, forma parte de la familia Dominguín. Desde hace muchos años convive con ellos. Los chicos y los amigos la conocemos por «la tata».

—¿Cómo está «la tata»? Dale un beso de nuestra parte... —me dicen los Picasso.

«La tata» vio nacer a todos los hijos de los Dominguín. Los cuidó en ausencia de sus padres y la respetan como a una madre. Los niños, en el fondo, hacen lo que quieren con la buena de Reme. Cuando se fueron a pasar una larga temporada a casa de los Picasso, Reme marchó con ellos. Vivía en La Californie. Pablo Picasso le diseñaba dibujos:

—Para que los bordes en tus bastidores, «tata»... —le decía.

Y así Reme contaba en sus labores con la colaboración de la firma más cotizada del mundo. Iba bordando pacientemente sobre los trazos que le había hecho su amigo Picasso. Muchos de estos trabajos aún están sin concluir.

—¿Quieres quedarte con nosotros? —le pregunta Pablo, bromeando.

«La tata» se abrazaba a uno de «sus» niños.

—¡No los dejaré jamás! —contestaba.

Picasso gustaba de relatar historias de Reme:

—Fíjate si quiere a los niños que renunció a casarse con uno de los picadores de Luis Miguel, el Mozo, por no dejar a los chiquillos... Le dijo a Lucía: «Si usted me los deja para que vivan siempre conmigo me caso.» Y no se casó, claro.

En una de las ocasiones en que Miguelito llegó a la casa de sus amigos los Picasso, le dijo a su padre:

—Papá, esto es la gloria.

Jacqueline cogió el teléfono que el secretario, Miguel, le entregaba. Todos estaban inquietos en la casa por conocer el resultado de la corrida que Luis Miguel toreaba en una plaza española. Lucía hija habló con su padre unos momentos, besó a Jacqueline y corrió al estudio de Picasso:

—Pablo, ¡papá ha cortado cuatro orejas a cada toro!

Picasso dejó inmediatamente el trabajo que estaba haciendo y dibujó un toro con cuatro orejas, que le entregó a la niña y que ésta conserva en la finca de Somosaguas, en la que hay algunos recuerdos del pintor que fue su amigo.

Jacqueline era una entusiasta de la obra de su marido, aunque a veces le pusiese objeciones. Pablo estaba pintando, en el mayor de los secretos, *Las Meninas*, réplica del famoso cuadro de Velázquez que se exhibe en el Museo del Prado. Obra picassiana que puede contemplarse en el museo Picasso de Barcelona, al que fue a parar por renuncia de

Bosé a ella. Nos encontrábamos tomando el té, hacia las cinco o seis de la tarde, en la sala de estar, de trabajar, de televisión, de todo lo más insospechado, cuando Pablo comenzó a hablar de su proyecto de *Las Meninas*, al parecer muy avanzado.

—Es para ti y para tus hijos, Lucía —le ofreció espontáneamente.

Lucía dijo inmediatamente que no. Jacqueline le suplicó que aceptase el ofrecimiento y, después de un largo tira y afloja, Lucía le pidió que la totalidad de esa obra fuese a parar a un museo español, a ser posible al de Barcelona. No puedo decir, dado lo cambiante de carácter y decisiones del pintor, si la obra hubiese ido a parar a Somosaguas. Lo que sí se publicó reiteradamente fue la renuncia de Lucía Bosé a ella y su petición de que viniese a España. Naturalmente, y al menos de momento, en Somosaguas no se recibió ni una llamada, ni un telegrama, ni una carta de gratitud por parte de nadie hacia la mujer que, ayudada decisivamente por Jacqueline, más influyó para que esos cuadros no se quedasen en Francia. Jacqueline era, ante todo, francesa, pero después de francesa había aprendido lecciones de españolismo por parte de su marido. El que ella hablase con soltura el castellano fue una de las razones que más influyó en la duración de unas sólidas relaciones, de vez en cuando entibiadas por el «donjuanismo» de él.

Como un niño que acababa de hacer una picardía, confesaba a veces sus aventurillas. «Con estas manos lo he tocado todo: madera, yeso, piedra, todo...» Su compañera circunstancial de entonces, Geneviève, remataba: «Y mujeres.» Mujeres que le acarreaban problemas, como él mismo reconocía: «Siempre he tenido más complicaciones con mis mujeres que con la pintura. Un día me dijeron: "Tiene usted alma de sultán, necesita un harén." Acertaron, porque a mí me hubiese gustado ser moro o bien oriental. Todo lo que se refiere a Oriente me seduce. Occidente y su civilización no son más que las migajas de ese gigantesco pan que es Oriente.»

Para Paul Éluard, que conocía el «sultanato» picassiano por experiencia cercana, sus tres mujeres, Pablo era un sultán solamente de espíritu, pero un hombre tradicional, que conservaba la alianza de su boda con Olga. Para Pablo, hay que creer que habla sinceramente en el momento en que está refiriéndose a algo, la mujer más inteligente que había conocido era una prostituta con la que se pasó toda una noche dialogando, mientras paseaban y se dirigían a ninguna parte. «La puta me dijo al final que en el fondo yo era un hombre "de deber".»

Todas estas opiniones, y Jacqueline las conocía y las sufría frecuentemente, variaban en horas o en pocos minutos. Él mismo se reconocía como «un hombre que está lleno de contradicciones. Me gusta lo que me pertenece y, sin embargo, me entran unas enormes ganas de destruirlo. Con el amor me ocurre exactamente igual. El deseo que tengo de procrear corre paralelamente con el deseo de librarme de la mujer. Sé que un hijo es el final de mi amor por ella porque me libera del sentimiento. Pero luego resulta que el niño me crea lazos de obligación moral y me obliga a continuar con la mujer. Creo que tengo un gran sentido del deber.»

Jacqueline, que sospechaba de algunas infidelidades de su marido —«Figuraos, le ha gustado una lechera y creo que se han visto alguna vez», nos contaba aparentando tranquilidad, pero realmente preocupada por la anécdota—, no dudó hasta los dos o tres últimos años en que jamás se le iría de las manos. Curiosamente, las dudas aparecen cuando se separa su amiga Lucía, con la que, tras tocar madera y rogar al destino que Pablo viviese muchos años, había proyectado un viaje alrededor del mundo si ella sobrevivía a su marido. Lucía le iba explicando cosas de los países que ella conocía y a los que deseaba volver. Especialmente a la India, en donde se había identificado con sus habitantes. Picasso se lo pasaba en grande cuando la mujer de Dominguín le explicaba que, casada ya, apareció llamando a las puertas de su casa un indio bien portado, que aseguraba ser su padre. Lucía lo atendió, lo despidió correctamente y el indio continuó insistiendo. Lucía llamó a su madre y, bromeando, le preguntó: «Mamá, ¿recuerdas si has tenido alguna vez una aventura amorosa con un indio?»

«Fijándose uno bien en ti, sí que pareces india... Date una vuelta, anda... ¿Por qué no te vas desnudando?», soltaba, en voz baja y como una picardía, Picasso.

Cuando Pablo está cómodamente repanchigado en su sillón, es Jacqueline la que hace de guía de la casa a los visitantes. No siempre muestra el estudio, sobre todo si en los caballetes hay alguna obra todavía sin terminar o que Pablo no quiere que nadie la vea. Muestra, eso sí, las esculturas que se exhiben en otra ala de la casa, los peces de colores de una acequia a la que llaman piscina y que, según Pablo, lo conocen y se revolucionan cada vez que él sale a echarles migas, como si se tratase de pajarillos. Jacqueline mostraba incluso el dormitorio de La Californie y de «Notre-Dame-de-Vie», y ese inmenso cuarto de baño en donde hay un banco de jardín pintado de verde, una mesa y sillas de hierro. Enseña también, con orgullo, los retratos que le hace su marido, como una serie de dibujos hechos con lápices de colores titulada *Jacqueline reina*, en la que aparece a caballo. Culmina la serie con un magnífico retrato en la que aparece ataviada como una dama real velazqueña. En esa misma época, ya que Luis Miguel no se había dejado retratar, Picasso le pide que le preste un traje de luces que dibuja, colocándolo en una de las sillas de su casa.

Es obvio aclarar que estas referencias pictóricas no siguen un orden cronológico, puesto que, como los demás personajes que aparecen en estos relatos, son telones de fondo, figurantes en la comedia de los grandes protagonistas: Picasso y sus mujeres. Pero sin algunos apuntes y, sobre todo, sin el entorno amistoso relacionado con cada una de estas mujeres, no se podría explicar perfectamente el carácter de las mismas.

Y así llegamos al «centenario de Picasso», como le gustaba llamar a él a su ochenta aniversario. Fue la propia Jacqueline la que abrió el inexpugnable muro que conducía a su marido y docenas de visitantes, sobre todo artistas y amigos españoles, pudieron llegar al lugar infranqueable durante el resto de los días del año.

El cumpleaños se celebraría ruidosamente días después de la fecha en la que realmente era su aniversario, el 25 de octubre. Ese día, concretamente por la noche, sólo estábamos presentes, además de Pablo y Jacqueline, Paulo, el hijo mayor de Pablo, con su mujer Christine, Cathy, hija de Jacqueline, María Teresa León, Rafael Alberti y la hija de ambos, Aitana. Además, naturalmente, el servicio.

Jacqueline lo había dispuesto todo para que nadie más entrase allí. Las únicas fotografías que se hicieron, en el lugar de celebración que era el dormitorio matrimonial, se debieron a mi pequeña máquina y que me negué a publicar hasta la aparición de mi *Picasso íntimo*. Cuando salimos de «Notre-Dame-de-Vie», docenas de fotógrafos estaban apostados en los alrededores. Ante la imposibilidad de entrar y de obtener fotografías, me ofrecían verdaderas fortunas por el carrete que iba dentro de mi máquina y que, una vez revelado y hechas las copias, repartí entre los interesados. Yo no podía olvidar que no había sido invitado, privilegiado invitado dado el corto número de asistentes, en calidad de periodista, sino de amigo de la familia. Y era incapaz, como lo soy ahora, de traicionar una fidelidad a cambio de una verdadera fortuna económica. Yo era el amigo al que Jacqueline y Pablo querían tener a su lado para compartir una fecha histórica.

¿Cómo se celebró el «centenario»? Jacqueline nos fue sirviendo champaña en una copa y aquella noche, haciendo una excepción, bebió Pablo y brindó con nosotros. No se movió ni un solo momento de la cama y Luis Miguel se metió dentro de ella para fotografiarse con él. Los demás tomábamos asiento sobre esa amplísima cama, en la sobria habitación en la que recuerdo un estoque de torero, posiblemente regalo de Luis Miguel a su amigo el pintor.

Después llegaron las celebraciones oficiales y multitudinarias. Los días 28 y 29 de octubre fueron declarados fiesta en la Costa Azul y muy especialmente en Vallauris, escenario del acto. Picasso da una vuelta por el pueblo, en un Cadillac blanco, al que preceden dos motoristas. La gente lo aclama. Viste con un traje que parece de cuero negro y que él aclara que no se trata de cuero, sino de «una materia desconocida que encontré en los Abruzzos». Inaugura un monumento y visita su exposición de El Nerolium, un almacén en el que se guarda jazmín y azahar que se emplearán en perfumería. Contempla su obra y sentencia: «Todas estas cosas se habían alejado de mí y las vuelvo a encontrar con buena cara.»

Alguien le dice que su obra, como él, son siempre jóvenes. «A lo mejor es que los dos nos imitamos», responde el pintor.

Los comunistas, que no lo dejaban ni a sol ni a sombra y que últimamente no podían verlo con la asiduidad que hubiesen deseado, le ofrecen una escolta no solicitada y, además, organizan una *kermese* en su honor. Pese a una politización que él rechazó de plano, podemos considerar como grande la celebración de su ochenta aniversario. Durante los actos, Jacqueline Roque había conseguido reinar auténticamente, era ya la «Jacqueline reina», respondía al título que le había dado Picasso. Y en realidad era una reina. «Me siento como una reina, llena de felicidad, Antonio», me dijo la mañana del primer día en que se celebraron los actos públicos. «Madame Picasso, madame Picasso...» Ninguno la llamaba Jacqueline sino madame Picasso, como a ella le gustaba oírse nombrar. Nadie ignoraba que sin su aquiescencia no se podía llegar al «maestro», que es como lo llamaban todos, aunque él en un tiempo odió ese adjetivo. «Detesto que me llamen maestro, siempre me entran ganas de contestarles: maestro de mi cu...»

En Niza, bailarines y otros artistas de todo el mundo danzarían, recitarían para él. En Vallauris se celebraría «la corrida prohibida», especialmente organizada para el aniversario.

—Tu personalidad, Pablo, rebasa a la de los mayores personajes de todos los tiempos...

Ya conocía de memoria su respuesta, varias veces repetida:

—Lo que me parece horrible es que hoy se busque afanosamente la personalidad... No se desvive nadie por esa especie de ideal del pintor, como siempre fue. Y si digo ideal es porque es lo que más se le acerca. No. Se cagan en eso totalmente. Solamente se desea hacer el regalo de la propia personalidad, ofrecerla al mundo. ¡Sí, es algo espantoso! Además, si se busca la personalidad, es evidentemente prueba de que no existe... Y, si se encuentra a fuerza de buscarla, es porque es falsa, un espejismo. Y yo sólo puedo hacer lo que hago...

Resplandecía el sol en la Costa Azul. Muy temprano, Jacqueline me encargó que me ocupase de los toreros, que fuese a buscar a Domingo Ortega a Niza, en donde se hospedaba, para después llevarlo al almuerzo y más tarde a la corrida en la que él participaba. Al mediodía se nos ofreció una comida que puedo calificar de multitudinaria. Antes yo esperaba a Domingo Ortega en su habitación del hotel Negresco de Niza, en el que se vestía de corto para el festival. Cuando llegamos al lugar del almuerzo se nos hizo difícil la entrada, porque una «escolta» de comunistas, no solicitada por Picasso e incluso rechazada por él, impedía que nadie se acercase a donde estaba el maestro. Jacqueline y Pablo, reyes también de la mesa, percibieron que algo estaba ocurriendo y ellos mismos acudieron a hacernos «el quite». Jacqueline llamó aparte a aquellos «matones» y los reprendió seriamente. Pablo, emocionado, abrazó a Ortega y nos hicieron sentar a su mesa, a su lado. Pudimos compartir su pan y su sal poco tiempo porque la circulación por la «Cornisa» se había complicado; todo eran embotellamientos porque nadie quería perderse «la corrida prohibida». Volvimos a los coches. Ortega y yo a un taxi con matrícula de Madrid, lo que hizo emocionarse de nuevo a Picasso, que pidió que le dejasen el botijo de la cuadrilla. Lo alzó y bebió largamente. Al concluir, Jacqueline, que también era la jefa de aquella constante «cla», inició un aplauso que se convirtió en cerrada ovación.

La «plaza de toros» era la plaza mayor de Vallauris y hasta las ramas de los árboles servían de asiento a los espectadores. El paseíllo lo hicieron los dos protagonistas del «mano a mano». Domingo Ortega, que había otorgado hacía muchos años la alternativa a Luis Miguel, el otro diestro de la tarde. Jacqueline, Lucía y Pablo, en la presidencia. Puesto en pie, el pintor ordenó que se comenzase la corrida. El festejo no era «a muerte» porque la suerte de matar solamente se puede realizar en las plazas francesas del Sur y del Sudeste que tienen tradición taurina. En Vallauris contravenir esas leyes está penado con grave sanción económica e incluso con prisión de los toreros. Sin embargo, Picasso preparaba otra de sus picardías.

Al bajar de su coche me llamó, hizo un aparte y me dijo:

—En mi «centenario» deseo que la corrida se celebre tal y como es en España. ¡No faltaba más!

Y, en otro aparte en el que participaba Luis Miguel, le advirtió:

—Si el público pide la *mis à mort*, los toreros os acercáis a mí, que para eso soy la máxima autoridad en la plaza. Igual que un césar en el circo, yo diré si se perdona la vida o si se mata. Si con mi pulgar señalo hacia abajo, es que hay que matar. Seréis implacables. Si llegan sanciones o complicaciones, no os importe que yo me encargaré de resolverlas...

César Picasso, Pablo emperador, bajó el dedo pulgar. Antes el público había pedido la *mis à mort*. «¡Que lo maten, que lo maten!», fue el coro que se organizó en presidencia bajo la iniciativa de Jacqueline Picasso y de Lucía Bosé.

Un periódico francés titulaba al día siguiente: «Se mataron clandestinamente toros delante de siete mil espectadores.»

—Éste ha sido mi verdadero homenaje —repetía Pablo hasta la saciedad—. Lo que son las cosas: un niño nace en Málaga, ayer. Y hoy ese mismo niño forma este hermoso jaleo solamente porque cumple años. ¿Quién me ha hecho a mí? ¿Qué es lo que soy y cómo soy para que se organice ese revuelo en torno a mi persona?

Habló con todos los componentes de las cuadrillas y al banderillero Domingo Peinado le explicó:

—Creo que al primer torero que he conocido ha sido a un picador que se llamaba el Zurdo. Yo le conocí cuando era niño. Él y Carancha, ¡qué tío Carancha!, me sentaban sobre sus rodillas y yo soñaba con ser como ellos, torero.

En el festival de Niza, celebrado la noche de la corrida, intervinieron artistas de todo el mundo. Recitaron Aurora Bautista, Francisco Rabal. Cantó Nati Mistral y bailó Antonio. Estaban varios bailarines de países del área comunista y Alicia Alonso, primera figura del ballet cubano.

La fiesta más importante se organizó tras el almuerzo que Jacqueline, en nombre de su marido y con él presente, ofreció en un restaurante cercano a su casa a los representantes españoles. Por la mañana los había invitado a visitar el estudio.

Nati Mistral, muy cerca de Picasso, le cantó una canción, mientras el pintor palmoteaba como un chiquillo, rebosando satisfacción. De pronto chilló:

—¡Nati, si yo tuviera treinta años menos!

De pronto se arrancó por rumbas el bailarín Antonio, Antonio Ruiz, la gran figura del baile español. Pablo, con la agilidad de un niño, saltó la tabla de la mesa que lo separaba del espacio libre en el que danzaba Antonio y empezó a bailar con él. Manuel Ángeles Ortiz, otro de los grandes pintores españoles de la escuela de París, comenzó a cantar flamenco. Picasso, al tiempo que bailaba con Antonio, se jaleaba y daba olés entusiasmado.

Cuando Fernando Chueca leyó las adhesiones de los pintores e intelectuales españoles, Picasso volvió a emocionarse. Me preguntó con mucho interés por Daniel Vázquez Díaz, por el cual sentía una gran admiración y al que profesaba gran cariño:

—¿Qué es de su vida? Debe de andar por mi edad...

Pablo había leído unas declaraciones de don Daniel en las que decía que Picasso podría haber sido un buen pintor si no se hubiese perdido en extravagancias.

—No sé si él hace extravagancias, pero es un gran pintor. De no quedarse en España, podría disfrutar de una fama universal, que se merece. Dale saludos de mi parte...

La fiesta concluyó muy tarde. Pablo, que presumía de no ser sentimental, nos besó a los amigos. Se detuvo delante de Jacqueline, que

¿Cómo se celebró el «centenario» (tal como le gustaba a Picasso llamar a su ochenta aniversario)? Jacqueline nos fue sirviendo champán en una copa y aquella noche, haciendo una excepción, bebió Pablo y brindó con nosotros. No se movió ni un solo momento de la cama y Luis Miguel se metió dentro de ella para fotografiarse con Pablo.

El libro mío que aparecería más tarde se titula «Picasso íntimo». Envié galeradas a los Picasso, a quienes por aquel entonces ya no veía. Picasso envió un telegrama con su firma prohibiendo el libro. Lógicamente mi editor, Torga, hizo caso omiso y les enviamos el primero de los ejemplares salidos a la calle.

De pronto se arrancó por rumbas el bailarín Antonio, Antonio Ruiz, la gran figura del baile español. Pablo, con la agilidad de un niño, saltó la tabla de la mesa que lo separaba del espacio libre en el que danzaba Antonio y empezó a bailar con él.

estaba esplendorosa, la besó en las dos mejillas y le dijo: «Gracias.» Pienso que esa breve expresión de gratitud habrá sido uno de los mejores momentos vividos por ella.

También le agradeció su intervención a Luis Miguel, que estaba dispuesto a seguir toreando.

—Aunque yo te pida que te retires delante de mi mujer y de la tuya, que lo pasan mal cuando actúas, debes seguir vistiéndote de torero. Ya sé que corres el peligro de que te mate un toro. ¿Qué puedes esperar mejor que eso? Lo mejor que me podía suceder a mí sería quedarme «tieso» mientras estoy esculpiendo una de mis figuras, terminando uno de mis cuadros... Cuando un hombre hace bien algo, deja de ser hombre si no lo hace. Debes volver a los ruedos y, si tienes que morir, que sea de la mejor manera posible.

Como dejé reflejado en otro capítulo de este libro, el 5 de noviembre de 1971 fue atacada la galería Theo, en cuyo anterior emplazamiento exhibía grabados de la «*suite* Vollard«, a Picasso debidos. Llamé inmediatamente a casa del pintor para darle centa del bárbaro atentado atribuido a «extremistas». Primero consulté con Jacqueline, por si era conveniente comunicárselo. Ella no tardó en llamarlo. Me escuchó atentamente. Yo me iba indignando a medida que le describía lo sucedido, los destrozos que hicieron aquellos irresponsables. Fue él quien me tuvo que calmar:

—Verás: porque hayan destruido esos grabados, no ocurre nada... Si un día quemasen el museo del Prado tampoco sucedería nada especial, no se habría acabado el mundo. Yo tengo tiempo para seguir haciendo grabados, cuadros... Y los pintores que sucederán a los maestros de ese museo tan importante, harán obra suficiente para que se pueda hacer con ella otro museo tan importante o más que el Prado o el Louvre. Todo lo que parece negativo, a la larga puede resultar positivo...

Un tema delicado es el del *Guernica*, que Picasso quería que volviese a sus legítimos dueños, al pueblo español. Es doloroso para mí tocar un punto tan delicado, ya que en vida del pintor, pese a las gestiones hechas por amigos íntimos, entre ellos los Dominguín, Jacqueline se oponía con todas sus fuerzas a que volviese a España. Y no precisamente por problemas políticos. Para ella estaba claro que los legítimos dueños eran los españoles, pero en régimen republicano. Evidentemente no podía devolverse viviendo Francisco Franco, aunque, por otra parte, entregárselo a su gobierno y obligar a éste a que lo exhibiese sería un auténtico triunfo. En el palacio de El Pardo estaban de acuerdo con recibir y exhibir en el museo del Prado, el lugar designado por el pintor, ese cuadro y sus bocetos. Para Jacqueline era evidente que la devolución debía hacerse al presidente de la república y, por voluntad de Franco, le sucedería como rey el entonces príncipe de España don Juan Carlos de Borbón. Los Picasso eran republicanos. Fueron muy largas las conversaciones para convencer a Jacqueline, que se oponía al traslado.

Lógicamente había otra seria oposición a entregarlo: Estados Unidos. Concretamente el responsable del museo de Arte Moderno de Nueva York, donde se exhibía la totalidad de la obra que forma el *Guernica*, y que era, sin lugar a dudas, el mayor atractivo, la *vedette* de aquel museo. William Rubin, responsable del departamento de pintura del citado museo, no quería ni oír hablar del tema. A Jacqueline no le hubiese parecido mal que, en una larga etapa de su viaje hacia Madrid, fuese depositado y exhibido en un museo francés, hasta que España volviese al régimen republicano.

A la primera persona que hubo que convencer de la conveniencia del traslado a Madrid fue a Jacqueline Picasso, que, a regañadientes y pretendiendo ganarse a los españoles, dio su consentimiento. También accedió el albacea de Picasso, el abogado Dumas, tras entrevistarse en agosto del 79 con el jefe de gobierno español, que entonces era Adolfo Suárez.

Norteamérica se niega a entregar el cuadro y los bocetos. El gobierno español amenaza con llevar el caso ante los tribunales internacionales. Un diplomático español, Rafael Fernández Quintanilla, es el encargado de realizar las últimas tramitaciones, en París y en Nueva York, y así, en medio de grandes medidas de seguridad, el *Guernica* es traído a España el 10 de setiembre de 1981. El ministro de Cultura, Íñigo Cavero, hizo unas declaraciones en las que decía que el cuadro era el último exiliado que regresaba a España. Y el 23 de octubre de 1981 fue presentado a los enviados de la prensa internacional en su nueva instalación y sede, en la sala del Casón del Buen Retiro. En definitiva, en el museo del Prado, que es en donde Pablo Picasso quería que fuese exhibido su lienzo, en unión de los sesenta y un bocetos que lo acompañan.

Coincidió la llegada del cuadro con el centenario del nacimiento de Picasso, que fue celebrado en todo el mundo. Jacqueline no estuvo presente, lo cual es muy significativo con respecto a su actitud, el día en que el *Guernica* se presentó al público.

La obra está bien custodiada, cumpliéndose así una de las condiciones impuestas por Jacqueline cuando, al fin, accedió a dar su consentimiento para que volviese a España. La polémica siguió a este acontecimiento, y un pintor que conoció a Picasso, Pepe Díaz, un día miembro del Partido Comunista español, nos explicaba que el *Guernica* es un fraude, que Picasso recibió el encargo de la República, para el pabellón español de París. Y que recurrió a un viejo trabajo, que se puede adivinar si miramos detenidamente el cuadro. Se trata de una corrida de toros en la que el picador está caído debajo del caballo. Lleva en sus manos una pica, cortada por el medio. El toro está expectante y hay varios personajes detrás de la barrera, que chillan y se desesperan, mientras un torero sale al quite. El toro presencia la escena, presto a intervenir.

Delante de Jacqueline, Picasso me confesó en más de una ocasión que aprovechó otros bocetos para hacer el *Guernica*.

¡Bien venida Jacqueline!

Entro en otro capítulo muy espinoso de la vida de Jacqueline con Picasso. ¿Cuándo de verdad comienza ella a aislarlo de sus amigos e incluso de sus familiares?

Los hijos de Pablo y Françoise Gilot van con cierta frecuencia a «Notre-Dame-de-Vie» y Jacqueline los sigue mimando. Pero ya han crecido y comienza a cuestionarse en los tribunales franceses la legitimación de la paternidad, ya que ningún hijo del pintor, salvo Pablo, está reconocido.

El escándalo, que Jacqueline aprovecharía para hacerse de verdad reina, dueña y señora de la situación, se lo sirve en bandeja Françoise Gilot.

En 1964 se publica *Life with Picasso*, que firman conjuntamente Françoise Gilot, que escribe en primera persona, y el crítico de arte del *New Yorker* Carlton Lake. Se trata, como el lector puede comprender, de la autobiografía de la mujer que acompañó a Picasso durante largos años de su vida.

El escándalo es mayúsculo en todo el mundo, pero muy en especial en Francia y particularmente en «Notre-Dame-de-Vie», cuyo estado mayor trata de movilizarse para poner freno a la difusión del libro.

Lluvia de artículos condenatorios de unas vivencias que hace que Pierre Daix publique en *Les lettres françaises* un artículo desmesurado, desproporcionado en relación con unas páginas que en definitiva no hacen más ruido que una botella de espumoso que se destapa y el tapón salta con fuerza. Daix llama a Françoise «la comadre amargada, solamente preocupada por el fracaso de su vida». Pinta con las mismas tintas a todos aquellos que tuvo el privilegio de conocer. Jacqueline aparece desolada ante los amigos, que tratan de consolarla. Pablo corta por lo sano y, más regocijado que indignado, trata de consolarla y le dice que hablará con sus abogados para que planteen una querella contra los autores de tal desaguisado. Él no ha leído el libro y por eso le llenan la cabeza de pájaros, y junto con Jacqueline y a instancias de ella acuerdan que no se le abran jamás las puertas de su casa ni a Françoise ni a sus dos hijos. La decisión es tomada una noche, después de que Pablo concluya su trabajo. «Pablo trabajaba hasta muy tarde. Después comíamos cualquier cosa en la cocina y ése era el momento de las decisiones.»

Poco tiempo después de aparecer la edición francesa acudí a «Notre-Dame-de-Vie» y Jacqueline y Pablo me explicaron lo que había sucedido. Yo ya estaba al cabo de la calle y conocía perfectamente un libro ingenuo en el que no se reflejaba, quizá un tanto parcialmente, más que la verdad sobre el personaje. Se habían recogido firmas no solamente de adhesión al pintor sino para entablar la querella contra sus autores. Los franceses quisieron apuntarse un tanto, y es curioso leer en las páginas de *El siglo de Picasso*, del recopilador de datos, muchos de ellos erróneos, Pierre Cabanne, que dice que el libro es «Acusador, venenoso, pérfido. Un crimen de lesa majestad en toda su bajeza».

—¿Te has dado cuenta de las cosas que dice de mí? ¡Puras calumnias! —casi me gritó Pablo.

—¿En dónde están las calumnias?

—En las páginas de ese libro... —me respondió.

—¿Lo has leído? —volví a preguntarle.

—No, de ninguna manera. Ya te he dicho que no leo nada que se refiera a mí.

—Entonces, ¿por qué sabes que te calumnia, que te difama?

—Nos lo han dicho todos los que lo leyeron, ¿verdad, Jacqueline? —buscó la complicidad de su mujer.

—Sí, es horrible, espantoso. A mí me ha costado una enfermedad y Pablo no levanta cabeza —aprobó ella.

—Pero lo elemental sería intentar leer esas atrocidades, ¿no?

—¡Hombre, en parte tienes razón, gallego! Pero no quiero leerlo y ya está —concluyó, como un niño enrabietado. Después volvió a la carga—: Si te pasa una cosa parecida a ti, ¿qué harías?

—No tenerlo en cuenta. Al fin y al cabo es publicidad. Y te doy mi palabra que no leí nada injurioso...

Se levantó, volvió a sentarse, bajó la vista y clavó la mirada en mí, mientras Jacqueline, detrás de él, me hacía señas para que no le llevase la contraria. «El maestro está muy disgustado y no es cosa que nosotros lo disgustemos más», me aclaró más tarde.

—Dime, ¿qué debo hacer? —volvió a preguntarme, ya en tono de voz más bajo.

Yo sabía que, como me sucedería más tarde al defender a Lucía Bosé de injustificadas acusaciones, me estaba jugando mi visado a «Notre-Dame-de-Vie». No obstante volví a caminar por el filo de aquella bien afilada navaja:

—Yo no haría nada. Salvo que pretendas ayudar a que el libro se venda en todo el mundo. ¿Sabes lo que significa, publicitariamente, una querella planteada por Picasso? —respondí.

No obtuve respuesta y me atreví a añadir:

—Si quieres hacer un favor a alguien, espera a que yo publique mi libro sobre ti y te querellas. Será la única manera de que me pueda hacer rico.[2]

—Gallego, eres un cabezón, un testarudo. Creo que te voy a hacer caso —dijo mientras se reía por mi ocurrencia.

Entonces volvió a intervenir Jacqueline, que hasta ese momento y siempre detrás de la silla que ocupaba su marido, no hacía más que dirigirse a mí por señas, como si se tratase de dos sordomudos:

—Lo que es verdad es que esa mujer no pisa más esta casa. Ni los chicos tampoco. Y soy yo la que más lamenta esa dolorosa decisión, porque tú eres testigo de cómo los quería. A mí me parte el corazón que Pablo los tenga que apartar de su lado.

Sonreí. Jacqueline me recordaba en aquellos momentos al director de una empresa que despide a uno de sus empleados más cualificados: «No sé cómo vamos a poder seguir adelante sin usted, pero a partir de hoy mismo vamos a intentarlo.»

Conseguí que se desviase la conversación-obsesión por otros derroteros y, ya sólo con Jacqueline mientras Pablo había ido al estudio, ella me dijo que un día escribiríamos los dos su vida con el genio. Pero tendrían que pasar muchos años, y ninguno de los dos deseábamos ponernos a ese apasionante trabajo, que no se realizó nunca. Escribirlo significaría, al igual que su viaje con Lucía Bosé alrededor del mundo, que el malagueño universal había desaparecido.

Fue también Jacqueline, que tenía plena confianza conmigo, la que me dijo en aquellos días que si escribía algo de Picasso no me refiriese a sus opiniones sobre Málaga, que podrían ponerle a los paisanos en contra. Él me había manifestado que estaba quejoso con su tierra y como mejor prueba estaba un aviso de correos o de la aduana, en el que le anunciaban un envío de su ciudad. Al parecer contenía un cuadro pintado

2. El libro mío que aparecería más tarde se titula *Picasso íntimo*. Remití galeradas a los Picasso, al que por aquel entonces ya no veía. Picasso envió un telegrama con su firma prohibiendo el libro. Lógicamente, mi editor, Torga, hizo caso omiso y les mandamos el primero de los ejemplares salidos de la imprenta.

por su padre. Él procuraba recuperar la obra de su progenitor y sus primeros trabajos de La Coruña. «Ni tan siquiera lo fui a recoger. Envié libros sobre mí a Málaga y creo que aún siguen encajonados, sin colocar en ninguna parte.»

Por lo único que me preguntaba era por los Percheles. Tenía grabados entre sus mejores recuerdos los Percheles.

Yo justificaba ese recelo suyo por su tierra debido a que allí lo había pasado mal. Primero, en su niñez, nacido en un hogar de escasos recursos económicos. Después porque cuando volvió con Casagemas, ya siendo conocido, nadie de su familia quiso acogerlo, debido a su aspecto modernista, que allí parecía estrafalario. Incluso rechazaron a su compañero y a él en algunas pensiones de la ciudad. A esto habría que añadir que el Picasso eterno enamorado se enamoró de una prima suya y no fue correspondido por ella. «No por haber nacido en un lugar que no hemos elegido, porque en el vientre de nuestras madres no se nos puede consultar, uno es de allí. ¿Has oído, gallego, aquello de que se es de donde se pace y no de donde se nace? Bueno, pues eso es lo que me sucede.»

Lo llamé desde Madrid con ocasión de una conferencia que iba a pronunciar en Málaga en torno a él. Me aconsejó que no fuese: «No le intereso a nadie, hablan de mí con orgullo porque soy famoso. Pero si das la charla verás cómo solamente estarás tú en la sala y tu presentador.» Di la conferencia en uno de los centros culturales más importantes de la ciudad. Volví a llamarlo: «Te equivocaste, Pablo. En mi conferencia estábamos mi presentador, yo y un periodista, Paco Javier Bueno, al que acompañaban dos amigos con los que estuvimos de tasqueo por la mañana. Éramos por lo menos cuatro o cinco. Ya interesamos a más de dos personas.»

La hora del té era sagrada. Té y pastas que a veces eran sustituidos por mis percebes. Dejó de fumar y beber alcohol a raíz de una intervención quirúrgica. Tenía que operarse con urgencia de una úlcera en el estómago y fue trasladado desde Mougins, en ambulancia, hasta el hospital americano de Neuilly. Fue intervenido por el doctor Hepp el 18 de noviembre de 1965. Jacqueline, siempre a su lado y nadie más, porque temían que trascendiese la noticia. Como, efectivamente, trascendió, pero una vez que Pablo, reintegrado a su casa en ambulancia, ya se permitía bromear a costa de la operación: «Me han abierto como a un pollo. Si quieres, te enseño la cicatriz.»

Verano de 1964. Claude Picasso, que ya iba a poder apellidarse definitivamente como su padre, se dirige con su hermana Paloma en el coche de su madre a Mougins. «El señor no está», es la única explicación que se les da desde el intercomunicador. Las puertas permanecen cerradas. Ellos querían encontrarse con su padre y asistieron a la corrida de toros de Fréjus, en donde sin duda alguna lo encontrarían. Jacqueline lo presintió: sabía que Pablo podría enternecerse al ver a sus hijos, y trató de disuadirlo que fuese al festejo. Jacqueline, Catherine y varios amigos más escoltaban a Pablo en la barrera. Fue inútil el intento de Claude por acercarse a él. Solamente pudo saludarlo, con la mano en alto, desde una notable distancia.

Paloma todavía hizo otra intentona de ver a su padre, con motivo del diecinueve cumpleaños de ella. Se instaló en La Galloise, finca que pertenecía a su madre y en la que se había desarrollado parte de su infancia. Confiesa que pasó varias noches sin dormir y se preguntaba si era justo, humano, que su padre no la recibiese. Hasta que se decidió a trasladarse a Mougins. «Los señores no están en casa», era la respuesta que escuchaba uno y otro día. Intentó de nuevo ver a Pablo, precisamente cuando se disponía a abandonar la Costa Azul. «Entre, por favor, entre», fue la respuesta que escuchó, mientras se abrían las verjas que conformaban la puerta. Recogemos su testimonio:[3] «Jacqueline me acogió con amabilidad, y mi padre se mostró con su talante habitual. El reencuentro fue, al principio, embarazoso; yo notaba que la cara me ardía de emoción. Por fin, mi padre me dijo:

»—¿Cuándo te vas?

»—Pues... hoy mismo.

»—¡Ah, bueno! Entonces va siendo hora de que te marches. Me ha agradado mucho que hayas venido a verme.»

Jacqueline la acompañó a la puerta, la besó y una vez que escuchó el ruido del motor del coche de Paloma respiró hondo. Pablo no hizo el menor comentario. Paloma se sentiría impresionada como si se tratase de una extraña. «Ese diablo de hombre ejerce a su alrededor una fascinación que conquista, que somete. Nadie puede tratar con él de igual a igual.»

Comenzaron a molestar los Alberti. En uno de mis viajes me los encontré en Cannes y los invité a almorzar en el Vesubio, en pleno paseo marítimo. «¿Cuándo vas a ver a Pablo?», me preguntó Rafael.

—Esta misma tarde —le respondí.

—¿Podemos ir contigo? Nosotros no tenemos coche... —me pidió.

Llamé a nuestro taxista de siempre, pero sospeché que a la familia del poeta le habían empezado a poner obstáculos, pese a la amistad de los Picasso. Hace años llevaron al entonces marido de Aitana, el argentino Roberto Otero, que era fotógrafo y publicaría un libro[4] en torno al pintor. Se disculpó preguntándole a Picasso:

—¿Le molesto mucho, maestro?

No se hizo esperar la respuesta:

—Sí, muchacho, pero para eso estamos, para eso estamos. —Y se echó a reír a carcajadas, que nos contagió a los demás.

María Teresa León trataba de hacer una versión castellana de una de sus obras de teatro. Pablo estaba ya cansado de escuchar sus explicaciones, y Jacqueline, que adivinaba perfectamente el pensamiento de su marido, nos dijo que teníamos que irnos, que hasta mañana, porque Pablo estaba cansado. Despidió a los Alberti y me dijo:

—Tú tendrás que esperar un poco de tiempo porque te he pedido el taxi y tienes que ir al teatro con Catherine.

Cuando ya se habían ido los Alberti, Jacqueline comentó que la atosigaban demasiado. Una vez más quise llevar la conversación por otros terrenos más distendidos, sin tener que apoyarnos en unos amigos de todos, y le dije a Pablo:

—María Teresa debió de ser una real hembra. Aún ahora es bella...

3. «Mon père Pablo Picasso», declaraciones de Paloma Picasso que aparecieron en *Confidences*, en junio de 1973, en entrevista de Vicenti.

4. *Lejos de España (Encuentros y conversaciones con Picasso)*, Dopesa, 1975.

Se rió y me dijo:
—¿Bella? Siempre ha sido como es ahora. ¡Una pelucona! Tú no has conocido el perfil que aparece en unas monedas que en España llamaban peluconas. ¡Pues eso es lo que parece María Teresa, una pelucona!
—Pero los Alberti te quieren...
—¡Son unos pesados, unos pesados! Y tú los has traído hoy aquí, no te olvides...
Apareció Catherine, que estaba preparada para salir. El taxi nos esperaba a la puerta y cargué en él unos pósters del *Guernica* y varios libros que los amigos me habían pedido que los dedicase Picasso. Ya dentro del taxi, Catherine me dijo:
—Yo no tengo ni un solo recuerdo dedicado por Pablo. Me da vergüenza pedírselo y, naturalmente, de él no sale dedicarme un libro.
—¿Quieres que le pida una dedicatoria para ti? —le dije bromeando.
Aquella noche cenamos en Chez Félix, en donde yo había comido en varias ocasiones con Jacqueline y Pablo. Asistimos a un recital de canciones en el palacio de Congresos y Festivales, en el que se celebraba la *mostra* del MIDEM (mercado internacional del disco) y volvimos de madrugada. Jacqueline estaba aún de pie, esperando a su hija.
—No te olvides, me lo has prometido —se despidió la chica—. Mañana le pides a Pablo que me dedique un libro a mí...

A los amigos se les recomendaba brevedad en la visita. Jamás se nos hizo esta recomendación ni a Lucía Bosé ni a mí, pero nada más entrar advertía que estaría solamente unos minutos. Ésa era mi voluntad. Pero el visitante propone y Pablo Picasso dispone. Así es que no salía de la casa hasta que habían transcurrido dos o cuatro horas desde mi llegada.
El rigor cronológico con los que recibe es justificado por el propio Picasso: «Tengo que ser severo con mis visitantes porque conmigo también debo ser severo. Para mí también suena la campana. Es preciso que continúe. Tengo que trabajar. Yo solamente me fatigo cuando descanso. Hay quien bebe Pernod todo el día. Para mí el estimulante es el trabajo.»
Ya no hay peligro de que trastornen su ritmo de vida ni determinados amigos ni los propios hijos. Si alguien cita a Claude y a Paloma, ella se indigna porque «le recuerdan a aquella mujer que le ha hecho tanto daño».
Prepara la exposición para el palacio de los Papas de Avignon. Crea ininterrumpidamente, y si las cosas le salen bien se asoma al jardín y grita: «¡Jacqueline, llegan más, siguen llegando!»
En 1970 se vuelve a perturbar la aparente paz de «Notre-Dame-de-Vie». Llegan noticias, publicadas en todo el mundo, de que Claude había presentado en el tribunal de Grasse una demanda de reconocimiento de paternidad natural. Volvieron los periódicos a la carga y Jacqueline aparecía como la «mala» de esta extraña película, al mismo tiempo que insistía cerca de Pablo, hablándole del mal comportamiento, del desagradecimiento de sus hijos, que, como es lógico, no querían renunciar ni a su apellido ni a sus derechos. Picasso lamenta esta actitud y llega a creerse sus propias fantasías, que le relata a su abogado: «No soy yo el que se ha apartado de Claude. Fue él quien se separó de mí. ¿Cómo pudo olvidar ese chico el cariño que siempre le prodigábamos mi mujer y yo?»

Aún le quedarán a Jacqueline otras ocasiones para ejercitar su reinado, sobre todo con motivo de la inauguración de la exposición en el palacio de los Papas de Avignon.

Con motivo del noventa aniversario no se celebraron ruidosas ceremonias, pero sí se recordó en muchos lugares de Francia y de España, con actos en Málaga y en La Coruña. En Málaga se inauguró un monumento, obra del escultor español Berrocal. Por su parte, Jacqueline le hace un regalo original a su marido: un ascensor que le permitirá subir y bajar a los talleres, sin el menor cansancio.

El ascensor no traería buenos augurios, como ocurrió con el que su familia instaló en la casa de Eugenio d'Ors, en Villanueva y Geltrú. El día en que se iba a inaugurar el pensador sufrió un ataque al corazón y fallecía pocas horas después. Esta trágica anécdota la habíamos comentado en alguna ocasión en casa de los Picasso, cuando Pablo nos hacía demostraciones de fuerza y de subir y bajar las escaleras sin descansar ni unos minutos: «Estoy tan fuerte de piernas y cintura porque al pintar subo, bajo, flexiono, hago muchísimo ejercicio. Pintar es mi gimnasia.»

Pablo Picasso va amainando en su actividad. Sufre algunos contratiempos, sobre todo gripales y procesos bronquiales, de los que sale adelante. De todas maneras, los médicos temen por su vida, que se irá apagando poco a poco, casi sin que él se dé cuenta y que, felizmente y como había pedido tantas veces, la muerte lo sorprenderá casi en pleno trabajo.

Pierre Daix lo llama por teléfono y Pablo le pregunta:

—¿Trabajas? Yo también estoy trabajando, trabajo todo el tiempo...

Con motivo de una visita de su hijo Pablo, se comenzó a levantar una ola de rumores. Algún periódico aseguraba que el pintor estaba gravemente enfermo, internado de nuevo en el hospital americano de Neuilly, de París, donde ya había sido operado. Jacqueline es la que responde a los amigos:

—No sucede nada. Acaba de salir de una gripe y se encuentra muy débil, pero se va recuperando.

La víspera de su muerte estaba aparentemente bien. Dio, como todos los días, un paseo por el parque. Por la tarde su jardinero le subió anémonas y pensamientos, sus flores favoritas.

Nadie esperaba un desenlace tan rápido como el que ocurriría el 8 de abril de 1973. La víspera de su muerte, el sábado día 7, invitó a cenar al notario Antebi y a su mujer. Pasó muy mala noche, se sofocaba y estaba jadeante. Jacqueline se asustó y llamó al médico de cabecera, que le suministró unas inyecciones calmantes y ordenó que se llamase a un cardiólogo parisino. Cuando llegó el médico encontró a un Picasso amodorrado, que de vez en cuando trataba de pronunciar algunas palabras.

Jacqueline permanecía hundida a su lado. Salió unos minutos de la habitación y fueron tras ella para decirle que su marido había muerto.

En el estudio, sobre el caballete, estaba su último cuadro, *Un hombre con espada*, en el que había trabajado la víspera de su muerte.

Según el parte que se hizo público había fallecido la mañana de aquel domingo, a las 11 y 40 minutos.

Fue explicada su muerte como una crisis cardíaca aparecida tras haber sufrido el paciente un edema pulmonar.

De nuevo se cerraron las puertas de «Notre-Dame-de-Vie» a todos los curiosos. Allí llegó Javier Vilató Ruiz, sobrino carnal de Picasso, así como su familia, que se desplazó desde Barcelona. Estaban también presentes su hijo mayor, Paulo. Y Kahnweiler, los Leris, el alcalde de Vallauris, el notario Antebi, los Pignon y algún representante del partido. Parece ser que el peluquero, Arias, fue el encargado de acicalar por última vez a su amigo Pablo. Sobre el cadáver de su marido, Jacqueline extendió su gran capa negra, la misma que él llevaba puesta cada vez que iban a una corrida de toros.

El día 10 de abril es trasladado el cadáver a Vauvenargues y quedó depositado en la capilla del castillo en donde se dice que yace san Severino. Era una noche de frío y nieve cuando, en el mayor de los secretos, se trasladó el cuerpo sin vida de Picasso.

La tumba en que reposa está al pie de la escalera de piedra que es la entrada principal al castillo. Desde este mismo lugar Picasso se asomaba a contemplar el paisaje, al que él llamaba «vista Cézanne».

Una figura de mujer con una vasija en la mano, estatua que databa de 1934 y que había sido fundida en bronce hacía poco tiempo, está sobre la sepultura.

Marie-Thérèse Walter no pudo entrar en el castillo. También se les prohibió la entrada a Maya, Claude y Paloma.

«Jacqueline quiso para ella sola ese muerto que hacía tanto tiempo pertenecía al mundo entero», se escribe por parte de Cabanne, después de que reseña el sórdido enterramiento de Pablo Picasso.

¡Bien venida, Jacqueline!

Pocas fechas después del enterramiento comenzó a hacerse notar «la maldición Picasso» en sus descendientes. Paulo, el hijo mayor, discute con sus hijos Pablo y Marina, quizá por cuestiones económicas. Pablito se encuentra muy afectado porque Jacqueline no tuvo la caridad de permitirle ver a su abuelo muerto. Tomó una fuerte dosis de lejía concentrada, y todos los esfuerzos que hicieron en la clínica La Fontonne, de Antibes, para salvarlo, resultaron inútiles. Muere tres meses después de haberse intentado suicidar. Mari-Thérèse Walter se quita la vida ahorcándose en su casa de Jean-les-Pins.

Según un informe policial, entre las 2 y las 9 de la mañana del miércoles, día 15 de octubre de 1986, Jacqueline Picasso acerca una pistola a su sien. Dispara. Pone fin a muchos años de soledad, de desaliento, a una situación límite a la que ella había caminado paso a paso.

«Voy creyendo firmemente que todo reside en la costumbre. Y que, muchas veces, la muerte puede consistir en ir perdiendo la costumbre de vivir.»

Leo, como una oración por mi amiga Jacqueline, el final de «La costumbre», el último artículo que escribió César González Ruano y que se publicó en *ABC* el 15 de diciembre de 1965. Horas después moría el escritor en su casa madrileña de Ríos Rosas.

Pienso ahora que Jacqueline Roque deambulaba como un fantasma. Ya se le había escapado de su jaula el «prisionero», al que tenía que custodiar y defender de los demás.

Sí, Jacqueline había perdido la costumbre de vivir.

Genealogía de Picasso

PATERNA

1541. Nace en Cogolludo Juan León, de reconocida nobleza. No paga impuestos. Lucha en Granada y Loja y no regresa.

Siglo XVI. Un descendiente de Juan León se establece en Villafranca de Córdoba.

Siglo XVIII. El apellido de los descendientes se transforma en Ruiz.

1790. José Ruiz y de Fuentes se establece en Málaga. Se casa con la noble dama María Josefa Almoguera. De antecedentes familiares religiosos ilustres. Su antepasado, el venerable Almoguera, nacido en Córdoba en 1605, muere en olor de santidad en 1673. Ha sido obispo de Arequipa, arzobispo de Lima y virrey y capitán general de Perú. Otro ascendiente de la dama es Pedro Cristo Almoguera, que muere en 1855, a los ochenta y un años de edad. Vivió como ermitaño, en la sierra de Córdoba. Los Almogueras procedían de las montañas de León.

1810. Un hijo de José Ruiz y de Fuentes, Diego, apedreó a soldados franceses. Fue capturado y golpeado, resultando herido gravemente, casi le proporcionan el tránsito al otro mundo. Este abuelo de Picasso recordó siempre el hecho orgulloso de haber interrumpido el desfile de los invasores.

1830. Diego Ruiz se casa con María de la Paz Blasco, tienen un hijo, diplomático, que acompaña al embajador español en Rusia. Otro hijo, Pablo, llega a doctor en teología y canónigo de la catedral malagueña. Muerto el padre, ayuda a los nueve hermanos. Especialmente al más débil, a José, padre de Pablo Ruiz Picasso.

MATERNA

Primera mitad del siglo XIX. Se hace célebre en Málaga la familia Picasso porque el general Lachambre, malagueño, bombardea Málaga. Caen los impactos en la plaza de la Merced y hacen víctimas a las tejas de la casa en que habita la familia. El padre de doña María Picasso nació ya en Málaga. Se educó en Inglaterra. Fue funcionario en Cuba y allí murió a consecuencia del «vómito negro», en 1883, cuando ya iba a regresar a su tierra natal.

Se dice que la familia Picasso procedía de Italia. Nada se sabe de cierto. En 1799 nació, en Génova, un pintor, Mateo Picasso, que retrató a la duquesa de Galiera. Dicen que el abuelo de doña María Picasso nació en un pueblo cercano a Recco, lugar del nacimiento de Mateo Picasso.

Pero ¿llegaron antes a España? Las crónicas del rey don Pedro, hijo de don Alfonso de Castilla, narran una batalla librada en 1339 entre Gonzalo Martínez de Oviedo, jefe de los ejércitos del rey y el príncipe Picaco, hijo del rey moro Albuhacén.

En 1880 se casan José Ruiz Blasco y María Picasso López. A él, por decisión familiar, le había sido asignada una prima de María, pero porque se enamoró de la que iba a ser su mujer, o por contradecir los designios familiares, cambió de novia. Sus hijos se hubiesen apellidado de igual manera: Picasso.[1]

1. La mayor parte de estos datos fueron averiguados por Jaume Sabartès, en sus afanes por conocer la genealogía de Picasso. Existen otros estudios más completos sobre la misma, pero no los creemos necesarios para esta publicación que el lector tiene en sus manos y que está referida a las mujeres que acompañaron al genio.

Cronología de Pablo Picasso. Sus épocas pictóricas y sus mujeres

Málaga. 1881

25 de octubre. A las 23 horas, 15 minutos, nace en Málaga un hijo de José Ruiz Blasco y de María Picasso López.

1 de noviembre. Se lo llevan a cristianar a la iglesia de la Merced, siendo sus padrinos sus tíos los Blasco Alarcón. Se le imponen los nombres de Pablo, Diego, José Francisco de Paula, Juan Nepomuceno, María de los Remedios, Crispiniano de la Santísima Trinidad.

El signo astrológico del niño es Escorpión. Al nacer lo dieron por muerto y lo dejaron abandonado, hasta el punto de que la comadrona se dedicó a atender a la madre.

Este mismo año se inventa la bicicleta. Nacen Stephan Zweig, Fernande Léger, Cecil B. de Mille. Verdi estrena su *Aida.* Y mueren dos personajes famosos: Disraeli y Dostoievski.

1884

En diciembre Málaga sufre la sacudida de un terremoto. Los padres huyen de la casa. Don José lleva al pequeño Pablo envuelto en los pliegues de su capa española. Se refugiaron en casa del pintor Muñoz Degrain. Y allí doña María Picasso, asustada por la situación, daba a luz prematuramente al segundo de sus hijos: Lola, que sería conocida como «la terremoto» en recuerdo de la fecha en que vino al mundo.

El pintor Muñoz Degrain, gran amigo de la familia Ruiz Picasso, había llegado a Málaga para decorar el teatro Cervantes. En su casa Pablito se fija en lo que hace el pintor y ensaya sus primeros trazos. Un acontecimiento importante en su vida: un tío suyo lo lleva por primera vez a los toros.

El pequeño Pablo pide el lápiz así: «piz... piz... piz», pinta en papeles y hace trazos sobre la arena.

1887

Otro acontecimiento familiar en la vida de aquel profesor de artes y oficios de San Telmo y conservador del museo local del ayuntamiento. Malvive, pero es bienvenido el tercero de los hijos de don José y doña María: Conchita Ruiz Picasso.

Nacen ese año, pero lejos de allí, dos pintores que llegarían a ser amigos de Picasso: Chagal y Juan Gris. Don José pinta sus célebres palomas y sigue vendiendo sus cuadros para ayudar a la precaria economía familiar. Un tío de Pablito lo sienta en las rodillas de un picador. Al día siguiente el niño ensaya molinetes en la plaza de la Merced.

La Coruña. 1891 a 1895

La familia, no pudiendo hacer frente a los gastos, se traslada a La Coruña. Don José es destinado, como profesor de arte, al instituto Da Guarda. Van por mar y desembarcan en Vigo. Se instalan en la calle de Payo Gómez, número 12.

Muere Conchita de difteria.

Pablito «torea» y enseña a torear a sus compañeros de colegio en la plaza de María Pita. Persigue a los gatos con escopeta.

Salvamento de una muchacha, al servicio de su casa y a punto de morir por emanaciones del brasero.

Conoce a *Carmiña, que iba a ser su primera novia y modelo.* Unos dicen que era hija de los porteros de la finca, cuya existencia no hemos podido comprobar, y otros, entre ellos lo creía el propio Pablo, que era hija de pescador y pescantina.

Primer amor: Carmiña

Lo que para su familia constituyó una tragedia para Pablo es un feliz acontecimiento. Sobre todo el viaje por mar y el descubrir el enfurecido Atlántico.

Pablo Ruiz Picasso conoce a Pérez Costales, que es su primer mecenas. Empieza a pintar en los «calabozos» del instituto. Pinta en las cajas de puros habanos y su protector le paga cada trabajo a cinco pesetas.

Va a pintar a la torre de Hércules. Su padre se cansa de poner patas a las palomas de sus cuadros y le encomienda a su hijo tal misión. En 1894 le da «la alternativa» como pintor y le entrega sus «trastos». Don José deja el oficio por el que nunca sintió excesiva vocación. Pablo expone por vez primera en una paragüería.

Hace sus primeras «revistas» de un solo ejemplar. Retrata a Pérez Costales y hace una de sus obras maestras, *La niña de los pies descalzos,* Carmiña, su primer amor.

LA CORUÑA-MADRID-MÁLAGA-BARCELONA
1895 a 1896

Vacaciones de toda la familia en Málaga, pero deteniéndose en Madrid, en donde visitarán el museo del Prado. Transcurrido el verano, marchan a Barcelona. Don José sigue como profesor de Bellas Artes. Se instalan los padres, Lola y Pablo, en la calle Cristina, cercana al mar. A cien metros está el lugar de trabajo de don José. Después pasan a la calle de la Merced, número 3. Y buscan un estudio para Pablo, en la calle de la Plata.

Pablo tiene, con varias mujeres de «la mala vida», sus primeros escarceos sexuales.

Un acontecimiento importantísimo en la vida del pintor: su encuentro en el museo del Prado con sus pintores favoritos: Zurbarán, Goya, Velázquez. El tío Salvador quiere protegerlo. Le ofrece, en Málaga, cinco pesetas diarias y le busca como modelos a Salmerón, un marinero desempleado y a la tía Pepa, mujer dedicada a sus rezos. Pablo ingresa, con brillantes calificaciones, en la Escuela de Bellas Artes de Barcelona. Tiene catorce años, pero ya es admitido en las enseñanzas superiores. Pinta *Ciencia y caridad, El niño del coro.* Participa en una exposición.

Le critican negativamente *Ciencia y caridad.* En una crítica en la que se lee: «Siento ante tanto dolor / reírme como un bergante, / pero el caso es superior. / ¿Pues no está el señor doctor / tomándole el pulso a un guante?»

MADRID-MÁLAGA-MADRID-BARCELONA
1897 a 1898. Horta de San Juan

En verano se trasladan a Málaga. Don José no quiere volver a Barcelo-

El hombre de la gorra, cuadro pintado en La Coruña, es exhibido en

na. Sus hijos Pablo y Lola, acompañarán a su abuela. Se traslada a Madrid para ingresar en la Academia Real de Bellas Artes. Vive en diversas buhardillas de la plaza del Progreso (hoy Tirso de Molina). Primero se instaló en la calle de San Pedro Mártir.

Para convalecer de la escarlatina se va a Horta de San Juan, pueblo de su amigo Manuel Pallarès.

Allí conoce a Josefa Sebastiá, de la que se siente «prendado».

Barcelona. Éxito en la Lonja del joven pintor. *Pablo se hace medio novio de su prima Carmen Blasco.* En un homenaje que le ofrece el Liceo por su éxito con *Ciencia y caridad,* en Madrid, lo bautizan como pintor los amigos de su padre.

En este año ha expuesto en Els quatre gats en Barcelona y en Madrid.

Estudia en San Fernando (Madrid) y después de muchos años serían descubiertos algunos de sus trabajos de entonces. No iba a la academia. Pasaba por dificultades económicas. *Vida callejera y con chicas «fáciles». En las fiestas de San Antonio de la Florida conoce a una modistilla, Mariana López, cree él que se llamaba, pero no hay más «historias amorosas». Enferma de escarlatina, vuelve a Barcelona y en Horta de San Juan conoce a la vendedora de la única tienda, Josefa Sebastiá.*

BARCELONA-MÁLAGA-MADRID-PARÍS
1899 a 1902

Estudio de Pablo en la calle de Escudillers Blancs. Es el piso de un hermano del escultor José Cardona. Se traslada con sus cosas al estudio de Riera de San Juan, también en la ciudad condal. A fines de octubre de 1900 llega a París acompañado de Casagemas. *Tienen ambos dos amantes,* a las que nos referimos en estas páginas. Él pensaba que París significaría un alto en el camino que le conduciría a Londres.

En París alquila un estudio que había pertenecido a Nonell. Estaba en el número 46 de la calle Gabriele. El 24 de diciembre regresa a Barcelona con Casagemas y con él viajaría a Málaga el 30 de diciembre. No los admitían debido a su aspecto desaliñado.

Trata de hacerse novio de su prima Carmen Blasco, que le da achares.

En enero de 1901 regresa a Madrid y vive en la calle Caballero de Gracia y, después, en el 28 de Zurbano. En 1901 regresa a Barcelona, abandonada su aventura madrileña en la que cuentan mujeres que se encuentra por la calle y en cabarets baratos.

En sus ratos de ocio hace ojetes, a máquina, para los corsés. Alterna con la intelectualidad barcelonesa y conoce a Jaume Sabartès, aspirante a escultor, pero que no puede cumplir su vocación por su deficiente vista. Dibuja retratos a lápiz de la célebre cupletista la Bella Chelito, de la que se enamora.

Pinta *Costumbres aragonesas,* en Horta de San Juan.

Expone en Els quatre gats. Retratos, casi un desafío, porque Casas era el retratista de moda. Se pone en contacto artístico con las obras de moda en París que pertenecen a Degas, Ingres, Delacroix, Van Gogh, Gauguin, Lactreau. En la galería de madame Wel conoció al marchante catalán Mañach, que le ofreció ciento cincuenta francos mensuales por toda su producción. Vendió tres lienzos de corridas de toros a la Wel en cien francos.

Pinta a carbón un *Café-concierto.* Así distrae su aburrida estancia en Málaga. Este dibujo se publicaría más tarde en *Pèl & ploma.* El cante jondo aparece por vez primera como su temática.

Casagemas, muy enamorado de una mujer que no le hacía caso, volvería a París, en donde se suicida.

En este mismo año, 1901, es cuando viaja a París con Jaume Andreu. Vive en el 130 del bulevar de Clichy, que es domicilio de Mañach.

En 1901 expone en la sala Voillard de París. Vuelve a Barcelona en enero de 1902. Vive en la calle de la Merced con sus familiares. Tiene su estudio en la calle de Conde de Asalto.

En octubre de 1902 vuelve a París. Alquila una habitación en el hotel des Écoles y se traslada, compartiendo su cuarto con el escultor Sisquets, a la rue Seine, al hotel Du Maroc, hoy hotel Louis XV. Después vive en la casa de Max Jacob.

Funda con Asís Soler *Arte joven*. La subvencionaban con un cinturón que curaba todas las dolencias, invento del padre de Soler. Les fallan los medios económicos y a los cinco números dejan de publicar la revista. Picasso fracasó en su idea de hacer en Madrid un movimiento artístico paralelo al de Barcelona.

Expone pasteles en Parés de Barcelona. Gran acogida. Ya está instalado en París. Iba a comenzar su importante *época azul* (1901-1904). Hace *El cuarto azul*. Expone junto a Iturrino. En la *Gazette d'art* se le hace una crítica elogiosa: «Picasso es absoluta y bellamente un pintor.»

Entra simultáneamente en el *período cabaret*. Conoce a Max Jacob, al que le uniría una gran amistad. Termiñach. Termina *El entierro de Casagemas, Tejados azules*. Expuso treinta cuadros y pasteles en la galería Berthe Weill.

Tiempos de pobreza, de hambre y amores «fáciles» compartidos. Sigue creando: *Madre e hijo junto al mar.*

BARCELONA
1903-1904

Vuelve a Barcelona en enero de 1903. Se instala en la calle Riera San Juan, donde había estado ya en 1900. En 1904 pasa a la calle del Comercio. Sabartès vivía en un ático cercano. Antes de marcharse de nuevo a París se iría a otra habitación de la misma calle.

Abril de 1904. Deja Cataluña por última vez. Se despide de las rabizas de la calle d'Avinyó, que le servirían de inspiración para una de sus más célebres obras.

Con objeto de obtener fondos para el viaje vende *Madre e hijo junto al mar* en doscientos francos. Comparte el estudio de Ángel Soto. Va desarrollando su *per'odo azul*. Pinta al sastre Soler, *La vida, Evocación, La mujer de los brazos cruzados, La comida del ciego, El viejo judío, La comida frugal, Niño con una paloma, El hombre de azul.*

PARÍS
1904 a 1908

Ya en París, se instala en la actual plaza Émile Goudeaux, en el Bateau Lavoir, situado en Montmartre.

1901. Conoce a *Fernande Olivier*, divorciada de un escultor. La hace su modelo y su amante.

1905. Es invitado por Stone Schilperrot y viaja a Holanda. Un viaje rápido a España con Fernande Olivier. Va a Gósol, cerca de Andorra. Sólo se podía llegar allí en mula. Visita Barcelona.

1906. Conoce a Matisse en casa de los Stein.

Con *La mujer del cuervo* recuerda a Goya. Graba *La comida frugal*. Y un acontecimiento importante es haber conocido a *Fernande Olivier*. Pitxot, Canals, Echevarría, Hugué, son algunos de los amigos españoles de Picasso. Conoce a Leo y a Gertrude Stein, que son sus primeros clientes.

Le presentan a Apollinaire, el poeta que sería su gran amigo en el futuro. En 1905 llega a su *época rosa*, que finalizaría en los albores del cubismo en 1907.

Surgen *El viejo guitarrista, El actor,*

Familia de acróbatas, Arlequín sentado, La familia del circo.

«Por aquellos tiempos lo maravilloso es que todos vivíamos mal, pero igual», dice Max Jacob. Los poetas y artistas se reúnen en Lapin Agile.

Hace esculturas. Tras su viaje a Holanda, surge *La bella holandesa.*

En su viaje rápido a España se interesa por el gótico barcelonés.

Vuelve a París y comienza a pintar *Las señoritas de Aviñyó*, una de sus cumbres. En 1906 es el comienzo de su *época negra*, no tan conocida como otras. Es el paréntesis hasta llegar al cubismo. Pinta *Desnudo con toalla.*

Las señoritas de Avinyó provocan un gran escándalo. Dicen que Braque, luego su gran amigo, quedó espantado. Es importante aclarar también que, al parecer, dicho cuadro no refiere al Avignon francés, sino a la calle barcelonesa Avinyó.

ESPAÑA-FRANCIA-ITALIA-INGLATERRA
1908 a 1936

Se suicida Weigels, amigo de Picasso. Viaja al bosque Hallette y al río Oise.

En el verano de 1909 vuelve a Horta de San Juan. Visita Tarragona y Barcelona. Le acompaña Fernande Olivier.

Vuelta a París. Se instala en el bulevar Clichy, muy cerca de la plaza Pigalle.

Le vuelve a interesar el paisaje en sí. Pinta *Desnudo en la playa.*

Se dedica a hacer algunos paisajes. Se dice que la familia de Picasso le pide a Fernande que se case con él.

Se intensifican la amistad y la tarea en equipo entre Picasso y Braque. Y se hace amigo de Juan Gris, que vivía paupérrimamente.

El cubismo (1909-1914) tiene como padres a Picasso y a Braque. Es la gran revolución artística que Francia exporta al mundo. Se habla de que Picasso emplea las matemáticas para realizar su trabajo. *La mujer sentada* pertenece al llamado «cubismo analítico». *La mujer con mandolina* pertenece ya al titulado «cubismo sintético» (1910). *El tocador de clarinete* es del «cubismo hermético» (1911). El cubista Picasso expuso en Munich.

1910. Sale de vacaciones con Derain a Cadaqués. Vive con Fernande en casa de Pitxot, gran amigo de los Dalí.

1910. Vuelta a París.

1911. Veranea en Céret (Pirineos Orientales franceses). Ese verano roban del Louvre *La Gioconda.*

Aprende a bailar sardanas. Hace vida deportiva. Se divierte y pinta retratos y objetos, como *Botella.*

Sus primeras exposiciones en Inglaterra, Bélgica, Alemania, Estados Unidos y Rusia. *Cabeza de una mujer es* su primera escultura cubista.

Veraneo con Fernande, Braque y

1912. Traslado a Avignon. *Lo hace con Eva, su nueva compañera.*

Gris. Allí vive Manolo Hugué. Se había instalado en un museo del siglo XII. Allí puso su estudio. Pinta *El poeta* y *El acordeonista.*

1912. Pasa sus vacaciones con Braque en Sorgues (Vaucluse).

Expone «cubista» en Barcelona. Y en Londres y Moscú. Apollinaire, interesado en las nuevas tendencias pictóricas, recibe de Picasso el nombre de «Papa del cubismo».

Anécdota policial: Apollinaire protegía a un aventurero belga llamado Guery-Pieret. Robó algunas esculturas ibéricas del Louvre. Picasso le compró algunas. Al llevar al ladrón a la estación, acto generoso de Apollinaire, éste cayó en sospechas de la policía. Dio con sus huesos en la cárcel, sospechoso de complicidad en el robo de *La Gioconda.* Y Picasso estuvo seriamente implicado en tan turbio asunto.

1913. Muere José Ruiz, padre de Picasso, en Barcelona.

1914. Estalla la primera guerra mundial.

En 1912, época de los «papeles *collès*». Los *collages*. En 1914 vive su «período de cristal». Tienen éxitos sus *mostras* de Nueva York y de Alemania.

1915. *Muere Eva*, compañera de Picasso.

En 1915 pinta *Cristo en la cruz*, de estilo Greco. Se asegura que, pese a la no religiosidad de Picasso, pudo estar influido por la crisis sentimental que sufrió con motivo de la *muerte de Eva.* De su época de cristal destacan *Tocador de guitarra, El hombre acodado en la mesa.*

1916. Vive en Mountrougement, en el 22 de Victor Hugo. Deja para ello su casa de la calle Schoelcher.

1917. Viaja a Roma. Visita Nápoles, Pompeya y Florencia.

En este tiempo conoce a Jean Cocteau. Lo pone en contacto con el mundo del ballet. Le convence para que colabore con él. Le presenta a Diaghilev. Decora *Parade* y conoce *a Olga Koklova, que pronto sería su mujer.*

17 de mayo de 1917. Se estrena *Parade* en el teatro del Chatelet.

1918. *Matrimonio civil y por el rito ortodoxo ruso, con Olga.*

No tuvieron éxito con *Parade,* ni sus creadores, ni los famosos Ballets Rusos. Insultos tremendos. Apollinaire, herido de guerra y héroe nacional, se pone en pie y apacigua los ánimos.

Picasso se traslada a la rue la Boite, barrio de moda. Posee una importante colección de cuadros de Matisse, Cézanne y Renoir.

En 1918 hace otro viaje a Barcelona y pasa con su mujer las vacaciones en Biarritz.

Su marchante es Rosenberg. Los Picasso se trasladan a Londres para presenciar la actuación de los Ballets Rusos, que estrenan *El sombrero de tres picos*, de Falla. Vida elegante, de *jet-set*.

En 1918 conoce en Barcelona a Joan Miró. Pinta *Las bañistas*, inspirándose en las ídem de Biarritz.

En 1920 estrena, con música de Stravinski, el ballet titulado *Puccinella*. En su pintura se adivina un neoclasicismo. Volvería a decorar ballets en 1921, concretamente *Cuadro flamenco*, también de Falla. Hace figuras monumentales: *Desnudos femeninos*, dos versiones de *Los tres músicos*, obra esencial en su historia.

4 de febrero de 1921. Nace Paulo. Se trasladan a una gran villa de Fontainebleau.

Se venden en subasta pública los bienes artísticos de Uhde y Kahnweiler, dado que el gobierno francés se apropia de las pertenencias extranjeras de súbditos o nacidos en países enemigos. Treinta y dos pinturas subastadas eran de Picasso.

1922. Pasan el verano en Dinard (Bretaña).

Bretaña le recuerda el paisaje gallego. Ha trabajado en los decorados de *Antígona*, versión de Jean Cocteau.

Olga enferma y vuelven, precipitadamente, a París. La operan con felices resultados.

1923. Doña María Picasso veranea con su hijo en Antibes.

Amistad creciente con Breton. Expone en Chicago, Praga y Nueva York. En los años 24 y 25 busca nuevas proporciones para los bodegones. Este año nace el surrealismo. Sus amigos lo llaman surrealista aun dentro del de tal tendencia, sus amigos, que no a cubismo. Pero él prefiere a los poetas los pintores y escultores que la pusieron en práctica. Sigue unido al ballet y pinta el telón de *El tren azul*. Retrata a Breton. Pasa sus vacaciones del 24 en Jean-les-Pins. Decora *Mercurio* de Eric Satié. Se aburre de la rutinaria vida a la que lo obliga Olga, su mujer.

1925. Primavera en Montecarlo y Jean-les-Pins. Vuelve a Dinard dos veranos seguidos.

Pinta *Guitarra*, un linóleo perforado con clavos, cuyas puntas sobresalen. En 1929 hace una *Crucifixión*, pero no la termina hasta el año siguiente. Colabora con el escultor Julio González y hacen construcciones en hierro. Este período se le llama «de la metamorfosis y los monstruos».

1930. Adquiere el castillo de Boisgeloup en Eure. Se instala en él. Veranea en Jean-les-Pins.

1933. Viaja a Cannes y a Barcelona. En el 34 hace un largo viaje: Irún, San Sebastián, Toledo, El Escorial y Barcelona.

1935. *Se separa de Olga.* Nace, este mismo año, su hija Maya o Maia, hija de Marie-Thérèse.

Se le concede (1930) el premio Carnegie. Grabados para *La metamorfosis,* de Ovidio, que se publica un año más tarde (1931). Y *La obra maestra desconocida,* de Balzac, que Picasso ilustró en el 27. Entre los años 1930 y 1936 hace esculturas y sus famosos «minotauros». Expone en Chicago. Va reformando la anatomía humana en sus composiciones. Paulatinamente se aleja de Olga.

Dice que Olga «exigía demasiado de mí». Comienza a manifestarse como poeta. Sabartès vuelve, regresa de América, llamado por Pablo, que se hace íntimo amigo de Paul Éluard, recientemente separado de la rusa Gala, que sería después mujer de Dalí.

Francia-España-Francia-Italia

De 1936 a 1960

1936. Visita a España. Nombramiento como director del museo del Prado. Comienza la guerra civil española.

Recibido triunfalmente en Barcelona. Éluard lo acompaña y pronuncia una conferencia. Visitan Madrid y Bilbao, donde Picasso expone. En Barcelona Ramón Gómez de la Serna ofrece un recital sobre los poemas del pintor. El gobierno republicano lo nombra director del Prado.

Conoce a Dora Maar, fotógrafa, otra mujer importante en su vida.

En su taller de Grenier de Barrault pinta *Guernica.* La obra está destinada al pabellón español de la Exposición Internacional de París.

1938. Veraneo en Mougins. Enferma de ciática. Vive en Temblay hasta fin de año.

1939. Muere su madre en Barcelona. Expone en Nueva York y en Chicago. Y en la galería Rosenberg de París.

1944. Tras la liberación de París se adhiere al Partido Comunista.

1946. *Françoise Gilot va a sustituir a Dora Maar en la vida del pintor.*

Visita en Suiza a Paul Klee. Viaja constantemente a la Costa Azul. Y es Mougins su lugar favorito para el difícil descanso. En Nueva York se expone su obra bajo la nominación «40 años de su arte». Vive en Royan en 1940. Inaugura una exposición de guaches, acuarelas y dibujos en Mai, de París. No se va de París. Ocupación alemana. Escribe *El deseo atado por la cola,* obra teatral. Expone en el salón de Otoño y pinta *El osario.* Un año después, 45, expone en Londres, ante una gran controversia. Sus obras llenan el museo Picasso de Antibes.

Dos Geneviève en su vida: la amiga de Françoise Gilot, con la que lo conoció en París y Geneviève Laporte.

1947. *Nace su tercer hijo, Claude. Es hijo de Françoise Gilot.*

1948. Visita Varsovia. Asiste al Congreso de la Paz.

Año de las cerámicas. Trabaja en Vallauris con los Ramiè. Madoura.

En Italia participa en la sesión del comité de los partidarios de la paz.

1949. Segundo viaje a Italia. Nace su cuarto hijo, una niña, Paloma, habida con Françoise.

1950. Expone en la Bienal de Venecia. Ciudadano de honor de Vallauris, regala su escultura *El hombre del cordero.*

Conoce, en casa de Luchino Visconti, a Lucía Bosé.

Entrega su «paloma de la paz» a Aragon. En realidad es un pichón. Va destinado al Congreso Mundial de la Paz.

Resnais hace un filme sobre *Guernica.* Son los norteamericanos los máximos compradores de la obra picassiana. Vive en La Galloise, cerca de Vallauris. Hace *Los fusilamientos de Corea.* En 1952 crea *Guerra y paz.* Termina su comedia *Las tres doncellas.* Muchas exposiciones suyas en estos años y en todo el mundo. En el 53 ilustra el *Canto por la muerte de Ignacio Sánchez Mejías,* de Federico García Lorca.

Pleito con el Partido Comunista, que no quieren que publique su retrato de Stalin.

1954. *Conoce a Jacqueline Roque. Muere Olga, su primera mujer en 1955.*

1958. Compra el castillo de Vauvenargues, cerca de Aix-en-Provence.

1961. *Boda con Jacqueline, su segunda mujer legal.*

Graba sobre linóleo. Expone en Filadelfia. Frecuenta las corridas de toros. Se hace amigo de toreros. En el 59 expone *Las Meninas* en las galerías Leiris de París. Volvería a exponer sus grabados al linóleo, un año más tarde.

Pinta *Comida en la hierba* y expone dibujos en Gaspar de Barcelona.

COSTA AZUL-PARÍS-COSTA AZUL
De 1961 a 1971

1961. El mundo entero celebra el ochenta aniversario del nacimiento de Picasso.

Jornadas gloriosas para el artista la celebración del ochenta aniversario al que él mismo llama «mi centenario». En Niza acuden a la velada teatral artistas del mundo entero.

Un año después expone en Leires sus trabajos de Vauvenargues. Y en dos salas de Barcelona. Es el año en el que en el Colegio de Arquitectos de esa ciudad se inauguran cinco frisos sobre diseño de Picasso. Polémica, naturalmente. Regala un óleo para la subasta en favor de los damnificados del Vallès. No lo adquiere nadie y él paga tres millones y medio de pesetas para recuperarlo.

1963. En el palacio Aguilar de Barcelona se inaugura un museo Picasso.

Pinta *El rapto de las sabinas.* En 1964 vuelve a exponer en Leires sus pinturas de 1962-1963.

1965. Va a París para ser operado.

Cuidados especiales tras su intervención quirúrgica, efectuada en el mayor de los secretos. Deja de fumar y nace en él «la hora del té». Entra en su casa el primer televisor y ve seriales norteamericanos.

1966. El Grand Palais, de París, organiza una manifestación monstruo en honor del aniversario picassiano.

España lleva tres óleos suyos a la Feria internacional de Nueva York. Hoy están en el museo de Arte Contemporáneo, de Madrid.

1970. Magna exposición Picasso en el palacio de los Papa de Avignon. Donación espléndida a su museo barcelonés.

1966. Las celebraciones del ochenta y cinco aniversario culminan en París. Colas para ver su obra.

1970. Exposición en el palacio de los Papas de Avignon.

En el palacio de los Papas de Avignon expone ciento sesenta y cinco obras realizadas entre el 5 de enero de 1969 y el 1 de febrero de 1970. Tres y hasta cuatro fueron pintadas en un mismo día. Alberti publica *Los ocho nombres de Picasso.* Y escribe el prólogo al gran libro que recoge toda la exposición de Avignon. Páginas en las que el papa Luna y Pablo Picasso, con las gigantescas figuras expuestas, pasan los Pirineos y llegan a España.

25 de octubre de 1970. Cumple ochenta y nueve años. Se rumorea, una vez más, que está gravemente enfermo.

Un atentado a su obra de un español enloquecido que quiere destacar. Se abren nuevas salas en el museo Picasso de Barcelona.

1971. Cumple noventa años. Francia quiere volcarse. Evidentemente enfermo, no acepta homenajes públicos. Los franceses, una vez más, le ofrecen su nacionalidad, que él rechaza.

Los franceses quieren «afrancesar» al genio. Para dar réplica a los españoles, tratan de inaugurar nuevos museos a él dedicados.

1973. El 8 de abril de este año se da al mundo la triste nueva de la muerte de Picasso, que sería enterrado en su castillo de Vauvenargues.

Su nieto Pablito se suicida ingiriendo una botella de lejía. Toma esa medida al negársele la entrada a ver a su abuelo muerto.

1977. Marie-Thérèse Walter se ahorca en el garaje de su casa en la Costa Azul.

Se discute sobre la veracidad de la muerte de Picasso. Pero hay que aceptar por buenos los datos que se facilitan en el hogar del pintor. Pasado algún tiempo fueron aceptados.

Es un verdadero infierno el tema de la herencia.

1981. El *Guernica,* traído a España después de largo contencioso, se muestra a la prensa internacional en el Casón del Buen Retiro de Madrid, sala del museo del Prado, el 23 de octubre de ese año.

Otra gran polémica, no solamente artística sino política y regionalista, al ser entregado el cuadro a España por parte de los norteamericanos. Los vascos quieren llevárselo a Guernica. Los catalanes lo reclaman para el museo Picasso y los malagueños se creen con derecho a él.

Picasso siempre expuso sus deseos

1986. En «Notre-Dame-de-Vie» se quita la vida, el 15 de octubre de 1986, Jacqueline Roque, la última mujer de Picasso.

de que figurase en el museo del Prado de Madrid. Y su voluntad fue cumplida. Picasso, como el Cid, sigue ganando batallas después de muerto. ¡Olé!

Bibliografía

Constituyen un número ingente los volúmenes publicados sobre Picasso. Por orden alfabético recogemos, fragmentada, parte de la principal bibliografía.

ADÉMA, Marcel, *Apollinaire*, Heinemann, 1954.
APOLLINAIRE, Guillaume, *The Cubist Painters* (trad. inglesa), Wittenborn & Co., Nueva York, 1944.
— y CEREYSSE, Jean, *Les Soirées de Paris*, París, núm. 18, 15 noviembre 1913; núms. 26 y 27, julio-agosto 1914.
— *La Femme Assise*, Gallimard, París, 1948.
ARAGON, Louis, *La Peinture au Défi*, Corti, París, 1930.
ARGAN, Giulio Carlo, *Scultura di Picasso*, Alfieri, Venecia, 1953.
BARR, Alfred H., J., *Picasso, Fifty Years of His Art*, The Museum of Modern Art, Nueva York, 1946.
— y MATISSE, *His Art and His Public*, The Museum of Modern Art, Nueva York, 1951.
BATAILLE, Georges, «Soleil Pourri», en *Documents*, núm. 3, año 2.°, París, 1930.
BELL, Clive, *Old Friends*, Chatto and Windus, Londres, 1956.
BILLY, André, *Max Jacob*, Pierre Seghers, París, 1953.
BRAQUE, Georges, y VALLIER, Dora, «La Peinture et Nous», en *Cahiers d'Art*, París, octubre 1954.
BRETON, André, «Le Surréalisme et la Peinture», en *La Revolution Surrealiste*, núm. 4, París, 15 julio 1925.
— «Picasso Poète», en *Cahiers d'Art*, núm. 10, París, 1935.
BOECK, W., y SABARTÈS, J., *Pablo Picasso*, Thames and Hudson, Londres, 1955.
CAMÓN AZNAR, *Desde Trajano a Picasso*.
CIRICI PELLICER, *Picasso avant Picasso*, Cailler, Ginebra, 1950.
COCTEAU, Jean, *Le Coco et l'Arlequin*, Ed. de la Sirène, París, 1918.
— *Picasso*, Stock, París, 1923.
CRASTRE, Victor, *La Naissance du Cubisme*, Ophrys, París, sin fecha.
DAIX, Pierre, *Picasso*, Aimerx Somogy, París.
DESCAREUES, Pierre, *Pablo Picasso*, E. Universitaires, París.
DUNCAN, David Douglas, *The Private World of Pablo Picasso*, Ridge Press, Nueva York, 1957.
ELGAR, Frank, y MAILLARD, Robert, *Picasso*, Fernand Hazan, París, y Thames and Hudson, Londres, 1955.
ÉLUARD, Paul, *A Pablo Picasso*, Trois Collines, Ginebra-París, 1944.
— *Selected Writings*, trad. por Lloyd Alexander, Routledge and Kegan Paul, Londres, 1952.
— «Je parle de ce qui est bien», en *Cahiers d'Art*, París, 7.10, 1955.
FAGUS, Felicien, en *Gazette d'Art*, recogido en *Cahiers d'Art*, 1932, núms. 3-5.
GEISER, Bernhard, *Pablo Picasso. Fifty five Years of his Graphik Work*, Thames and Hudson, Londres, 1955.
GONZÁLEZ, Julio, «Picasso sculpteur», en *Cahiers d'Art*, II, núms. 6-7, 1936.

HUGNET, Georges, «Dada and Surrealism», en *Bulletin of The Museum of Modern Art,* Nueva York, noviembre-diciembre 1936.
JACOB, Max, *Correspondance,* Ed. de París, París, 1953.
JANIS, HARRIET y SIDNEY, *Picasso. The Recent Years 1939-46,* Doubleday & Co., Nueva York, 1946.
KAHNWEILER, Daniel-Henri, *Picasso: Dessins 1903-1907,* Berggruen et Cie., París, 1954.
—*The rise of Cubism,* Wittenborn, Schutz Inc., Nueva York.
—*Prefacio a The Sculptures of Picasso,* Rodney, Philips & Co., Londres, 1949 (fotos por Brassai).
— «Cuestionario», en *L'Oeil,* núm. 1, 1955.
LARREA, Juan, *Guernica,* Curt Valentin, Nueva York, 1947.
LEIRIS, Michel, *Miroir de la Tauromachie,* G. L. M., París, 1938.
LEVEL, André, *Picasso,* Crès, París, 1928.
LOEB, Pierre, *Voyages à travers la Peinture,* Bordas, París, 1945.
MARRERO, Vicente, *Picasso y el toro,* Editorial Cálamo, colección Esplandián.
MELVILLE, Robert, *Picasso: Master of the Phantom,* Oxford University Press, Londres, 1939.
MOURLOT, Fernand, *Picasso Lithographe,* vols. I y II, Ed. du Livre, Montecarlo, 1949 y 1950. Prólogo de J. Sabartès, vol. III, 1956.
NICOLSON, Benedict, «Post-Impressionism and Roger Fry», en *Burlington Magazine,* enero 1951, Londres.
OLIVIER, Fernande, *Picasso et ses amis,* Stock, París, 1933.
D'ORS, Eugenio, *Picasso,* París, 1930.
PENROSE, Roland, *Portrait of Picasso,* Lund Humphries, Londres, 1956.
—*Homage to Picasso,* Lund Humphries, 1951.
— «Picasso», en *L'Oeil,* octubre 1956.

PICASSO, Pablo, *Reportajes*

«Picasso speaks», entrevista con Marius de Zayas, en *The Arts,* Nueva York, mayo 1923, recogida por BARR: «Picasso», p. 270.
«Pourquoi j'ai m'adheré au Parti Communiste», en *L'Humanité,* París, octubre 29-30, 1944. Interviu con Pol Gaillard, recogida por BARR, *ibid.,* p. 267.
«Picasso explains», interviu con Jerome Seckler, en *New Masses,* 13 marzo 1945, recogida por BARR, *ibid.,* p. 268.
«Picasso n'est pas officier dans l'armée française», en *Les Lettres Françaises,* París, 24 marzo 1945, recogida por BARR, ibid., p. 269.
PARMELIN, *Habla Picasso,* E. Gonthier, París.
—*Le Desir attrape par la Queue,* N. R. F., Col. Métamorphose, núm. 23, Gallimard, París, 1949.
RAYNAL, Maurice, *Picasso,* Crès, París, 1922.
— «Panorama de l'oeuvre de Picasso», en *Le Point,* XLII, Souillac (Lot) y Mulhouse, octubre 1952.
—*Picasso,* Skira, Ginebra, 1953.
READ, Herbert, «Picasso's Guernica», en *London Bulletin,* núm. 6, 1938.
—*Art Now,* Faber and Faber, Londres, 1933.
ROY, Claude, *La Guerre et la Paix,* Éd. du Cercle d'Art, 1954.
SABARTÈS, Jaime, *Picasso. Portraits et Souvenirs,* Louis Carré et Maximilien Vox, París, 1946.
—*Picasso. Documents Iconographiques,* Pierre Cailler, Ginebra, 1954.
—Prólogo en *Picasso Lithographe,* de Mourlot.
—Véase también: BOECK, W., y SABARTÈS, J.
SALMON, André, *Souvenirs Sans Fin,* Gallimard, París, 1955.
SAURTE, André, *Picasso Lithographe,* Prólogo de Hélène Parmelin, París, 1971.
SERNA, Ramon GÓMEZ DE LA, «Le Toreador de la Peinture», *Cahiers d'Art,* 1932, núms. 3-5.

SOBY, James THRALL, *Modern Art and the New Past,* University of Oklahoma Press, 1957.
SPRIGGE, Elisabeth, *Gertrude Stein,* Hamish Hamilton, Londres, 1957.
STEIN, Gertrude, *Autobiography of Alice B. Toklas,* John Lane The Boley Head, Londres, 1933.
—*Everybody's Autobiography,* Random House, Nueva York, 1937, y Heinemann, Londres, 1938.
—*Picasso, Scribner's,* Nueva York, y Batsford, Londres, 1938.
SWEENY, James Johnson, «Picasso and Iberian Sculpture», *Art Bulletin,* 23, núm. 3, Nueva York, setiembre 1941.
TÉRIADE, E. (director), *Verve,* vol. V, núms. 19-20, «Picasso en Antibes», París, 1948.
—*Verve,* vol. VII, núms. 25-26, «Picasso en Vallauris», París, 1951.
—*Verve,* vol. VIII, núms. 29-30. Colección de 180 dibujos de Picasso, París, 1954.
TZARA, Tristan, *Picasso et la Poésie,* De Luca, Roma, 1953.
UHDE, Wilhelm, *Picasso and the French Tradition,* Éd. des Quatre Chemins, París; Weyhe, Nueva York, 1929.
VALLENTIN, Antonina, *Picasso,* Albin Michel, París, 1957.
VOLLARD, A., *Recolections of a Picture Dealer,* Constable, Londres, 1936.
VERDET, André, «Picasso et ses environs», *Les Lettres Nouvelles,* París, julio-agosto 1955.
ZERVOS, Christian, *Picasso,* Éd. Cahiers d'Art, vol. I (1932) a vol. VIII (1957). Monumental catálogo de las pinturas, esculturas y dibujos de Picasso, con reproducción de la mayor parte de su obra, en curso de publicación.
—(director), *Cahiers d'Art.* Muchos fascículos de esta serie contienen importantes artículos sobre Picasso, algunos de los cuales han sido mencionados en el texto. Véase, sobre todo, los números 3-5, de 1932, y el de 1945-1946.
—*Catalan Art,* Heinemann, Londres, 1937.

NOTA IMPORTANTE. Existen varias bibliografías en torno al personaje. BARR publicó *Fifty Years of His Art* (1946). En 1955 publicaron otro volumen bibliográfico BOECK y J. SABARTÈS. Existen otros libros estadístico-bibliográficos en torno a lo escrito sobre Picasso.

FILMOGRAFÍA

Tres films sobre *Guernica*: uno de R. J. Flaherty (1948), otro de Ernst y Ostergren (1949), y el tercero de Alain Resnais (1950). Paul Haesaerts filmó una *Visita a Picasso* (1950). R. Mariaud hizo un film al Museo de Antibes y Luciano Emmer (1954) rodó un Picasso. En 1955, H. G. Clouzot hizo un largometraje: *El misterio Picasso.*

Picasso trabajó en películas como *La caída de Orfeo,* de Jean Cocteau.

Un documental español, sin la intervención de Picasso, titulado *Adiós, Pablo Ruiz,* de Rafael Gordon. El que un día sería Picasso estuvo o pasó a finales de siglo por Madrid.

Este libro se comenzó a escribir el 15 de mayo de 1971, día de san Isidro Labrador y san Torcuato.

Después de una larga pausa, que siguió a la muerte de Picasso, se reanudó el mes de febrero de 1974, día de santa Apolonia y san Nebridio.

Se daba por concluido el 15 de setiembre de 1985, festividad de la Virgen de los Dolores y san Aicardo.

Y entró en su fase final al tener el autor conocimiento del voluntario tránsito de Jacqueline Roque, el jueves 16 de octubre de 1986, conmemoración de santa Eudivigis y Margarita de Alacoque.

Finalizándose el lunes, 24 de noviembre del año de gracia de 1986, santa Flora y María.

ÍNDICE ONOMÁSTICO

Las cifras en cursiva remiten a las ilustraciones

Títulos publicados:

1/Rafael Abella
LA VIDA COTIDIANA DURANTE
LA GUERRA CIVIL
* LA ESPAÑA NACIONAL

2/Emilio Romero
CARTAS AL REY

3/Ignacio Agustí
GANAS DE HABLAR

4/Jesús de las Heras, Juan Villarín
LA ESPAÑA DE LOS QUINQUIS

5/Francisco Umbral
LAS ESPAÑOLAS

6/R. Borràs, C. Pujol, M. Plans
EL DÍA EN QUE MATARON
A CARRERO BLANCO

7/José María de Areilza
ASÍ LOS HE VISTO

8/Ricardo de la Cierva
HISTORIA BÁSICA DE LA ESPAÑA ACTUAL

9/Salvador de Madariaga
ESPAÑOLES DE MI TIEMPO

10/José Luis Vila-San-Juan
GARCÍA LORCA, ASESINADO:
TODA LA VERDAD

11/Eduardo Pons Prades
REPUBLICANOS ESPAÑOLES EN LA
SEGUNDA GUERRA MUNDIAL

12/Claudio Sánchez-Albornoz
MI TESTAMENTO HISTÓRICO-POLÍTICO

13/Carlos Rojas
LA GUERRA CIVIL VISTA
POR LOS EXILIADOS

14/Fernando Vizcaíno Casas
LA ESPAÑA DE LA POSGUERRA

15/Salvador de Madariaga
DIOS Y LOS ESPAÑOLES

16/Juan Antonio Pérez Mateos
ENTRE EL AZAR Y LA MUERTE

17/B. Félix Maíz
MOLA, AQUEL HOMBRE

18/Rafael Abella
LA VIDA COTIDIANA DURANTE
LA GUERRA CIVIL
** LA ESPAÑA REPUBLICANA

19/Ricardo de la Cierva
HISTORIA DEL FRANQUISMO
ORÍGENES Y CONFIGURACIÓN (1939-1945)

20/Ramón Garriga
JUAN MARCH Y SU TIEMPO

21/Mariano Ansó
YO FUI MINISTRO DE NEGRÍN

22/Víctor Salmador
DON JUAN DE BORBÓN
GRANDEZA Y SERVIDUMBRE DEL DEBER

23/Dionisio Ridruejo
CASI UNAS MEMORIAS

24/Evaristo Acevedo
UN HUMORISTA EN LA ESPAÑA
DE FRANCO

25/Tte. general Francisco Franco Salgado-Araujo
MIS CONVERSACIONES PRIVADAS
CON FRANCO

26-27/Guillermo Cabanellas
CUATRO GENERALES
* PRELUDIO A LA GUERRA CIVIL
** LA LUCHA POR EL PODER

28/Eduardo de Guzmán
LA SEGUNDA REPÚBLICA FUE ASÍ

29/Tte. general Francisco Franco Salgado-Araujo
MI VIDA JUNTO A FRANCO

30/Niceto Alcalá-Zamora y Torres
MEMORIAS

31/Xavier Tusell
LA OPOSICIÓN DEMOCRÁTICA
AL FRANQUISMO (1939-1962)

32/Ángel Alcázar de Velasco
LA GRAN FUGA

33/Ramón Tamames
LA OLIGARQUÍA FINANCIERA EN ESPAÑA

34/Eduardo Pons Prades
GUERRILLAS ESPAÑOLAS. 1936-1960

35/Ramón Serrano Suñer
ENTRE EL SILENCIO Y LA PROPAGANDA,
LA HISTORIA COMO FUE. MEMORIAS

36/José María de Areilza
DIARIO DE UN MINISTRO
DE LA MONARQUÍA

37/Ramón Garriga
EL CARDENAL SEGURA
Y EL NACIONAL-CATOLICISMO

38/Manuel Tagüeña Lacorte
TESTIMONIO DE DOS GUERRAS

39/Diego Abad de Santillán
MEMORIAS (1897-1936)

40/Emilio Mola Vidal
MEMORIAS

41/Pedro Sainz Rodríguez
TESTIMONIO Y RECUERDOS

42/José Mario Armero
LA POLÍTICA EXTERIOR DE FRANCO

43/Baltasar Porcel
LA REVUELTA PERMANENTE

44/Santiago Lorén
MEMORIA PARCIAL

45/Rafael Abella
POR EL IMPERIO HACIA DIOS

46/Ricardo de la Cierva
HISTORIA DEL FRANQUISMO
AISLAMIENTO, TRANSFORMACIÓN,
AGONÍA (1945-1975)

47/José María Gil Robles
NO FUE POSIBLE LA PAZ

48/Antonio Garrigues y Díaz-Cañabate
DIÁLOGOS CONMIGO MISMO

49/Ernesto Giménez Caballero
MEMORIAS DE UN DICTADOR

50/José María Gironella, Rafael Borràs Betriu
100 ESPAÑOLES Y FRANCO

51/Raymond Carr, Juan Pablo Fusi
ESPAÑA, DE LA DICTADURA
A LA DEMOCRACIA

52/Víctor Alba
EL PARTIDO COMUNISTA EN ESPAÑA

53/Miguel Delibes
CASTILLA, LO CASTELLANO
Y LOS CASTELLANOS

54/Manuel Fraga Iribarne
MEMORIA BREVE DE UNA VIDA PÚBLICA

55/José Luis de Vilallonga
LA NOSTALGIA ES UN ERROR

56/Ian Gibson
EN BUSCA DE JOSÉ ANTONIO

57/Luis Romero
CARA Y CRUZ DE LA REPÚBLICA. 1931-1936

58/Vicente Pozuelo Escudero
LOS ÚLTIMOS 476 DÍAS DE FRANCO

59/Ramón Tamames
ESPAÑA 1931-1975.
UNA ANTOLOGÍA HISTÓRICA

60/Ángel María de Lera
LA MASONERÍA QUE VUELVE

61/Juan Antonio Pérez Mateos
JUAN CARLOS.
LA INFANCIA DESCONOCIDA DE UN REY

62/Pilar Franco Bahamonde
NOSOTROS, LOS FRANCO

63/Fernando Vizcaíno Casas
¡VIVA FRANCO! (CON PERDÓN)

64/Alfonso Osorio
TRAYECTORIA POLÍTICA
DE UN MINISTRO DE LA CORONA

65/Alfredo Kindelán
LA VERDAD DE MIS RELACIONES
CON FRANCO

66/Doctor Antonio Puigvert
MI VIDA... Y OTRAS MÁS

67/Carmen Díaz
MI VIDA CON RAMÓN FRANCO

68/Pedro Laín Entralgo
MÁS DE CIEN ESPAÑOLES

69/Antonina Rodrigo
LORCA-DALÍ

70/Joaquín Giménez-Arnau
YO, JIMMY. MI VIDA ENTRE LOS FRANCO

71/Pedro Sainz Rodríguez
UN REINADO EN LA SOMBRA

72/Pilar Jaraiz Franco
HISTORIA DE UNA DISIDENCIA

73/Pilar Franco Bahamonde
CINCO AÑOS DESPUÉS

74/Doctor Vicente Gil
CUARENTA AÑOS JUNTO A FRANCO

75/FRANCO VISTO POR SUS MINISTROS

76/Juan Antonio Pérez Mateos
EL REY QUE VINO DEL EXILIO

77/Alfredo Kindelán
MIS CUADERNOS DE GUERRA

78/Luis Romero
POR QUÉ Y CÓMO MATARON
A CALVO SOTELO

79/María Mérida
ENTREVISTA CON LA IGLESIA

80/Marino Gómez-Santos
CONVERSACIONES CON LEOPOLDO CALVO-SOTELO

81/Sebastián Juan Arbó
MEMORIAS

82/Rafael García Serrano
LA GRAN ESPERANZA

83/Álvaro Fernández Suárez
EL PESIMISMO ESPAÑOL

84/J. Cristóbal Martínez-Bordiu Franco
CARA Y CRUZ

85/Fernando Vizcaíno Casas
MIS EPISODIOS NACIONALES

86/Eugenio Vegas Latapie
MEMORIAS POLÍTICAS

87/José María de Areilza
CUADERNOS DE LA TRANSICIÓN

88/Ángel Zúñiga
MI FUTURO ES AYER

89/Emilio Attard
VIDA Y MUERTE DE UCD

90/Diego Martínez Barrio
MEMORIAS

91/José Ignacio San Martín
SERVICIO ESPECIAL

92/Santiago Segura y Julio Merino
JAQUE AL REY

93/Miguel Fernández-Braso
CONVERSACIONES CON ALFONSO GUERRA

94/Alfonso Armada
AL SERVICIO DE LA CORONA

95/Miguel Ortega
ORTEGA Y GASSET, MI PADRE

96/José María de Areilza
MEMORIAS EXTERIORES (1947-1964)

97/Fernando Vizcaíno Casas
PERSONAJES DE ENTONCES...

98/Rodolfo Martín Villa
AL SERVICIO DEL ESTADO

99/Alfonso Carlos Saiz Valdivielso
INDALECIO PRIETO. CRÓNICA DE UN CORAZÓN

100/Carlos Rojas
EL MUNDO MÍTICO Y MÁGICO DE PICASSO

101/Dolores Ibárruri
MEMORIAS DE PASIONARIA

102/Teniente general Carlos Iniesta Cano
MEMORIAS Y RECUERDOS

103/Manuel Vázquez Montalbán
MIS ALMUERZOS CON GENTE INQUIETANTE

104/Ernesto Giménez Caballero
RETRATOS ESPAÑOLES

105/Emilio Romero
TRAGICOMEDIA DE ESPAÑA

106/Arturo Dixon
SEÑOR MONOPOLIO

107/Cristóbal Zaragoza
ACTA DE DEFUNCIÓN

108/Fernando Álvarez de Miranda
DEL «CONTUBERNIO» AL CONSENSO

109/Xavier Tusell y Genoveva García Queipo de Llano
FRANCO Y MUSSOLINI

110-111/Fernando Sánchez Dragó
GÁRGORIS Y HABIDIS.
UNA HISTORIA MÁGICA DE ESPAÑA, I y II

112/José María de Areilza
CRÓNICA DE LIBERTAD (1965-1975)

113/Manuel Tarín-Iglesias
LOS AÑOS ROJOS

114/Ricardo de la Cierva y Sergio Vilar
PRO Y CONTRA FRANCO

115/Javier Figuero y Luis Herrero
LA MUERTE DE FRANCO JAMÁS CONTADA

116/Rai Ferrer (Onomatopeya)
DURRUTI

117/Manuel Vázquez Montalbán
CRÓNICA SENTIMENTAL
DE LA TRANSICIÓN

118/Ricardo de la Cierva
FRANCO

119/Ramón Tamames y otros autores
LA GUERRA CIVIL ESPAÑOLA

120/AA. VV.
ESPAÑA DIEZ AÑOS DESPUÉS DE FRANCO

121/Ramón Carnicer
LAS AMÉRICAS PENINSULARES
VIAJE POR EXTREMADURA

122/Gregorio Morán
MISERIA Y GRANDEZA DEL PARTIDO COMUNISTA DE ESPAÑA, 1939-1985

123/José Luis Alcocer
FERNÁNDEZ-MIRANDA: «AGONÍA» DE UN ESTADO

124/Javier Figuero
MEMORIA DE UNA LOCURA

125/Sergio Vilar
LA DÉCADA SORPRENDENTE, 1976-1986

126/Fernando Vizcaíno Casas
LA LETRA DEL CAMBIO

127/Manuel Rubio Cabeza
DICCIONARIO DE LA GUERRA CIVIL ESPAÑOLA/1

128/Manuel Rubio Cabeza
DICCIONARIO DE LA GUERRA CIVIL ESPAÑOLA/2

129/Philippe Nourry
JUAN CARLOS. UN REY PARA LOS REPUBLICANOS

130/Xavier Rubert de Ventós
EL LABERINTO DE LA HISPANIDAD

131/Antonio D. Olano
LAS MUJERES DE PICASSO